# LEARN TO SPEAK
# FRENCH

S0-AQG-470

# TEXT & WORKBOOK

COPYRIGHT ©1994
HYPERGLOT SOFTWARE COMPANY, INC.
P.O. BOX 10746
KNOXVILLE, TENNESSEE 37939-0746
800-800-8270 · 615-558-8270 · FAX 615-588-6569
TECHNICAL SUPPORT:
800-949-4379 · 615-584-4379

**Bienvenue au monde de la francophonie!**
*Welcome to the French-speaking world!*

French is the principal language of more than 120 million people throughout the world. In the United States alone, French is spoken by more than 1,700,000 speakers and ranks as the third most spoken language in U.S. households (after English and Spanish). One can frequently hear the native language of France in areas of New England and Louisiana. In addition to Quebec and other provinces of Canada, French is the predominant language of more than thirty nations spread amongst the continents, and serves as the official language of government and diplomacy for more than ten others. From large and expansive nations of West and Central Africa to small island nations of the Caribbean and the South Pacific, the importance of the French language in today's world is undeniable.

**How To Use Your Textbook-Workbook And Its Relationship To The Program**

Your textbook's content differs from that of the computer program in two ways: 1) your textbook contains additional vocabulary and practical information in the Vocabulary Notes section; and 2) the textbook does not contain the Cultural Notes that appear in the computer program. Should you be away from your computer for any length of time, your textbook will allow you to continue your studies of French.

We would like to suggest the following ways to use your textbook in conjunction with the computer software:

1. Begin each chapter by using the software. (A detailed description of how best to use your software can be found in your User's Manual.) Thoroughly work with the Vocabulary, Vocabulary Drill, The Story, The Action, and Listening Skills in the software. Then, before beginning the Exercises, you should read and carefully study the grammar sections from the chapter in the textbook or the program. Then, go back to the software and do the Exercises. There is a summary of the chapter's grammar available in the software on each exercise screen for you to use as a memory jogger. You will find that the more thoroughly you learn the grammar, the easier the exercises will be to do and the greater your mastery of French will become. There will be loads of examples and practice on-line within each chapter.

2. After you have done your software and textbook work, you can consult the textbook for review whenever you wish. It is a good idea to do the exercises in the textbook-workbook by hand in pencil. Since they are basically the same exercises that appear in the software, you get added review and practice, both essential when learning a language. You'll find the answers to the exercises in Appendix A of your textbook. For quick review, you might also consult Appendix B of the text which contains an index of grammatical terms and their corresponding chapters.

3. It is important to follow the material in the order in which it is presented, that is, Vocabulary, Vocabulary Drill, Listening Skills, Exercises, Word Jumble, and Communications Skills. It is also important to follow all the steps in each section of a chapter, all the repetitions, all the recording, all the exercises, etc.

4. Memorize as much as you can of the Vocabulary, Story, and Action. The more material you can memorize, the more time you will be able to devote to the creative part of learning a language. Use the <u>drawn images</u> associated with new vocabulary words as much as possible. It is extremely helpful to associated an image to a word.

5. The Vocabulary Notes section of your text will often give you relevant guidance concerning the words you will be using in relation to other vocabulary items and grammar sections of other chapters. On some occasions, individual notes may seem repetitive or redundant. This overlapping of information is deliberate. The more you study and review a vocabulary word or grammar explanation, the more likely you are to increase your language proficiency.

6. Record your voice as often as possible. We cannot stress the importance of saying things aloud. Without extensive practice in speaking the language, chances for learning to communicate successfully are very slim indeed. That is why so much of <u>Learn to Speak French</u> provides the opportunity for you to record your voice.

Finally, a list of <u>common abbreviations</u> that appear throughout this course:

| | | |
|---|---|---|
| **f.**—feminine | **past**—past | **adj.**—adjective |
| **m.**— masculine | **imperf.**—imperfect | **n.**—noun |
| **sg.**—singular | **pret.**—preterite | **adv.**—adverb |
| **pl.**—plural | **past part.**—p. participle | **pres.**—present |
| **imp!**—imperative | **id.**—idiomatic exp. | **fut.**—future |
| **cond.**—conditional | **pres.**—present | **pres. subj.**—p. |
| **pres. part.**—p. participle | | subjunctive |

# TABLE OF CONTENTS

# GREETINGS, GETTING AROUND

## Part One: Vocabulary

| FRANÇAIS | ENGLISH |
|---:|---|
| à[1] | to, at, in |
| à côté de | next to |
| à droite[2] | to the right |
| aller | to go |
| américaine (f. adj.)[3] | American |
| appartement, l' (m.) | apartment |
| arrivez, vous (arriver) | arrive, you (to arrive) |
| attendait, on (attendre, imperf.)[4] | were expecting/waited for, one/we (to expect, to wait for, imperf.) |
| beaucoup | much, many, a lot, lots |
| bien | well |
| bonjour[5] | good morning, hello |
| ça va[6] | goes/is going, it (to go) |
| café, le | café, coffee |
| ce[7] | this |
| comment allez-vous?[8] | how are you? |
| compagnie, la | company |
| comprends, je (comprendre)[9] | understand, I (to understand) |
| connaissance, la[10] | acquaintance |
| de | of, from |
| devez, vous (devoir)[11] | have to/should, you (to have to, should) |
| du[12] | of the, from the |
| elle[13] | she |
| en | one, some, any |
| en sortant (sortir, pres. part.)[14] | while leaving (to leave) |
| entrée, l' (f.) | entrance |
| est, elle (être)[15] | is, she (to be) |
| et | and |
| êtes, vous (être) | are, you (to be) |
| excusez-moi (excuser, imp!)[16] | excuse me (to excuse, imperative) |
| explique, elle (expliquer) | explains, she (to explain) |
| faites, vous (faire) | make/do, you (to make, to do) |
| gardienne, la | building attendant, concierge |
| il[17] | he |
| immeuble, l' (m.) | building |
| je | I |
| la (f.) | the (f.) |
| là-bas | over there |
| le (m.) | the (m.) |
| lendemain, le[18] | next day |
| madame | Madam, Mrs., Ms. |
| mais | but |
| matin, le | morning, in the morning |
| merci | thank you |

## Part One: Vocabulary

| FRANÇAIS | ENGLISH |
|---|---|
| monsieur[19] | Sir, Mr. |
| n'est-ce pas? (tag question)[20] | isn't it?, aren't you? |
| on[21] | one, someone, we |
| où[22] | where |
| oui | yes |
| pardon? | pardon me, sorry? |
| Paris | Paris |
| pour | for |
| pouvez, vous (pouvoir)[23] | can/are able, you (can, to be able) |
| prendre | to take |
| prenez, vous (prendre)[24] | take, you (to take) |
| réunion, la | meeting |
| station de taxis, la | taxi stand |
| suis, je (être) | am, I (to be) |
| taxi, le | taxi |
| tiens![25] | hey! |
| travaille, je (travailler)[26] | work, I (to work) |
| très | very |
| trouver | to find |
| un (m.) | a, an, one |
| une (f.) | a, an, one |
| vois, je (voir) | see, I (to see) |
| votre[27] | your |
| vous | you |
| voyage d'affaires, le | business trip |
| voyez, vous (voir)[28] | see, you (to see) |

# CHAPTER 1

## Vocabulary Notes

[1] "à" in "à Paris": to, at, in. The preposition "à" is used in front of towns, "en" or "au" in front of countries and states. "Aux" is used in front of countries with a plural name as in "aux États-Unis."

[2] "à droite": to the right, on the right. Do not confuse with "tout droit," which means 'straight ahead.'

[3] "américaine" (f.): American. Note that "américaine" is used in the text as an adjective (modifying "une compagnie"), ends in "-e" because "compagnie" is feminine (the masculine form is "américain"), and is not capitalized (compare this to "les Américains" -- 'Americans'). In French (as in English), nouns indicating nationalities are capitalized: c'est un Américain; c'est une Française.

[4] "attendait, on" in "on vous attendait": we were expecting you. Here the imperfect tense of "attendre" is used. You will learn about this tense in the grammar section of Chapter 26 of your textbook. All verbs in the imperfect will be marked with the abbreviation "imperf." in the vocabulary lists.

[5] "bonjour": good morning (also: good day). This term is used as 'hello' until the evening.

[6] "ça va": everything is okay. As a question, "ça va?" may be translated as 'how's it going?' With an adverb such as "bien" or "mal," the question takes on the meaning of 'are things going well/badly?' As an answer, "ça va" can mean 'I'm fine,' "ça va bien (mal)," 'things are going well (badly).'

[7] "ce" (m., demonstrative adj.): this, that. You will discover that "ce" becomes "cet" before words beginning with a vowel or mute "h," as in the case of "cet hôtel" ('this hotel'). Before a feminine noun, 'this, that' is expressed with "cette" as in "cette femme." This is covered in Chapter 6 of your textbook.

[8] "comment allez-vous?": how are you? In this expression, as in the less formal "comment ça va?," the verb "aller" ('to go') is used and not the verb 'to be' as in English. It's a bit similar to the colloquial English expression 'how's it going?'

[9] "comprends, je": I understand. This conjugation comes from the verb "comprendre" ('to understand') and is conjugated in the same way as "prendre" [je comprends, tu comprends, il comprend, nous comprenons, vous comprenez, ils comprennent].

[10] "connaissance, la": acquaintance. Use in the construction "faire la connaissance de" ('to make the acquaintance of') when referring to people. "La connaissance" can also mean 'knowledge.'

[11] "devez, vous" ('you have to') and "pouvez, vous" ('you can'). Both are present tense forms of the important modal verbs "devoir" ('to have to, must') and "pouvoir" ('to be able, can'); they are also irregular verbs.

[12] "du": of the, from the. A contraction: "de" + "le" = "du."

[13] "elle": she, it. In this dialogue "elle" refers to "la station de taxis" (f.).

[14] "en sortant": while leaving. A common way to express the notion of 'while + -ing' is to combine the preposition "en" with the present participle (pres. part.) form "-ant" of the verb. EX: "en parlant" ('while talking'), "en arrivant" ('while arriving'), etc.

[15] "est, elle": she is. From the verb "être" ('to be').

[16] "excusez-moi": excuse me. This form of the verb is a command and is marked "imp!" for imperative throughout the vocabulary lists of this program. Note that in the case of "excusez" it is followed by a hyphen and the direct object pronoun "moi." To say 'excuse us,' replace "moi" with "nous" > "excusez-nous."

[17] "il": he, it. In this dialogue, "il" refers to 'it,' "le café" (m.)

[18] "lendemain, le": next day. Note that "demain" means 'tomorrow.'

[19] "monsieur" in "vous êtes monsieur ... ?": you are Mr. ... ? Or you can say: "Etes-vous M. ... ?" Questions can be formed either by using the usual subject-verb-object word order and rising intonation as in the first example in the dialogue, or by inverting subject and verb, as in the second example.

[20] "n'est-ce pas?": isn't it? A tag question used at the end of a sentence when one expects agreement with a preceding statement.

[21] "on": one, someone, we. The use of "on" is a way to imply a non-specific subject of a verb. For example, "on étudie le français" may be translated as 'one studies French, people study French, you study French, we study French, French is studied,' etc.

[22] "où": where. Don't confuse with "ou" (no grave accent [`]), which means 'or.'

[23] "pouvez, vous" ('you are able, you can') and "devez, vous" ('you have to, you should'). Both are present tense forms of the important modal verbs "pouvoir" ('to be able, can') and "devoir" ('to have to, should'); they are irregular verbs.

[24] "prenez, vous": you take. This conjugation is from the verb "prendre," an irregular verb meaning 'to take' [je prends, tu prends, il prend, nous prenons, vous prenez, ils prennent]. This verb also means 'to have' when referring to food or drink. EX: "Que prenez-vous?" ('What will you have?').

[25] "tiens!": hey. This expression is from the verb "tenir" ('to hold'). Is often used at the beginning of a sentence to focus the attention of the listener and means 'well' or 'hey.'

[26] "travaille, je": I work. Present tense, singular form of the verb "travailler" ('to work').

[27] "votre": your. Later in the course (Chapters 5 and 15) you will learn the various possessive adjective forms for 'my' and 'our.'

[28] "voyez, vous": you see. From the verb "voir," an irregular verb meaning 'to see.' It is conjugated as follows: "je vois, tu vois, il voit, nous voyons, vous voyez, ils voient."

# CHAPTER 1

## Part Two: The Story

| **FRANÇAIS** | **ENGLISH** |
|---|---|

**STORY**

| FRANÇAIS | ENGLISH |
|---|---|
| • Vous arrivez à Paris pour un voyage d'affaires. | • You arrive in Paris for a business trip. |
| • Vous prenez un taxi pour aller à votre appartement. | • You take a taxi to go to your apartment. |
| • A l'entrée de l'immeuble, vous faites la connaissance de la gardienne, madame Bertrand. | • At the building entrance you meet the building attendant, Mrs. Bertrand. |
| • Le lendemain vous voyez madame Bertrand en sortant de votre appartement. | • The next day you see Mrs. Bertrand when you leave your apartment. |
| • Vous devez prendre un taxi pour aller à une réunion. | • You have to take a taxi to go to a meeting. |
| • Elle vous explique où vous pouvez en trouver un. | • She explains how you can find one. |

**ACTION**

| FRANÇAIS | ENGLISH |
|---|---|
| MME BERTRAND: Bonjour. Vous êtes monsieur Thomas, n'est-ce pas? On vous attendait. | MRS. BERTRAND: Good morning. You're Mr. Thomas, aren't you? We were expecting you. |
| VOUS: Pardon? Oui, je travaille pour une compagnie américaine à Paris. | YOU: Sorry? Yes, I work for an American company in Paris. |
| MME BERTRAND: Très bien. Je suis la gardienne, Mme Bertrand. | MRS. BERTRAND: Very good. I'm the building attendant, Mrs. Bertrand. |
| VOUS: Ah! Je comprends. | YOU: Ah! I see. |

*Le lendemain matin.*

*The next morning.*

| FRANÇAIS | ENGLISH |
|---|---|
| MME BERTRAND: Tiens, bonjour, monsieur. Comment allez-vous ce matin? | MRS. BERTRAND: Well, good morning, sir. How are you doing this morning? |
| VOUS: Très bien, merci, et vous? | YOU: Very well, thanks, and you? |
| MME BERTRAND: Ça va. | MRS. BERTRAND: All right. |
| VOUS: Excusez-moi, mais où est la station de taxis? | YOU: Excuse me, but where is the taxi stand? |
| MME BERTRAND: A droite, vous voyez? Elle est à côté du café. | MRS. BERTRAND: To the right, you see? It's next to the café. |
| VOUS: Du café? | YOU: To the café? |
| MME BERTRAND: Il est là-bas. | MRS. BERTRAND: It's over there. |
| VOUS: Ah oui! Je vois. Merci beaucoup. | YOU: Ah yes! I see. Thanks a lot. |

## Part Three: The Grammar

NOUNS: GENDER AND NUMBER

All French nouns are either masculine or feminine, singular or plural. Gender is indicated by the definite article ('the' in English) as follows: **le** for masculine nouns (e.g. "le gardien") and **la** for feminine nouns (e.g. "la gardienne") in French. Plural nouns are preceded by **les** for both masculine and feminine.

When a noun begins with a vowel sound (or an **h** which is silent or mute in French), the article becomes **l'** (i.e. "l'agence," "l'hôtel"). Gender is not immediately apparent for this type of word, because you cannot see whether it is **le** or **la**. Therefore, gender will be given when you encounter such words for the first time in the Vocabulary section with the abbreviations (**m.**) for masculine and (**f.**) for feminine.

SUBJECT PRONOUNS

The subject pronouns are often used to replace nouns in a sentence. They are the following:

| | |
|---|---|
| **je**—*I* | **nous**—*we* |
| **tu**—*you* (familiar form) | **vous**—*you* (polite sg. and pl. form) |
| **il, elle**—*he, she, it* | **ils, elles**—*they* (m.) *they* (f.) |

**Tu** is used among friends and family members, while **vous** is a polite way of addressing *you* (singular) as well as *you* (plural).

Subject pronouns **il, elle, ils,** and **elles** often replace nouns in a sentence as *it/they* in reference to things:

> **Où est <u>le restaurant</u>?—<u>Il</u> est là-bas.**
> *Where is the restaurant? — <u>It</u> is over there.*

> **Où sont <u>les restaurants</u>?—<u>Ils</u> sont là-bas.**
> *Where are the restaurants?—<u>They</u> are over there.*

Note that the noun *restaurant(s)* is replaced by the pronouns *it /they* as an answer to a question. In French, the same pattern takes place, although there is no form for *it*. You must decide between **il(s)** and **elle(s)** when referring to things (in the case of the *restaurant*— **il**). Again, it is necessary to know the gender of the noun you are replacing.

THE VERB **ETRE**

The equivalent of the verb *to be* in French is **être**. **Etre** is an irregular verb, meaning that it does not follow a regular pattern when conjugated. Its forms in the present tense are as follows:

> ETRE ('to be')
> **je suis**—*I am*
> **tu es**—*you are* (the familiar form)
> **il, elle est**—*he/she/ it is*
> **nous sommes**—*we are*
> **vous êtes**—*you are* (polite and plural form)
> **ils, elles sont**—*they are*

EXAMPLES:    **Je suis à Paris.**
*I am in Paris.*

**Jean et Marie sont français.**
*Jean and Marie are French.*

ASKING DIRECTIONS: **OU EST/SONT...?**

Frequently you will ask for directions. The most common way is to use **Où est...?** or **Où sont...?** The first is used when referring to a singular noun, the second for plural nouns.

> **Où <u>est</u> la banque?—Elle est à droite.**
> *Where is the bank?—It's on the right.*

> **Où <u>sont</u> les assiettes?—Elles sont là-bas.**
> *Where are the plates?—They're over there.*

Note that subject pronouns are used above to express *it* and *they* when their referent is clearly understood (i.e. as in an answer to a question).

## Part Four: Exercises

A. Fill in the blanks with the correct word.

Mme Bertrand: Bonjour.  Vous (1.)_____monsieur Thomas, n'est-ce pas?
On vous attendait.
Vous:  Pardon?  Oui, (2.)_____travaille pour une compagnie américaine à
Paris.
Mme Bertrand:  Très bien.  Je (3.)_____la gardienne, madame Bertrand.
Vous: Ah!  Je (4.)_____.

*Le lendemain matin*

Mme Bertrand: Tiens, bonjour, monsieur.  Comment allez-vous ce matin?
Vous: Très (5.)_____, (6.)_____, et vous ?
Mme Bertrand:  Ça va.
Vous:(7.)_____ -moi, mais (8.)___ est la station de taxis?
Mme Bertrand:  A (9.)_____, vous voyez ?  Elle (10.) _____ à côté du café.
Vous:(11.)____ café?
Mme Bertrand: (12.)____ est là-bas.
Vous:  Ah oui!  Je vois.  Merci beaucoup.

B. Fill in the blanks using the correct form of "être":

1.      Je _____ américain.

2.      Elle _____ française.

3.      Vous _____ Monsieur Thomas?

4.      Nous _____ français.

5.      Tu _____ en retard (late).

6.      Ils _____ anglais.

7.      Il _____ professeur.

C. Fill in the blanks using the correct subject pronoun:

1.  Où est l'hôtel?_____ est là-bas.

2.  Où est la concierge?_____ est dans l'immeuble.

3.  Où sont les restaurants?_____ sont à côté.

4.  Où est le café?_____ est à côté du cinéma.

5.  Où est le cinéma?_____ est à gauche (left).

6.  Où sont les gardiens?_____ sont absents.

7.  Où est la station de taxis?_____ est là-bas.

D. Check the correct definite article.

1.  le_____la_____ gardien

2.  l'_____les_____ hôtel

3.  le_____la_____ restaurant

4.  le_____la_____ cinéma

5.  l'_____les_____ agence de voyages

6.  le_____la_____ banque

7.  le_____la_____ cafétéria

8.  le_____la_____ consulat

E. Fill in the pronoun that replaces the noun.

| | NOUNS | | PRONOUNS |
|---|---|---|---|
| 1. | le café | _____ | il |
| 2. | l'hôtel | _____ | ils |
| 3. | les restaurants | _____ | elle |
| 4. | le cinéma | _____ | elles |
| 5. | les banques | _____ | |
| 6. | la gardienne | _____ | |
| 7. | la gare | _____ | |
| 8. | les consulats | _____ | |

F. Unscramble the jumbled words to form a logical sentence.

1. gardienne je la suis

   _____

2. attendait on vous

   _____

3. madame Bertrand comprends je

   _____

4. le là-bas est café

   _____

5. la de taxis où est ? station

   _____

6. à Paris vous arrivez

   _____

F. *Continued*

7.    vous taxi prenez un

_____

8.    faites de la gardienne la connaissance vous

_____

9.    prendre un taxi devez vous

_____

10.    réunion vous allez à une

_____

11.    allez-vous  ? comment ce matin

_____

12.    pour une américaine il travaille compagnie

_____

13.    vous êtes ? monsieur Thomas

_____

14.    de la taxis est à droite station

_____

15.    là-bas est il

_____

G. Respond to the following situations. Use complete French sentences with all accents and punctuation.

1.   Find out if the man you're talking to is Mr. Thomas. You ask:

_____

2.   Greet a man in French.

_____

3.   You didn't understand something that was said to you in French. You say:

_____

4.   You explain that you work for a company in Paris.

_____

5.   How do you address an unmarried woman?

_____

6.   The building attendant introduces herself. She says:

_____

7.   Say that you understand.

_____

8.   Ask someone where the taxi stand is.

_____

9.   Tell a friend that the bank is over there.

_____

G. *Continued*

10. Explain that the movie theater is next to the café.

_____

11. Ask where the restaurant is.

_____

12. Ask Mme Bertrand how she is doing.

_____

13. Thank someone in French.

_____

14. Excuse yourself in French.

_____

15. M. Bertrand asks how you are doing.  You reply:

_____

16. Ask where the hotel is.

_____

17. Ask someone if they see (something).

_____

# 2

# GREETINGS,
# NATIONALITIES

# CHAPTER 2

## Part One: Vocabulary

| FRANÇAIS | ENGLISH |
|---|---|
| anglais (m., adj.) | English |
| arrive, il (arriver) | arrives, he (to arrive) |
| avez, vous (avoir)[1] | have, you (to have) |
| c'est ça[2] | that's right |
| ça ne fait rien | that doesn't matter, it doesn't matter |
| chauffeur, le | driver |
| chercher[3] | to pick up, to look for |
| comment[4] | how, what |
| comment vous appelez-vous?[5] | what's your name? |
| déjà | already |
| demandez, vous (demander)[6] | ask, you (to ask) |
| depuis | for, since |
| deux (2) | two |
| en retard[7] | late |
| français (m., adj.)[8] | French |
| jours, les (m., pl.)[9] | days |
| lui[10] | him, her |
| ne...pas | not |
| ne...rien | nothing |
| nom, le | name |
| non | no |
| nouveau (m., adj.)[11] | new |
| parce que | because |
| parle, il (parler) | speaks, he (to speak) |
| parle, je (parler) | speak, I (to speak) |
| peu | little |
| plusieurs | a number of, several |
| rendez-vous, les (m., pl.)[12] | meetings |
| société, la[13] | company |
| son[14] | his, her |
| tunisien (m., adj.) | Tunisian |
| vient, il (venir) | comes, he (to come) |

## Vocabulary Notes

[1] "avez, vous": you have. From the verb "avoir" ('to have'): "j'ai, tu as, il a, nous avons, vous avez, ils ont."

[2] "c'est ça": that's right. Used to indicate agreement.

[3] "chercher": to pick up, to look for . This verb can mean 'to look for' as in "je cherche un livre" ('I'm looking for a book') as well as 'to pick up.' EX: "Peux-tu venir me chercher ce soir?" ('Can you pick me up this evening?'); also: "Je passe te chercher chez toi ce soir." ('I'm coming by to pick you up at your home this evening').

[4] "comment": how, what. Most commonly seen as the interrogative 'how?' "comment?," however, can also express the idea of 'I beg your pardon,' 'what?,' or 'how's that?' (in a polite fashion).

[5] "comment vous appelez-vous?": what's your name? Literally, 'how do you call yourself?'

[6] "demandez, vous": you ask, you ask for. Note that there is no need to add a word to express 'for' when using "demander."

[7] "en retard": late (in the sense of 'behind'). The opposite is "en avance" ('early'). If you want to say it is late (in the evening) you will use an expression such as "il est tard" ('it's late'). To say it is early, use "il est tôt."

[8] "français, tunisien, anglais, américain." As adjectives, these words referring to nationalities do not take capital letters. The feminine forms are "française, tunisienne, anglaise, américaine." When "français, anglais, allemand, italien" are used as nouns referring to languages ("Nous parlons français" or "Le français est difficile"), they are not capitalized either.

[9] "jours, les": days. "Aujourd'hui" means 'today.'

[10] "lui": (to/for) him/her. An indirect object pronoun which you will learn about in Chapter 23 of your textbook. "Lui" can refer to either a man or woman. The plural form is "leur."

[11] "nouveau" (m.): new. Before masculine singular nouns beginning with a vowel or a silent "h," the form of the adjective is "nouvel" ("le nouvel hôtel"); the masculine plural form is "nouveaux". The feminine forms of this adjective are equally irregular: "nouvelle" (f.) and "nouvelles" (f. pl.).

[12] "rendez-vous, les": meetings, appointments, dates. Often used with the verb "avoir": "Ils ont rendez-vous à trois heures" ('They have a meeting at three o'clock').

[13] "société, la": company. Although "la société" means 'company' here, it can also mean 'society.' Another word for company is "la compagnie."

[14] "son": his, her (possessive adjective). The masculine form agrees with the masculine noun "nom" ('name'). "Son" can mean 'his, her,' or 'its' depending on the owner it refers to. You will learn more about possessive adjectives in Chapters 5, 15 and 17 of your textbook.

## Part Two: The Story

| FRANÇAIS | ENGLISH |
|---|---|

**STORY**

•Vous êtes à Paris depuis 2 (deux) jours.
•Vous avez déjà plusieurs rendez-vous.
•Un chauffeur de la Société Solanes vient vous chercher.
•Il arrive un peu en retard.
•Vous lui demandez son nom en français, parce qu'il ne parle pas anglais.

•You've been in Paris for two days.

•You've already scheduled a number of meetings.
•A driver from the Solanes Company comes to pick you up.
•He arrives a little late.
•You ask him his name in French, because he doesn't speak English.

**ACTION**

LE CHAUFFEUR: Vous êtes monsieur Thomas, n'est-ce pas?
VOUS: Oui, c'est ça. Et vous, vous êtes le chauffeur de la société SOLANES?
LE CHAUFFEUR: Oui, oui, je suis le nouveau chauffeur. Je suis Nejeib Barka.
VOUS: Comment? Comment vous appelez-vous?
LE CHAUFFEUR: Barka. Nejeib Barka. B.A.R.K.A.
VOUS: Ah! Barka. Vous êtes français?
LE CHAUFFEUR: Mais non, je suis tunisien.
VOUS: Oh! Excusez-moi! Je ne comprends pas. Je ne parle pas français.
LE CHAUFFEUR: Oh, ça ne fait rien. Je ne parle pas anglais.

DRIVER: You're Mr. Thomas, aren't you?
YOU: Yes, that's right. Are you the driver for SOLANES?

DRIVER: Yes, yes, I'm the new driver. I am Nejeib Barka.

YOU: What? What's your name?

DRIVER: Barka. Nejeib Barka. B.A.R.K.A.
YOU: Ah! Barka. Are you French?

DRIVER: No, I'm Tunisian.

YOU: Oh! Excuse me! I don't understand. I don't speak French.

DRIVER: That doesn't matter. I don't speak English.

# Part Three: The Grammar

THE NEGATIVE CONSTRUCTION **NE... PAS**

The negative construction **ne... pas** is used to make any statement negative. **Ne** precedes the conjugated verb and **pas** follows it.

> **Je _ne_ parle _pas_ anglais.**
> *I don't speak English.*

> **Il _ne_ comprend _pas_.**
> *He doesn't understand.*

When **ne** precedes a verb beginning with a vowel or a silent **h**, it is contracted to **n'**.

> **Il _n'_est pas à l'ambassade.**
> *He's not at the embassy.*

> **Elle _n'_est pas au café.**
> *She's not at the café.*

> **Je _n'_habite pas en France.**
> *I do not live in France.*

# CHAPTER 2

## Part Four: Exercises

A. Fill in the blanks with the correct word or words.

Le chauffeur:(1.)_____êtes (2.)_____ Thomas, n'est-ce pas?
Vous: Oui, c'est ça. Et vous, vous êtes le (3.)_____ de la société
SOLANES?
Le chauffeur: Oui, oui, je suis le (4.)_____ chauffeur. Je suis Nejeib Barka.
Vous: Comment? (5.)_____ vous appelez-vous?
Le chauffeur: Barka. Nejeib Barka. B.A.R.K.A.
Vous: Ah! Barka . Vous êtes (6.)_____ ?
Le chauffeur: Mais (7.)_____ je suis (8.)_____ .
Vous: Oh! Excusez-moi! Je ne comprends pas. Je ne (9.)_____ pas
français.
Le chauffeur: (10.)_____ ne fait rien. Je ne parle pas anglais.


B. Fill in the blanks with the appropriate negatives:

1.    Je _____ comprends _____.

2.    Il _____ est _____ américain.

3.    Elle _____ travaille _____ pour notre entreprise.

4.    Il _____ est _____ français, il est tunisien.

5.    Vous _____ parlez_____ français?

6.    Ils _____ sont _____ anglais.

C. Unscramble the jumbled words to form a logical sentence.

1.  est tunisien chauffeur le

    _____

2.  l'ambassade elle travaille pas à ne

    _____

3.  vous nouveau SOLANES chauffeur de la société ? le êtes

    _____

4.  suis aux né Etats-Unis  je

    _____

5.  Paris deux jours êtes depuis à vous

    _____

6.  déjà rendez-vous vous plusieurs avez

    _____

7.  vient chauffeur vous chercher un

    _____

8.  retard il un peu en arrive

    _____

9.  parle il anglais ne pas

    _____

10. demandez nom vous lui son

    _____

11. comment appelez-vous vous ?

    _____

**C.** *Continued*

12.    français êtes vous  ?

_____

13.    comprends ne pas je

_____

**D.** Respond to the following situations.  Use complete French sentences
with all accents and punctuation.

1.    Tell someone that you don't understand them.

_____

2.    Ask someone his or her name.

_____

3.    Tell your taxi driver that you are American.

_____

4.    Ask your driver if he speaks English.

_____

5.    Your driver doesn't speak English.  He says:

_____

6.    Tell him that it doesn't matter.

_____

D. *Continued:*

7.  Tell the customs agent that you were born in the United States. Use the construction "être né."

    _____

8.  You agree with something that has been said. You say:

    _____

9.  Tell someone that your name is George Washington.

    _____

10. Your taxi driver says that he isn't French. He says:

    _____

E. Write in the adjective that correctly matches each nationality.

|  | | QUESTIONS | ADJECTIVES |
|---|---|---|---|
| 1. | _____ | François (France) | italien |
|  | | | américain |
| 2. | _____ | Flavia (Italie) | française |
|  | | | italienne |
| 3. | _____ | Bill (USA) | américaine |
|  | | | anglaise |
| 4. | _____ | Jane (Angleterre) | français |
| 5. | _____ | Isabelle (France) | |
| 6. | _____ | Carole Ann (USA) | |
| 7. | _____ | Salvatore (Italie) | |

# 3

# ASKING
# DIRECTIONS

## Part One: Vocabulary

| FRANÇAIS | ENGLISH |
|---|---|
| à gauche | on the left, to the left |
| allez, vous (aller) | go, you (to go) |
| allons bon![1] | let's see! |
| ambassade, l' (f.) | embassy |
| au[2] | to the, at the |
| avenue, l' (f.) | avenue |
| chemin, le | directions, path, way |
| cinq cents mètres (500 m) | five hundred meters |
| crois, je (croire)[3] | believe, I (to believe) |
| dans | in, within, during |
| déranger[4] | to disturb, to bother |
| des (m. & f., pl.)[5] | some |
| écoutez (écouter, imp!)[6] | listen (to listen, imperative) |
| en face de | opposite, facing |
| encore | again, still, yet |
| Française, la | French woman |
| je vous en prie[7] | you're welcome |
| juste | just |
| mademoiselle (f.) | Miss, Ms. |
| non? (tag question)[8] | don't you?, aren't you? |
| nous | we |
| numéro, le | number |
| par | by, through |
| parc, le | park |
| parisienne, la | Parisian woman |
| pas vraiment | not really |
| passante, la | passerby (f.) |
| passer[9] | to drop by, to go by, to stop by |
| renseignements, les (m., pl.)[10] | information |
| rue, la | street |
| sais, je (savoir) | know, I (to know) |
| savez, vous (savoir)[11] | know, you (to know) |
| se trouve, elle (se trouver)[12] | is located, it (to be located) |
| sommes, nous (être) | are, we (to be) |
| tournez, vous (tourner) | turn, you (to turn) |
| utiles (m., pl., adj.) | useful |
| vraie (f., adj.)[13] | authentic, real |

## Vocabulary Notes

[1] "allons bon!": let's see, come on! "Allons" is the first person plural of the verb "aller" ('to go'); "Bon" means 'good.' The two together mean 'come on, come now, or well now,' used in a sarcastic way.

[2] "au": to the, at the. The contraction "à" + "le" = "au." Similarly, "à" + "les" = "aux." See the grammar section of Chapter 3 in your textbook for an explanation.

[3] "crois, je": I believe, I think. From the irregular verb "croire." The verb "penser" also means 'to think' in French.

[4] "déranger" in "excusez-moi de vous déranger": excuse me for bothering you. Often used when asking a stranger for information. Sometimes "déranger" is used as in the English 'deranged' ("Il est un peu dérangé").

[5] "des": some. The contraction of "de" + "les" = "des." Also remember "de" + "le" becomes "du." See your textbook's grammar section in Chapter 3.

[6] "écoutez": listen/listen to (command). Don't confuse "écouter" with the verb "entendre" which means 'to hear.' There is no need to add the preposition "à" when using "écouter": "Ecoutez votre professeur!" ('Listen to your teacher/professor!').

[7] "je vous en prie": you're welcome. You will hear several alternatives like "pas de quoi" or "de rien." "Je vous en prie" is all you need to use.

[8] "non?": don't you?, aren't you? A common tag used to turn a statement into a question. Along with "n'est-ce pas?," "non?" can be translated in a number of ways: 'isn't it?, aren't you?, do they? don't we?,' etc. The context of the statement will determine how "non?" is translated.

[9] "passer": to drop by, to go by, to stop by. "Passer" can also be used in reference to time spent doing something. EX: "Il passe deux heures à travailler" ('He spends two hours working'). In Chapter 17, you will also encounter "se passer" which means 'to happen.'

[10] "renseignements": information. "Se renseigner" means 'to get information.'

[11] "savez, vous": you know. The verb "savoir" means 'to know' something by heart or to know how to do something when followed by an infinitive. When the direct object (that which is 'known') is a person, a place, a work of art or literature, or a discipline (in the sense of 'to be familiar with/acquainted with') the verb that you will use is "connaître."

[12] "se trouve, elle": it is located (also: it is found). The reflexive verb "se trouver" indicates location or where a person or thing can be found: "Notre hôtel se trouve rue de Grenelle" ('Our hotel is located on Grenelle street').

[13] "vraie" (f.): true. The opposite is "faux" (m.) or "fausse" (f.)

## Part Two: The Story

| FRANÇAIS | ENGLISH |
|---|---|

**STORY**

•Vous allez passer par l'ambassade américaine pour des renseignements utiles.
•Vous ne savez pas où elle se trouve.
•Vous demandez votre chemin à une passante, une vraie Parisienne.

•You're going to drop by the American Embassy for some useful information.
•You don't know where it's located.
•You ask directions from a passerby, an authentic Parisian woman.

**ACTION**

VOUS: Excusez-moi de vous déranger, mademoiselle. Où est l'ambassade américaine?
LA FRANÇAISE: Avenue Gabriel, monsieur, au numéro 2 (deux), je crois.
VOUS: Oui, je sais. Mais où est l'avenue Gabriel-- là-bas, à droite?
LA FRANÇAISE: Mais non, monsieur, juste à côté de la Concorde. Vous savez où est la Concorde, non?
VOUS: Pas vraiment. Où est la Concorde?
LA FRANÇAISE: Allons bon! Ecoutez, nous sommes rue du Faubourg St-Honoré. Vous tournez à gauche dans la rue de l'Elysée et encore à gauche avenue Gabriel. A 500m (cinq cents mètres), vous avez l'ambassade, en face du parc.
VOUS: Ah! Je comprends. Merci beaucoup, mademoiselle.
LA FRANÇAISE: Je vous en prie.

YOU: Excuse me, Miss. Where is the American Embassy?

FRENCH WOMAN: Gabriel Avenue, sir, number 2, I believe.

YOU: Yes, I know. But where is Gabriel Avenue-- over there, on the right?
FRENCH WOMAN: No sir, right next to Concorde Place. You know where Concorde Place is, don't you?

YOU: Not really. Where is Concorde Place?
FRENCH WOMAN: Let's see. Listen, we are on Faubourg St-Honoré Street. Turn left on Elysée Street, and left again on Gabriel Avenue. After 500 meters you'll see the Embassy facing the park.

YOU: I see. Thanks a lot.

FRENCH WOMAN: You're welcome.

## Part Three: The Grammar

### CONTRACTIONS WITH DE/A + LE

**Du** is a contraction of **de + le** — *of the, from the*. When **de** precedes the definite article **le**, it is contracted to **du**. There is no change with **la** or **l'**.

> **Il est à côté <u>du</u> café.**
> *He is beside the cafe.*

> **Nous sommes en face <u>de la</u> rue.**
> *We are facing the street.*

**Au** is a contraction of **à + le** — *to the, at the, in the*. When the preposition **à** precedes the article **le**, it is contracted to **au**. As with **de**, there is no change with **la** or **l'**.

> **Elle travaille <u>au</u> consulat.**
> *She works at the consulate.*

> **Elle est <u>à la</u> banque.**
> *She is at the bank.*

### PRESENT TENSE OF -ER VERBS

In Chapter 1, you saw **je travaille** ('I work') from the infinitive **travailler** ('to work'), and in this chapter you will see **vous tournez** ('you turn') from the infinitive **tourner** ('to turn'). **Travailler** and **tourner** are considered <u>-er verbs</u> because their infinitive form ends in **-er**. **Travaille** and **tournez** are forms of the present tense, or <u>present indicative</u>. Although there are three present tenses in English (e.g. 'he <u>works</u>,' 'he <u>is working</u>,' 'he <u>does work</u>'), there is only one present tense in French which can be translated into <u>any of the three English tenses</u>. Depending on the subject, French verbs have different endings which form a conjugation. Consider the present indicative conjugation of **parler** ('to speak') as the pattern that you will follow when conjugating other regular **-er** verbs:

| <u>STEM</u> | <u>ENDING</u> | <u>CONJUGATIONS</u> |
|------|--------|--------------|
| parl | **-e** | je **parle** |
| parl | **-es** | tu **parles** |
| parl | **-e** | il, elle **parle** |
| parl | **-ons** | nous **parlons** |
| parl | **-ez** | vous **parlez** |
| parl | **-ent** | ils, elles **parlent** |

Remember that **je parle** can be translated as *I speak*, *I do speak*, and *I am speaking*; **nous parlons** as *we speak, we do speak, we are speaking*, etc.

## Part Four: Exercises

A. Fill in the blanks with the correct word.

Vous:  Excusez-moi de vous (1.)_____, mademoiselle.  Où est l'ambassade (2.)_____?

La Française:  Avenue Gabriel, monsieur, au numéro 2, je crois.

Vous:  Oui, je (3.)_____.  Mais où est l'avenue Gabriel-- là-bas, à droite?

La Française:  Mais non, monsieur, juste à côté (4.)_____ Concorde.  Vous savez où est la Concorde, non?

Vous:  Pas (5.)_____.  Où est la Concorde?

La Française:  Allons, bon!  Ecoutez, nous (6.)_____ rue du Faubourg St-Honoré.  Vous tournez à (7.)_____ dans la rue de l'Elysée et (8.)_____ à gauche avenue Gabriel.  A 500 mètres, vous avez l'ambassade, (9.)_____ du parc.

Vous:  Ah!  Je comprends.  Merci (10.)_____, mademoiselle.

La Française:  Je vous en prie.


B. Fill in the blanks using 'à' and 'de' and a definite article.  Use the contractions 'au' and 'du' when necessary:

1.    Je ne travaille pas _____ ambassade américaine.

2.    Le cinéma est à côté _____ café.

3.    L'hôtel est en face _____ banque.

4.    Elle travaille _____ Banque de Paris et des Pays-Bas.

5.    Nous ne somme pas _____ restaurant.

6.    La station de taxis est en face _____ cinéma.

# CHAPTER 3

C. Complete each sentence with the correct verb.

SENTENCES | VERBS

1. Nous _____ français.

tournent
écoutez

2. Elle ne _____ pas anglais.

parlons
parle

3. Vous n' _____ pas la leçon

travaillez
travaille

4. Ils ne _____ pas à gauche.

travaillons
déranges

5. Tu ne me _____ pas.

6. Vous _____ pour Michelin?

7. Je ne _____ pas pour Pierre.

8. Nous _____ beaucoup.

D. Unscramble the jumbled words to form a logical sentence.

1. en je vous prie

_____

2. avenue vous tournez à gauche Foch

_____

3. est à côté l'ambassade juste

_____

4. Eiffel vous où la tour savez ? est

_____

5. en face du l'hôtel est parc

_____

D. *Continued*

6.     vous l'ambassade allez passer par

---

7.     chemin demandez votre vous

---

8.     utiles il des renseignements demande

---

9.     trouve ? l'ambassade où se

---

10.     de vous déranger excusez-moi

---

11.     en face parc l'ambassade du est

---

12.     c'est à Concorde côté la de juste

---

13.     Gabriel l'avenue est droite à

---

14.     500 vous l'ambassade avez mètres à

---

15.     Louvre vous ne se trouve le savez pas où

---

E. Respond to the following situations. Use complete French sentences with all accents and punctuation.

1. Tell someone that you don't speak Spanish (use "espagnol").

_____

2. Ask a passerby where the American Embassy is.

_____

3. She tells you that it's opposite the park. She says:

_____

4. Tell someone to turn right.

_____

5. Tell your French colleague that you work in Chicago (use "à" for 'in'):

_____

6. You need some information. You begin by asking a stranger:

_____

7. Tell someone to listen.

_____

8. A friend thanks you for a favor. You say:

_____

E. *Continued*

9.      A gendarme tells you that the U.S. Embassy is next to Concorde square (la Concorde).  He says:  (begin with "Elle est ... ")

_____

10.     Tell someone to turn left.

_____

CHAPTER

4

# GOING TO
# YOUR
# HOTEL

## Part One: Vocabulary

| **FRANÇAIS** | ENGLISH |
|---:|:---|
| adresse, l' (f.) | address |
| ah bon | all right |
| ai, j' (avoir) | have, I (to have) |
| aide, il (aider) | helps, he (to help) |
| allons-y! (aller, imp!) | let's go! (to go, imperative) |
| ascenseur, l' (m.) | elevator |
| aussi | also, too |
| avec | with |
| blanche (f., adj.)[1] | white |
| c'est à vous?[2] | is it yours? |
| chambre, la | bedroom, room |
| conduisez (conduire, imp!)[3] | drive, take (to drive/to take, imperative) |
| d'abord | first |
| d'accord | okay, all right |
| décidez de, vous (décider de)[4] | decide to, you (to decide to) |
| déménager[5] | to move out |
| deux cent vingt-huit (228)[6] | two twenty-eight (street address) |
| enfin[7] | finally, at last |
| étage, l' (m.) | floor |
| hôtel, l' (m.) | hotel |
| il y a[8] | there is, there are |
| les (m. & f., pl.)[9] | the |
| moi[10] | me |
| mon[11] | my |
| noir (m., adj.) | black |
| payez, vous (payer) | pay, you (to pay) |
| petit (m., adj.) | small, little |
| petit déjeuner, le[12] | breakfast |
| petite (f., adj.) | small, little |
| plus tard[13] | later |
| prendrez, vous (prendre, fut.) | will take, you (to take, fut.) |
| prête (f., adj.)[14] | ready |
| quart d'heure, le | quarter of an hour |
| quelle | which, what |
| quelques | few |
| réception, la | front desk |
| réceptionniste, la | receptionist (f.) |
| réservation, la[15] | reservation |
| rouge (f., adj.)[16] | red |
| s'il vous plaît[17] | if you please, please |

## Part One: Vocabulary

| **FRANÇAIS** | ENGLISH |
|---|---|
| sac, le | bag |
| salle de bain(s), la | bathroom |
| sept heures trente (7h30) | 7:30 a.m. |
| trente-quatre (34) | thirty-four |
| troisième (m., adj.)[18] | third |
| trop | too, too much |
| valise, la | luggage, suitcase |
| verte (f., adj.) | green |
| voilà | there is, there are, here is, here are |
| vos | your |
| vous présentez, vous (se présenter) | introduce yourself, you (to introduce oneself) |

# CHAPTER 4

## Vocabulary Notes

[1] "blanche" (f.): white. The masculine form is "blanc."

[2] "c'est à vous?": is it yours? You can combine "c'est" ('it is') with lots of words you now know. Without the" à," "c'est vous" means 'it's you.' EX: "C'est l'ambassade/C'est la banque/C'est le chauffeur," etc.

[3] "conduisez": drive (command). "Conduire" not only means 'to drive,' but also 'to take someone somewhere.' This verb is conjugated as follows: "je conduis, tu conduis, il conduit, nous conduisons, vous conduisez, ils conduisent."

[4] "décidez de, vous": you decide to. The verb "décider" takes the preposition "de" in front of an infintive. EX: "J'ai décidé de partir la semaine prochaine" ('I decided to leave next week'); "Il a décidé d'étudier le français" ('He decided to study French').

[5] "déménager": to move out. In Chapter 27 you will encounter "s'installer" which means 'to move in.'

[6] "deux cent vingt-huit": 228. Note that in speech street numbers of buildings and residences in French use "hundreds" and "thousands," while in English the tendency is to separate figures. EX: 328 > " trois cent vingt-huit" ('three-twenty-eight'); 1615 > "mil six cent quinze" ('sixteen-fifteen').

[7] "enfin": finally, at last. This term has several meanings, according to the tone of voice. Besides 'finally' and 'at last,' it can be used to focus the listener's attention prior to commenting on a topic, in the sense of 'well...'.

[8] "il y a": there is, there are. The negative form is "il n'y a pas." For more on "il y a," see Chapters 4, 14, and 20.

[9] "les": the. The plural form of "le" and "la." It precedes plural nouns, which are usually formed by adding -s to the singular form.

[10] "moi": me. "Moi" can be used after a preposition, after a verb, separated from a verb, or isolated. It is a stressed or disjunctive (disjoined) pronoun. EX: "Moi, je pars à 4 heures" ('Me, I'm leaving at four o'clock'); "Donnez-moi un café" ('Give me a coffee'); "Qui parle français? Moi!" ('Who speaks French? Me. [I do]').

[11] "mon": my (possessive adjective). Possessive adjectives agree in number and gender. For example, "mon père" ('my father'), the feminine "ma mère" ('my mother'), and the plural "mes livres" ('my books'); if a noun is feminine and begins with a vowel or silent "h," the possessive adjective "mon" is used: "mon amie" ('my friend' [f.]). "Ton," "ta (ton)" and "tes" — the possessive adjectives for "tu" — are used in the same way. See your textbook's grammar section of Chapter 5 for more details.

[12] "petit déjeuner, le": breakfast. "Le déjeuner" means lunch.

[13] "plus tard": later. From "plus" ('more') and "tard" ('late').

[14] "prête": ready. "Être prêt (e)" ('to be ready') takes the preposition "à" when followed by an infinitive. Note that the adjective ("prête") agrees in number and gender with its subject ("chambre"). You will see more expressions with the verb 'to be' in Chapter 18 of your textbook.

[15] "réservation, la": reservation. From the verb "réserver."

[16] "rouge," also "la rouge": red, the red one. This is an example of an adjective that has the same form for both the masculine and feminine; with a definite article as in "la rouge" ('the red one'), there's no need to repeat the word "valise" since it has already been mentioned.

[17] "s'il vous plaît": if you please, please. This expression is most often used at the end of a sentence but sometimes at the beginning to catch someone's attention (a waiter, clerk, salesperson). This expression is frequently abbreviated in public places as "S.V.P."

[18] "troisième": third. An example of an ordinal number in French. For other ordinal numbers, see Chapter 10 of your textbook.

## Part Two: The Story

| FRANÇAIS | ENGLISH |
|---|---|

**STORY**

- Vous décidez de déménager de votre appartement parce qu'il est trop petit.
- Mais d'abord vous devez passer quelques jours dans un hôtel.
- Votre taxi arrive et le chauffeur vous aide avec vos valises.
- Un quart d'heure plus tard, vous arrivez à l'hôtel et vous payez le chauffeur de taxi.
- Vous vous présentez à la réception.
- Votre chambre est prête.
- Elle se trouve au troisième étage et il y a un ascenseur.

- You decide to move out of your apartment, because it's too small.
- But first you must spend a few days in a hotel.
- Your taxi arrives, and the driver helps you with your bags.
- A little bit later, you arrive at the hotel and you pay the taxi driver.
- You go to the front desk.
- Your room is ready.
- It's on the fourth floor* and there is an elevator. *(literally: third)

**ACTION**

VOUS: Enfin, voilà mon taxi!
LE CHAUFFEUR: C'est à vous les valises?
VOUS: Oui, monsieur. La valise verte, la petite valise blanche, le sac noir, et la rouge aussi.
LE CHAUFFEUR: Ah bon, d'accord. A quelle adresse allez-vous?
VOUS: A l'hôtel Meurice, au 228 (deux cent vingt-huit), rue de Rivoli.
LE CHAUFFEUR: OK. Allons-y!

*Un quart d'heure plus tard.*

YOU: Finally, here's my taxi!
DRIVER: Are these suitcases yours?
YOU: Yes, sir. The green suitcase, the small white suitcase, the black bag, and the red one, too.
DRIVER: All right. What address are you going to?
YOU: To the Hôtel Meurice, at 228 Rivoli Street.

DRIVER: OK. Let's go!

*Fifteen minutes later.*

## Part Two: The Story (Dialogue con't.)

**FRANÇAIS**

ENGLISH

**A C T I O N**

VOUS: Bonjour, mademoiselle. Je suis monsieur Thomas. Vous avez une réservation pour moi?
LA RÉCEPTIONNISTE: Mais oui. J'ai une chambre pour vous, avec salle de bains, au 3ème (troisième) étage. Vous prendrez le petit déjeuner?
VOUS: Oui, s'il vous plaît, à 7h30 (sept heures trente).
LA RÉCEPTIONNISTE: Très bien. Jean, conduisez monsieur au numéro 34 (trente-quatre).

YOU: Good morning, Miss. I'm Mr. Thomas. Do you have a reservation for me?
FRONT DESK CLERK: Yes. I have a room for you, with bath, on the fourth (lit. third) floor. Will you be having breakfast with us?

YOU: Yes, please. At seven thirty.

FRONT DESK CLERK: Very well. John, please take him to room thirty-four.

## Part Three: The Grammar

ADJECTIVES

French nouns and adjectives must agree in <u>number</u> and <u>gender</u>. The feminine of an adjective is normally formed by adding an **-e**. The plural is most often formed by adding an **-s** to a masculine or feminine singular form, but is usually not pronounced.

> **Je suis américain** (m. sg.)—*I am American* (from the U.S.)
> **Elle est américaine** (f. sg.)—*She is American*
> **l'ambassade française** (f. sg.)—*the French Embassy*
> **la valise verte** (f. sg.)—*the green suitcase*
> **les taxis verts** (m. pl.)—*the green taxis*
> **les valises noires** (f. pl.)—*the black suitcases*

Most adjectives follow the nouns they modify in French. There is, however, an exception in the Action section of this chapter: **petit(e)** ('small') in the phrase **la petite valise** ('the small suitcase').

Below is a list of more adjectives in their masculine and feminine forms:

| MASCULINE | FEMININE | ENGLISH |
|---|---|---|
| petit | petite | *small* |
| blanc | blanche | *white* |
| noir | noire | *black* |
| gris | grise | *grey* |
| bleu | bleue | *blue* |

The following <u>colors</u> have the same masculine and feminine forms:

| MASCULINE | FEMININE | ENGLISH |
|---|---|---|
| jaune | jaune | *yellow* |
| rose | rose | *pink* |
| orange | orange | *orange* |
| beige | beige | *beige* |
| marron | marron | *brown* |

# CHAPTER 4

## INDEFINITE ARTICLES: UN, UNE, DES

Un and une correspond to *a* or *an* in English. Un is the masculine form, une the feminine. The plural form of un and une is des.

| SINGULAR | PLURAL | ENGLISH |
|---|---|---|
| un taxi | des taxis | *a taxi/some taxis* |
| une valise | des valises | *a suitcase/some suitcases* |
| un Américain | des Américains | *an American/some Americans* |
| une voiture | des voitures | *a car/some cars* |
| un restaurant | des restaurants | *a restaurant/some restaurants* |

## NUMBERS 1-20

Here are the numbers from 1 to 20:

| | | | |
|---|---|---|---|
| 1. | un, une | 11. | onze |
| 2. | deux | 12. | douze |
| 3. | trois | 13. | treize |
| 4. | quatre | 14. | quatorze |
| 5. | cinq | 15. | quinze |
| 6. | six | 16. | seize |
| 7. | sept | 17. | dix-sept |
| 8. | huit | 18. | dix-huit |
| 9. | neuf | 19. | dix-neuf |
| 10. | dix | 20. | vingt |

## VOICI/VOILA VS. IL Y YA

Voici ('here is/are') and voilà ('there is/are') are both used to point out <u>something</u> or <u>someone</u>. That which is being pointed out (the noun) must be visible or audible to both the speaker and the listener(s).

<u>Voici</u> mon dictionnaire préféré.
*<u>Here's</u> my favorite dictionary*

<u>Voilà</u> l'agent de police.
*<u>There's</u> the policeman.*

Voilà is used more frequently in conversation than voici.

**Il y a**, *there is/there are*, indicates that something exists, and is often used with prepositions.

> **Il y a une Américaine dans notre hôtel.**
> *There is an American woman in our hotel.*

> **Il y a des Américains dans notre hôtel.**
> *There are some Americans in our hotel.*

**Il y a** and **voici/voilà** cannot be substituted for one another.

## THE VERB **AVOIR**—*TO HAVE*

Just like the verb **être**, **avoir** is irregular. Here are its present tense forms:

> AVOIR ('to have')
> j'**ai**— *I have*
> tu **as**— *you* (familiar) *have*
> il, elle **a**—*he/she/it has*
> nous **avons**—*we have*
> vous **avez**—*you* (polite) *have*
> ils, elles **ont**—*they have*

As a reminder, the **tu** form is used among friends and family. Always let your French host take the initiative in using **tu**.

NUMBERS 20-101

Here are the numbers from 20 to 101:

| | |
|---|---|
| 20 **vingt** | 21 **vingt et un** |
| 30 **trente** | 31 **trente et un** |
| 40 **quarante** | 41 **quarante et un** |
| 50 **cinquante** | 51 **cinquante et un** |
| 60 **soixante** | 61 **soixante et un** |
| 70 **soixante-dix** | 71 **soixante et onze** |
| 80 **quatre-vingts** | 81 **quatre-vingt-un** |
| 90 **quatre-vingt-dix** | 91 **quatre-vingt-onze** |
| 100 **cent** | 101 **cent un** |

Numbers 22-29, 32-39, 42-49, 52-59, and 62-69 are constructed by adding a hyphen to the base ("vingt," "trente," "quarante," "cinquante," or "soixante") and numbers 2-9.

**vingt-huit** (28)
**trente-quatre** (34)
**quarante-deux** (42)

Numbers <u>70</u> ("soixante-dix") - <u>79</u> ("soixante-dix-neuf") use numbers 11-19 ("onze" to "dix-neuf"). This is also true for numbers 91 ("quatre-vingt-onze") - 99 ("quatre-vingt-dix-neuf").

**soixante-deux** (72)
**soixante-dix-sept** (77)
**quatre-vingt-quinze** (95)

## Part Four: Exercises

A. Fill in the blanks with the correct word.

Vous: Enfin, voilà mon taxi!
Le chauffeur: C'est à vous les valises?
Vous: Oui, monsieur. (1.)_____ valise verte, la (2.)_____ valise blanche, (3.)_____ sac noir, et la rouge aussi.
Le chauffeur: A quelle adresse allez-vous?
Vous: A l'hôtel Meurice, au 228, (4.)_____ de Rivoli.
Le chauffeur: OK. Allons-y!

*Un quart d'heure plus tard*

Vous: Bonjour, mademoiselle. Je suis monsieur Thomas. Vous (5.)_____ une réservation pour moi.
La réceptionniste: Mais oui, monsieur. J'ai une (6.)_____ pour vous, avec salle de bains, au 3ème étage. Vous prendrez le petit déjeuner?
Vous: Oui, s'il vous plaît, à sept heures trente.
La réceptionniste: Très bien. Jean, conduisez monsieur au numéro (7.)_____.

B. Fill in the blanks with the correct form of the adjective:

1.    Nous allons dans un restaurant _____. (French)

2.    Où est la valise _____? (black)

3.    La voiture est _____. (white)

4.    C'est un hôtel _____. (American)

5.    C'est une agence_____. (French)

6.    Il y a une _____ banque à côté du restaurant. (small)

**C.** Write out (in long form) each number that is presented:

1.  Voilà 2 (_____) dictionnaires.

2.  Voici 4 (_____) taxis.

3.  Il y a 7 (_____) valises à l'hôtel.

4.  Il y a 9 (_____)restaurants.

5.  Voilà 15 (_____) livres.

6.  Voici  18 (_____) cartes.

7.  Il y a 20 (_____) sacs.

**D.** Fill in the blanks with "il y a" or "voici":

1.  Enfin, _____ le chauffeur de taxi!

2.  Oui, _____ deux restaurants en face de notre hôtel.

3.  Mes valises? _____ la blanche et la rouge.

4.  En face du café _____ une ambassade.

5.  A Paris _____ beaucoup de restaurants chics.

6.  _____ mon restaurant préféré.

E. Fill in the blanks with the correct form of "avoir":

1.    Vous _____ une réservation pour moi?

2.    J' _____ l'adresse de l'hôtel

3.    Ils _____ beaucoup de francs.

4.    Nous _____ une chambre tranquille.

5.    Tu _____ la chambre seize?

6.    Elle _____ une réservation pour nous.

F. Write out (in long form) each number presented.

1. (_____) 68, rue St-Lazare

2. (_____) 101, avenue des Champs-Elysées

3. (_____) 33, boulevard Victor Hugo

4. (_____) 76, boulevard Diderot

5. (_____) 83, rue de la Chapelle

# CHAPTER 4

F. *Continued*

6. (_____) 92, rue Gambetta

7. (_____) 49, avenue Gabriel

G. Write in the adjective(s) next to the nouns they agree with.

1. _____ valise     <u>ADJECTIVES</u>
                                             verte
2. _____ taxi     grand
          petit
3. _____ hôtel     blanc
          français
4. _____ valises     blanches
          américaine
5. _____ voiture

6. _____ restaurant

7. _____ chauffeur

H. Write the indefinite article next to the noun it goes with.

1. _____ café     <u>ARTICLES</u>
          un
2. _____ dictionnaires     une
          des
3. _____ voiture

4. _____ valises

5. _____ hôtel

6. _____ livre

7. _____ ambassade

8. _____ cinéma

9. _____ carte

10. _____ plante

11. _____ adresse

I. Unscramble the jumbled words to form a logical sentence.

1.     vous valises à ? les c'est

_____

2.     noire et un sac rouge valise il une y a

_____

3.     allez-vous quelle adresse ? à

_____

4.     le petit ? prendrez déjeuner vous

_____

5.     vous de de votre appartement déménager décidez

_____

6.     est petit l'appartement trop

_____

7.     le avec valises chauffeur les vous aide

_____

8.     vous de taxi chauffeur le payez

_____

9.     votre n'est pas chambre prête

_____

10.    y ascenseur un il a

_____

11.    réservation pour vous ? une moi avez

_____

J. Respond to the following situations. Use complete French sentences with all accents and punctuation.

1. Your driver asks you where your suitcase is. You point it out to him. You say:

   _____

2. You ask someone if something belongs to them. You say:

   _____

3. Your driver asks you how many suitcases you have. You say there are four suitcases.

   _____

4. The driver asks where the red one is. He says:

   _____

5. Your driver asks you what address you're going to. He says:

   _____

6. Your taxi finally arrives! You say with relief (begin with "Enfin..."):

   _____

7. You ask the front desk clerk at your hotel if she has a reservation for you. You say:

   _____

8. You ask if they have a room with a bath. You say:

   _____

J. *Continued*

9.      Tell your French associate that your room number is 54. You say: (begin with "Je suis au ... " and write out the number in French)

_____

10.     Tell someone that you have fifty francs. You say:

_____

11.     Tell your French associate that your address is 39, rue Bachelard. Begin with: "Mon adresse est ... " (write out 39 in French)

_____

12.     The front desk clerk asks if you will have breakfast. She says:

_____

13.     Tell someone that it is seven thirty. Begin with "Il est ... "

_____

CHAPTER

# 5

# MAKING A
# PHONE
# CALL

# CHAPTER 5

## Part One: Vocabulary

| **FRANÇAIS** | **ENGLISH** |
|---|---|
| à l'appareil[1] | on the line, calling |
| à l'étranger[2] | abroad, overseas |
| allô?[3] | hello? |
| appelez, vous (appeler) | call, you (to call) |
| après-midi, l' (m.) | afternoon |
| aux[4] | to the, in the, at the |
| chez[5] | at the home of, at the office of |
| cinq cent soixante-quatorze (574)[6] | five-seven-four (unit of a phone number) |
| communication, la | connection, someone on the other end of the line |
| espérez, vous (espérer) | hope, you (to hope) |
| Etats-Unis, les | the United States |
| habite, elle (habiter)[7] | lives, she (to live) |
| huit heures du matin (8h00) | eight o'clock in the morning |
| indicatif, l' (m.) | area code |
| ma | my |
| me[8] | me, to me, for me |
| où ça?[9] | where? |
| personne, la[10] | person |
| quand | when |
| qui[11] | who, which, that |
| raccrochez (raccrocher, imp!) | hang up (to hang up, imperative) |
| rappeler | to call back |
| rappelle, je (rappeler) | call back, I (to call back) |
| récepteur, le | receiver |
| replacez (replacer, imp!) | put back (to put back, imperative) |
| samedi, le | Saturday |
| sept cent trois (703)[12] | seven-"o"-three (area code) |
| sœur, la | sister |
| soixante-douze (72)[13] | seven-two (unit of a phone number) |
| standardiste, la | switchboard operator (f.) |
| téléphoner à | to phone |
| USA, les[14] | the U.S.A. |
| vais, je (aller) | go/am going, I (to go) |
| ville, la | town, city |
| vingt-huit (28) | two-eight (unit of a phone number) |
| Virginie, la[15] | Virginia |
| voudrais, je (vouloir, cond.)[16] | would like, I (to want/to like, cond.) |
| voulez, vous (vouloir)[17] | want/wish, you (to want, to wish) |

## Vocabulary Notes

[1] "à l'appareil": on the line, calling. The word "appareil" may refer to different pieces of machinery. It can also mean 'camera.' In this case, it means the phone. "À l'appareil" should be translated as 'calling' or 'speaking.'

[2] "à l'étranger": abroad, overseas. When referring to a 'foreigner' use the word "l'étranger."

[3] "allô?": hello? Along with "oui?," "allô?" is used only when answering the phone. To say 'hello' in other contexts, one would use "bonjour" in the morning and afternoon, and "bonsoir" in the evening.

[4] "aux": to the, in the, at the. A contraction "a" + "les" = "aux."

[5] "chez": at the home of, at the office of. A convenient way to refer to a place where someone lives or works. Just put a personal noun or pronoun after "chez": "Il n'est pas chez son frère" ('He is not at his brother's house').

[6] "cinq cent soixante-quatorze": five-seven-four. Unit (in this case a prefix) of a phone number. In English, this number would be given with the individual numbers 1-9 with the letter 'o' as 'zero.'

[7] "habite, elle": she lives (meaning location or place). Do not confuse this "live" (in the sense of 'to dwell') with "vivre" which means 'to live' as in 'to be alive.'

[8] "me": me, to me, for me. "Me" is both a direct and indirect object pronoun. A direct object corresponds to the answer of the one word question what? or whom? (when asked after the verb). An indirect object may be identified in a sentence by asking the questions to whom? or for whom?

[9] "où ça": where's that? "Ça" is a contraction of "cela" ('that') used in colloquial, every day speech.

[10] "personne, la": person. This noun is always feminine, even if it refers to a man.

[11] "qui": who, which, that. The translation will depend on the context of the sentence and to whom the pronoun refers. In a question, "qui" always means 'who' or 'whom' and refers to a person: "Qui parle français?" ('Who speaks French?').

[12] "sept cent trois": (703). Since this is an area code, it would be expressed in English as 'seven-"o"-three'; the number seven in Europe is written with a bar or line through it, and the number one is written almost like an American seven.

[13] "soixante-douze": seven-two. Unit of a phone number. In English, this number would be given with individual numbers 1-9 with the letter 'o' as 'zero.'

[14] "USA, les": the U.S.A. Another way to say "les États-Unis" in French is to simply say "les USA."

[15] "Virginie, la": Virginia. American states ending in '-a' or '-ia' have an "e" or "-ie" ending in their French equivalents: "la Floride, la Californie," etc.

[16] "voudrais, je": I would like. This is the conditional form for "je" of the verb "vouloir" ('to wish, to want'). It is a polite way to make a request. EX: "Je voudrais une chambre"/ "Je voudrais parler à M. Bertrand"/"Je voudrais aller à Paris."

[17] "voulez, vous": you want, you wish. Present tense of the verb "vouloir" ('to want, to wish'). The first person singular of the present tense, "je veux," is less often used than "je voudrais" ('I would like'), which is considered more polite.

## Part Two: The Story

| **FRANÇAIS** | ENGLISH |
|---|---|

**STORY**

•C'est un samedi après-midi et vous voulez téléphoner à votre sœur qui habite en Virginie (USA).
•Aux Etats-Unis il est 8h00 (huit heures) du matin.
•Vous espérez trouver votre sœur chez elle.
•Vous appelez la standardiste.

•It's Saturday afternoon and you want to call your sister who lives in Virginia.
•In the United States, it's eight o'clock in the morning.
•You hope you'll find your sister at home.
•You call the operator.

**ACTION**

VOUS: Allô? Monsieur Thomas à l'appareil, chambre 34 (trente-quatre). Je voudrais téléphoner à l'étranger.
LA STANDARDISTE: Mais oui, monsieur. Où ça?
VOUS: Aux Etats-Unis, en Virginie, à Arlington.
LA STANDARDISTE: Le numéro?
VOUS: 574-28-72 (cinq cent soixante-quatorze, vingt-huit, soixante-douze).
LA STANDARDISTE: Vous avez l'indicatif de la ville?
VOUS: Le 703 (sept cent trois).
LA STANDARDISTE: Le nom de la personne?
VOUS: C'est ma soeur, Suzie Williams, W.I.L.L.I.A.M.S.
LA STANDARDISTE: Bien, monsieur. Raccrochez. Je vous rappelle quand j'ai la communication.
VOUS: Pardon?
LA STANDARDISTE: Replacez le récepteur. Je vais vous rappeler.
VOUS: Vous allez me rappeler? Ah bon!

YOU: Hello, Mr. Thomas calling, room 34. I'd like to make a long distance call.
OPERATOR: Of course, sir. Where?
YOU: To Arlington, Virginia, in the United States.
OPERATOR: The number?
YOU: 574-28-72
OPERATOR: Do you have the area code for the city?
YOU: 703.
OPERATOR: The person's name?
YOU: It's my sister, Suzie Williams, W.I.L.L.I.A.M.S.
OPERATOR: Very well, sir. Hang up. I'll call you when the call has gone through.
YOU: What?
OPERATOR: Hang up the receiver. I'll call you back.
YOU: You're going to call me back. Good!

# Part Three: The Grammar

THE VERB **ALLER**—*TO GO*

Just like the verbs **être** and **avoir**, **aller** is irregular. Here are its present tense forms:

> <u>ALLER</u> ('to go')
> je **vais**—*I go, I am going*
> tu **vas**—*you go, you are going*
> il, elle **va**—*he/she/it goes, he/she/it is going*
> nous **allons**—*we go, we are going*
> vous **allez**—*you go, you are going*
> ils, elles **vont**—*they go, they are going*

As a reminder, the **tu** form is used among friends and family. Always let your French host take the initiative in using **tu**.

THE NEAR FUTURE WITH **ALLER** + INFINITIVE

When you want to express an action in the near future, use a <u>conjugated form</u> of the verb **aller** and a second verb in the <u>infinitive form</u>, just as you would in English:

> **Je vais vous rappeler**—*I am going to call you back.*
> **Elle va téléphoner**—*She is going to call.*
> **Nous allons réserver une chambre**—*We're going to reserve a room.*
> **Ils vont tourner à gauche**—*They're going to turn left.*
> **Tu vas écouter?**—*Are you going to listen?*

# CHAPTER 5

## Part Three: The Grammar

NUMBERS 100-1,000

Study the examples below. They will suggest how numbers 100 to 1,000 are formed:

|       |                                |
|-------|--------------------------------|
| 100   | cent(s)*                       |
| 200   | deux cents*                    |
| 201   | deux cent un                   |
| 202   | deux cent deux                 |
| 299   | deux cent quatre-vingt-dix-neuf |
| 478   | quatre cent soixante-dix-huit  |
| 709   | sept cent neuf                 |
| 999   | neuf cent quatre-vingt-dix-neuf |
| 1.000 | mille**                        |

*An -s is added to **cent** only when no other number follows.

**Whereas numbers in English use a comma (,) to divide thousands, numbers in French use a period (.) as in **1.000.000** ("un million").

IMPERATIVES (COMMANDS)

To give a command in French, use the <u>imperative form</u> of the verb. The imperative for the polite **vous** form ends in **-ez**. You will note the imperative form in the Vocabulary section by the abbreviation <u>imp</u>.

> **Travaillez!**—*Work!*
> **Ecoutez bien!**—*Listen well!*
> **Ne téléphonez pas!**—*Do not call!*
> **Ne parlez pas!**—*Do not speak!*

When using the imperative, the subject pronoun **vous** is omitted.

POSSESSIVE ADJECTIVES: **MON, MA, MES**

Remember the three French equivalents of *the* are **le, la,** and **les.** Similarly, there are three equivalents for the possessive adjective *my.*

> **mon** (m. sg,)\*—**C'est <u>mon</u> livre**—*This is my book.*
>
> **ma** (f. sg.)—**Voilà <u>ma</u> chambre**—*Here is my room.*
>
> **mes** (m./f. pl)—**Où sont <u>mes</u> valises?**—*Where are my suitcases?*

\***Mon** is also used in front of masculine and feminine nouns beginning with vowels or silent **h.**

> **mon agence** (f.)—*my agency*
> **mon ambassade** (f.)—*my embassy, my mission*
> **mon hôtel** (m.)—*my hotel*
> **mon habitude** (f.)—*my habit*

## Part Four: Exercises

A. Write in the correct word in eack blank.

Vous: Allô? Monsieur Thomas à (1.)_____, chambre 4. Je voudrais
(2.)_____ à l'étranger.
La standardiste: Mais oui, monsieur. Où ça?
Vous: Aux (3.)_____, en (4.)_____, à Arlington.
La standardiste: Le numéro?
Vous: 574-28-72
La standardiste: (5.)_____ l'indicatif de la ville?
Vous: Le (6.)_____.
La standardiste: Le nom de la (7.)_____ ?
Vous: C'est ma (8.)_____, Suzie Williams, W.I.L.L.I.A.M.S.
La standardiste: Bien, monsieur. Raccrochez. Je vous rappelle
(9.)_____ j'ai la communication.
Vous: Pardon?
La standardiste: Replacez le (10.)_____. Je vais vous rappeler.
Vous: Vous (11.)_____ me rappeler? Ah bon!

B. Fill in the blanks with the correct form of "aller":

1.    Tu _____ téléphoner plus tard?

2.    Je _____ au café avec Philippe.

3.    Ils _____ raccrocher le récepteur.

4.    Nous _____ en Virginie.

5.    Vous _____ réserver la chambre seize?

6.    Elle ne_____ pas avec nous.

. Write out each phone number in French.

43-45-39-40 (L'ambassade des U.S.A.)

_____

47-47-53-00 (La Gare de Lyon)

_____

42-25-10-83 (American Express)

_____

44-69-21-10 (Le médecin-docteur)

_____

59-11-75-00 (La police)

_____

42-96-12-02 (L'hôpital)

_____

46-49-29-29 (Le bureau de tourisme)

_____

. Fill in the blanks with the correct "vous" form of the imperative:

_____ bien!  (Ecouter)

Ne _____ pas à gauche!  (tourner)

_____ en France!  (Aller)

_____ plus tard, Madame!  (Rappeler)

_____ français!  (Parler)

_____ mieux (better)!  (Travailler)

Ne _____ pas!  (quitter)

# CHAPTER 5

E. Write in the possesive adjective next to the noun it agrees with.

    <u>NOUNS</u>                                       <u>ADJECTIVES</u>

1. _____hôtel                     ma

                                                              mes

2. _____soeur                   mon

3. _____réservation

4. _____radios

5. _____restaurant

6. _____banque

7. _____gardien

8. _____chambre

F. Unscramble the jumbled words to form a logical sentence.

1. je l'étranger voudrais à téléphoner

_____

2. l'indicatif quel ? est de la ville

_____

3. on rappeler vous va

_____

4. ma l'appareil soeur à c'est

_____

5. vous allez ? me rappeler

_____

*. Continued*

5.    un après-midi samedi c'est

_____

7.    à votre voulez téléphoner soeur vous

_____

8.    la vous chez elle espérez trouver

_____

9.    standardiste appelez vous la

_____

10.    huit heures matin est du il

_____

11.    habite aux soeur Etats-Unis votre

_____

12.    trouver ma elle j'espère soeur chez

_____

13.    vous je minutes cinq dans rappelle

_____

4.    soeur chez n'est elle votre pas

_____

5.    en Virginie habitent vos parents

_____

G. Respond to the following situations. Use complete French sentences with all accents and punctuation.

1. Tell the operator that you would like to make a long distance call.

_____

2. Tell the operator that you are going to call the United States. (use "téléphoner à ...")

_____

3. The operator asks for the number. Tell her that you would like 654-3916. Write out the number (six hundred fifty-four, thirty-nine, sixteen).

_____

4. Tell the operator that the city's area code is 901. Write out the number.

_____

5. Tell the operator that Arlington is in Virginia.

_____

6. The operator tells you to hang up. She says:

_____

7. The operator tells you to hold on. She says: (Use the negative imperative form of "quitter")

_____

8. Tell Mme Bertrand that your sister lives in California. Use "habiter" (to live in) and "Californie."

_____

. *Continued:*

.	Tell her that she is going to call you later.  Use "me" for me and place in front of the infinitive 'to call.'

_____

0.	Your boss tells you to go the bank.  He says:

_____

1.	Tell a passing motorist who is lost to turn right in front of the hotel.

_____

# COMPLAINING ABOUT YOUR ROOM

## Part One: Vocabulary

| FRANÇAIS | ENGLISH |
|---|---|
| à propos | by the way |
| à votre service | you're welcome |
| absentes (f., pl., adj.) | absent |
| ampoule, l' (f.) | light bulb |
| après | after |
| asseyez-vous (s'asseoir, imp!)[1] | sit down (to sit down, imperative) |
| aujourd'hui | today |
| avons, nous (avoir) | have, we (to have) |
| ces (m., pl.)[2] | these, those |
| cette (f.) | this, that |
| chambre d'hôtel, la | hotel room |
| changer | to change |
| énervé (m., adj.) | annoyed |
| envoie, j' (envoyer)[3] | send, I (to send) |
| excusez-nous (excuser, imp!) | excuse us (to excuse, imperative) |
| faire votre chambre[4] | to clean up your room |
| fait (faire, past part.)[5] | done, made (to do/to make, past part.) |
| faite (faire, past part., f.)[6] | done, made (to do/to make, past part.) |
| fatigante (f., adj.)[7] | tiring |
| femme de chambre, la | maid |
| j'en ai pour deux minutes[8] | it will only take two minutes |
| journée, la[9] | day |
| lampe, la | lamp, light |
| lit, le | bed |
| marche, elle (marcher)[10] | works, it (to work/usually: to walk) |
| merci bien | thank you very much |
| mettre[11] | to put |
| retournez à, vous (retourner à)[12] | return to, you (to return to) |
| serviettes, les (f., pl.)[13] | towels, napkins |
| six heures (18h00) | six p.m. |
| téléphonez à, vous (téléphoner à)[14] | phone, you (to phone) |
| tout de suite | right away |
| viens, je (venir) | come, I (to come) |

## Vocabulary Notes

[1] "asseyez-vous": sit down. A command form of "s'asseoir," which literally means 'to seat oneself.' An explanation of reflexive verbs can be found in Chapter 10 of your textbook.

[2] "ces": this, that. "Ce, cette, ces" are covered in your textbook's grammar section of Chapter 6.

[3] "envoie, j'" in "je vous envoie la femme de chambre": I'll send you the maid. The "vous" in this case is an indirect object pronoun, meaning 'to you.'

[4] "faire votre chambre": to clean up your room. "Faire" means 'to do' or 'to make' and is used in many different expressions.

[5] "fait": done. Here "fait" is used as an adjective, in which case it must agree in number and gender with its subject: "Mon lit (m.) n'est pas fait." In French it is a common practice to use a past participle as an adjective (provided that it agrees in number and gender with the word it modifies). You'll learn more about past participles in Chapters 18, 22 and 26 of your textbook.

[6] "faite": done. Here "faite" is used as an adjective, in which case it must agree in number and gender with its subject: "Votre chambre (f.) n'est pas encore faite."

[7] "fatigante": tiring. To say you are tired in French, use "Je suis fatigué(e)"

[8] "J'en ai pour...": it will only take. This is an idiomatic way to say how much time something will take. EX: "Elle veut aller à Paris; elle en a pour deux heures" ('She wants to go to Paris; it will take her two hours').

[9] "journée, la": day. Use this form instead of "jour" when you want to emphasize duration as in "bonne journée" ('have nice day').

[10] "marche, elle": it works. Depending on whether it refers to a person or a machine, "marcher" will mean either 'to walk' or 'to work.' EX: "Nous marchons ensemble" ('We are walking together'); "L'ascenseur ne marche pas" ('The elevator doesn't work').

[11] "mettre": to put, to place ["je mets, tu mets, il met, nous mettons, vous mettez, ils mettent"]. Verbs conjugated similarly to "mettre" include "promettre" ('to promise'), "compromettre" ('to compromise'), "soumettre" ('to submit'), "admettre" ('to admit'), and "permettre" ('to permit'). See Chapter 19 of your text for the conjugation of "-re" verbs.

[12] "retournez à, vous": you return to. "Retourner" without the preposition "à" means to 'turn over.'

[13] "serviettes, les": towels. Note that a "serviette (de table)" can also mean 'napkin.'

[14] "téléphonez à, vous": you phone. If a person or place is 'phoned,' the preposition "à" must be used after "téléphoner". EX: "Je téléphone," vs. "Vous téléphonez à vos amis."

# CHAPTER 6

## Part Two: The Story

| **FRANÇAIS** | ENGLISH |
|---|---|

**STORY**

•Vous retournez à votre chambre d'hôtel après une journée très fatigante.
•Votre chambre n'est pas encore faite.
•Un peu énervé, vous téléphonez à la réception.

•You return to your hotel room after a very tiring day.

•Your room isn't ready yet.

•A little annoyed, you call the front desk.

**ACTION**

VOUS: Allô? C'est la chambre 34 (trente-quatre). Mon lit n'est pas fait, la lampe ne marche pas, et il est déjà six heures.
LA RECEPTIONNISTE: Excusez-nous. Nous sommes en retard aujourd'hui. Je vous envoie la femme de chambre tout de suite.
LA FEMME DE CHAMBRE: Bonjour, monsieur. Je viens faire votre chambre. Je vais mettre ces serviettes dans la salle de bain.
VOUS: Enfin, il est six heures, vous savez?
LA FEMME DE CHAMBRE: Excusez-nous. Nous avons deux absentes aujourd'hui.
VOUS: Ah, je vois!
LA FEMME DE CHAMBRE: Asseyez-vous. J'en ai pour deux minutes.
VOUS: A propos, cette lampe ne marche pas.
LA FEMME DE CHAMBRE: Oui, je vais changer l'ampoule.
VOUS: Merci bien.
LA FEMME DE CHAMBRE: A votre service, monsieur.

YOU: Hello! It's room 34. My bed isn't made, the light doesn't work, and it's already six o'clock.

FRONT DESK CLERK: Please excuse us. We're late today. I'll send the maid right away.

MAID: Hello, sir. I've come to make up your room. I'll put these towels in the bathroom.

YOU: Do you realize it's six o'clock?
MAID: We're sorry. We have two people out today.

YOU: I see.
MAID: Have a seat. It will only take a couple of minutes.

YOU: By the way, this light doesn't work.
MAID: Yes. I'm going to change the light bulb
YOU: Thank you very much
MAID: You're welcome, sir.

## Part Three: The Grammar

DEMONSTRATIVE ADJECTIVES: **CE, CETTE, CET, CES**

Demonstrative adjectives ('this,' 'that,' 'these,' 'those') must agree in gender and number with the nouns they modify. Consider the following examples:

**ce**: *this, that* (m. sg.)—**ce café**—*this/that cafe*

**cette**: *this, that* (f. sg.)—**cette lampe**—*this/that lamp*

**cet\***: *this, that* (m. sg.)—**cet hôtel**—*this/that hotel*

**ces**: *these, those* (m. and f. pl.)—**ces serviettes**—*these/those towels,*
*napkins.*

\*Cet is used in front of nouns beginning with vowels or silent **h** as in the example **cet hôtel**.


POSSESSIVE ADJECTIVES: **VOTRE, VOS**

In the Chapter 5, you learned the possessive adjectives **mon, ma, mes** ('my'). In this chapter you will practice using **votre** and **vos** ('your'). **Votre** is used with both masculine and feminine <u>singular</u> nouns:

**votre chambre** (f.)—*your room*
**votre livre** (m.)—*your book*

The plural of **votre** is **vos**:

**vos chambres** (f. pl)—*your rooms*
**vos livres** (m. pl.)—*your books*

**Votre** and **vos** are polite forms, used mainly to <u>indicate the possessions</u> of colleagues, strangers, and people with whom you have no close, personal relationship (in the same way the subject pronoun **vous** is used).

## Part Four: Exercises

### A. Fill in the Blanks.

Vous: Allô? C'est la chambre 34. Mon (1.)_____ n'est pas
(2.)_____, la lampe ne (3.)_____ pas, et il est déjà six heures.
La réceptionniste: Excusez-nous. Nous sommes en retard aujourd'hui. Je vous
(4.)_____la (5.)_____ de chambre (6.)_____.
La femme de chambre: Bonjour, monsieur. Je viens faire votre chambre. Je vais
mettre ces serviettes dans la (7.)_____.
Vous: Enfin, il est six heures, vous savez?
La femme de chambre: Excusez-nous. Nous avons deux
(8.)_____ aujourd'hui.
Vous: Ah, je vois!
La femme de chambre: Asseyez-vous. J'en ai pour deux (9.)_____.
Vous: (10.)_____, cette lampe ne marche pas.
La femme de chambre: Oui, je vais changer l'ampoule.
Vous: Merci bien.
La femme de chambre: A votre service, monsieur.

### B. Fill in the appropriate demonstrative adjectives (ce, cette, cet, ces):

1. _____ chambre n'est pas propre (clean)!

2. _____ café est extraordinaire!

3. _____ femme de chambre est française.

4. _____ hôtel n'est pas tranquille.

5. Nous allons prendre le petit déjeuner dans _____ café.

6. _____ restaurants sont magnifiques!

C. Fill in the blanks with the correct possessive adjectives: Use "mon, ma, mes, votre, & vos."

1      C'est (your) _____ chambre ou (my) _____ chambre?

2.     Où sont (my) _____ serviettes?

3.     Vous avez (your) _____ passeports?

4.     Voilà (my) _____ restaurant préféré!

5.     Où est (your) _____ soeur?

6.     C'est (my) _____ lampe qui ne marche pas.

D. Unscramble the jumbled words to form a logical sentence.

1.     ne marche ma pas lampe

       _____

2.     n'est pas lit fait le

       _____

3.     changer de la femme va l'ampoule chambre

       _____

4.     deux ils aujourd'hui ont absentes

       _____

5.     nous serviettes n'avons pas de

       _____

6.     la fatigante journée très est

       _____

.      retournez vous votre chambre à

       _____

D. *Continued:*

8.     réception à nous la téléphonons

_____

9.     chambre je femme de vous envoie la

_____

10.    votre vient elle faire chambre

_____

11.    de je vais salle serviettes dans la mettre ces bain(s)

_____

12.    tout suite on arrive de

_____

13.    et déjà demie est il six heures

_____

14.    ai j'en deux minutes pour

_____

15.    ma n'est pas encore faite chambre

_____

E. **Respond to the following situations. Use complete French sentences with all accents and punctuation.**

1.     Tell the front desk clerk that your lamp doesn't work.

_____

2.     Tell the maid that your bed isn't made.

_____

**E.** *Continued:*

3. Tell someone that it is eight o'clock.

   _____

4. Tell someone to sit down.

   _____

5. You want to add something to a conversation (by the way). You say:

   _____

6. Tell your French friend that you're going to change the light bulb.

   _____

7. The maid apologizes for the condition of your room. She says:

   _____

8. Ask a French colleague where his car ("voiture") is. Use the polite form of the possessive adjective.

   _____

9. You are praising your new hotel. Tell someone that it is quiet. Begin with the equivalent of "This hotel ... ."

   _____

10. Your maid tells you that she is going to clean your room. She says:

    _____

# Chapter 7

# Taking A Train

## Part One: Vocabulary

| FRANÇAIS | ENGLISH |
|---|---|
| à quelle heure?[1] | at what time? |
| employé, l' (m.) | employee |
| Gare Montparnasse, la | Montparnasse Station |
| huit (8) | eight |
| manquer | to miss |
| minutes, les (f.) | minutes |
| par le train[2] | by train |
| part, il (partir)[3] | leaves, it (to leave) |
| partir | to leave |
| plus loin | farther |
| quatorze heures vingt (14h20) | 2:20 p.m. |
| quatorze heures vingt-huit (14h28) | 2:28 p.m. |
| regardez (regarder, imp!) | look at (to look at, imperative) |
| rien de spécial | nothing special |
| six cent huit (608) | six-"o"-eight (number of a train) |
| SNCF (Société nationale des chemins de fer français), la | French National Railways |
| suivant, le[4] | the next one |
| train, le[5] | train |
| vient de, il (venir de)[6] | has just, he (to have just) |
| vingt (20) | twenty |
| vingt-sept (27) | twenty-seven |
| visiter[7] | to visit |
| voie, la[8] | track |
| vous adressez à, vous (s'adresser à) | speak to, you (to speak to) |
| voyons (voir, imp!)[9] | let's see (to see) |
| weekend, le[10] | weekend |

## Vocabulary Notes

[1] "à quelle heure?": at what time? Another useful expression is "Quelle heure est-il?" ('What time is it?').

[2] "par le train": by train. Another way to express this idea is to use the expression "en train." The expression "en train de" signifies 'in the process of' and has nothing to do with trains.

[3] "part, il": he leaves. The third person singular present tense of "partir" ('to leave'); "partir" and "sortir" are conjugated in the same way in the present tense ["je pars, tu pars, il part, nous partons, vous partez, ils partent"]. "Sortir," which also means 'to leave', is used more in reference to the action of going out of a place or to go out on a date with a friend: "Alain est sorti avec Claire." ('Alan went out with Claire').

[4] "suivant, le": the next one. This form is related to the verb "suivre" ('to follow').

[5] "train, le": train. To express 'railways/railroads' you can use "chemins de fer" as in "la SNCF" ("Société nationale des chemins de fer français").

[6] "vient de, il": he has just. Note the construction "venir de" + infinitive translates as 'to have just' + infinitive. EX: "Elle vient de partir" ('She's just left'); "Nous venons de tourner à gauche" ('We've just turned left').

[7] "visiter": to visit. Use "rendre visite à" or "aller voir" when you want to talk about visiting a person; "visiter" is normally used with places.

[8] "voie, la": track. To express the idea of 'railways/railroads' use "chemins de fer."

[9] "voyons": let's see. This is the first person plural command form of "voir" ('to see'); the other command or imperative forms are "vois (tu)" and "voyez (vous)".

[10] "weekend, le": weekend. A word borrowed directly from English; other anglicisms in this program include: "le whisky, le passeport, le pique-nique, le pullover."

## Part Two: The Story

| FRANÇAIS | ENGLISH |
|---|---|

**STORY**

•C'est le weekend et vous n'avez rien de spécial à faire.
•Vous décidez de visiter Versailles, à 20 (vingt) minutes par le train de la Gare Montparnasse.
•Pour ne pas manquer votre train, vous vous adressez à un employé de la SNCF (Société nationale des chemins de fer français).

•It's the weekend, and you have nothing special to do.
•You decide to visit Versailles, which is 20 minutes by train from the Montparnasse station.
•So that you won't miss your train, you speak to an SNCF (French National Railways) employee.

**ACTION**

VOUS: Pardon, monsieur. A quelle heure part le train pour Versailles?
L'EMPLOYÉ: Voyons, le 608 (six cent huit) vient de partir et le suivant part à 14h28 (quatorze heures vingt-huit).
VOUS: Pardon, à quelle heure?
L'EMPLOYÉ: A 14h28 (quatorze heures vingt-huit). Regardez, il est 14h20 (quatorze heures vingt). Le train part dans 8 (huit) minutes.
VOUS: Ah oui, merci. Quelle voie?
L'EMPLOYÉ: Voie 27 (vingt-sept). Vous voyez? Là-bas, un peu plus loin, à droite.
VOUS: Ah oui, je vois. Merci beaucoup, monsieur.

YOU: Excuse me, sir. What time does the train for Versailles leave?

EMPLOYEE: Let's see, the 608 has just left and the next one is leaving at 2:28 p.m.

VOUS: Sorry, at what time?
EMPLOYEE: At 2:28 p.m. Look, it's 2:20 p.m. The train leaves in eight minutes.

YOU: Yes, thanks. What track?

EMPLOYEE: Track 24. Do you see? Over there, a little farther, on the right.
YOU: Yes, I see. Thank you, sir.

## Part Three: The Grammar

TELLING TIME: THE 12-HOUR CLOCK

If you want to ask someone *What time is it?*, you can use one of two expressions:

> **Quelle heure est-il?**—*What time is it?*
> **Vous avez l'heure?**—*Do you have the time?*

The answer will begin with **Il est...** followed by the hour, the word **heure(s)**, and the minutes.

> **Il est une heure\***—*It's one o'clock.*
> **Il est dix heures vingt**—*It's ten twenty.*
> **Il est midi**—*It's noon.*
> **Il est minuit et demi**—*It's half past midnight.*
> **Il est trois heures et quart**—*It's three fifteen.*

\*The word **heure** normally will take an **-s** (except for **une heure**, *one o'clock*).

To differentiate between *a.m.* and *p.m.*, the French use the expressions **du matin** ('a.m.'— literally, 'in the morning'), **de l'après-midi** ('p.m.'—'in the afternoon') and **du soir** (also 'p.m.'—'in the evening').

> <u>12-HOUR CLOCK</u>
>
> **Il est trois heures du matin.**
> *It's three o'clock in the morning.*
>
> **Il est sept heures du soir.**
> *It's seven o'clock in the evening.*
>
> **Il est quatre heures de l'après-midi.**
> *It's four o'clock in the afternoon.*

TELLING TIME: THE 24-HOUR CLOCK

Another way to tell time is to use the 24-hour clock. Consider the following examples:

> <u>24-HOUR CLOCK</u>
>
> **Il est trois (3) heures.**
> *It's three o'clock* (a.m.)
>
> **Il est dix-neuf (19) heures.**
> *It's seven o'clock* (p.m.)
>
> **Il est seize (16) heures.**
> *It's four o'clock* (p.m.)

VERB SUMMARY/REVIEW

Verbs are probably the most important part of a language. A working knowledge of their different forms allows you to express your needs and opinions successfully. You already know the present tense forms of **être, avoir** and **aller**. You may also recognize the polite, conditional form of **vouloir**: **je voudrais**. You have also seen two forms of **voir**: **je vois** and **vous voyez**. Finally, you know how to form verbs ending in -**er**, such as **parler, changer, déranger, écouter**, etc.

REGULAR VERBS: -**ER** AND -**IR**

By now you are aware that French verbs have more <u>inflected</u> (or varied) forms than English. Fortunately, all the forms for regular verbs can be derived from the infinitive. As you have already seen with -**er** verbs, to form the present tense of the -**ir** verbs the last two letters of the infinitive are dropped and the following endings are added:

| -ER VERBS | -IR VERBS |
|---|---|
| **-e** (je) | **-is** (je) |
| **-es** (tu) | **-is** (tu) |
| **-e** (il, elle) | **-it** (il, elle) |
| **-ons** (nous) | **-issons** (nous) |
| **-ez** (vous) | **-issez** (vous) |
| **-ent** (ils, elles) | **-issent** (ils, elles) |

Consider the present tense forms of the verb **finir**:

FINIR ('to finish')
je **finis**—*I finish, I am finishing*
tu **finis**—*you finish, you are finishing*
il,elle **finit**—*he/she/it finishes, he/she/it is finishing*
nous **finissons**—*we finish, we are finishing*
vous **finissez**—*you finish, you are finishing*
ils/elles **finissent**—*they finish, they are finishing*

## Part Four: Exercises

**A. Fill in the blanks.**

Vous: Pardon, monsieur. A quelle (1.)_____ part le (2.)_____ pour Versailles?

L'employé: (3.)_____ , le 608 vient de (4.)_____ et le suivant part à 14h28.

Vous: Pardon, à (5.)_____ heure?

L'employé: A 14h28. Regardez, il est 14h20. Le train part dans (6.)_____ minutes.

Vous: Ah oui, merci. Quelle (7.)_____?

L'employé: Voie 27. Vous voyez? (8.)_____ un (9.)_____ plus loin, (10.)_____ .

Vous: Ah oui, je vois. Merci beaucoup, monsieur.

**B. Convert the times into official, 24-hour clock time:**
**(spell out numbers)**

1.   8 p.m. _____

2.   midnight _____

3.   2:20 p.m. _____

4.   noon _____

5.   6:15 p.m. _____

6.   10:45 p.m. _____

**C.** Answer the questions.  Use the 12-hour clock.  (Spell out numbers)

1.  Quelle heure est-il?  Il est _____.  (10 a.m.)

2.  Quelle heure est-il?  Il est _____.  (4 p.m.)

3.  Quelle heure est-il?  Il est _____.  (7:10 p.m.)

4.  Quelle heure est-il?  Il est _____.  (8:25 p.m.)

5.  Quelle heure est-il?  Il est _____.  (6:20 a.m.)

**D.** Unscramble the jumbled words to form a logical sentence.

1.  le part trois minutes dans train

    _____

2.  quelle ? pour Versailles de voie part le train

    _____

3.  vient partir le de train

    _____

4.  dans cinq partons minutes nous

    _____

5.  voie sept droite est à la

    _____

6.  nous à faire n'avons rien de spécial

    _____

D. *Continued*:

7.    de vous Versailles décidez visiter

_____

8.    la Gare ils vont Montparnasse à

_____

9.    part à quinze trente suivant heures train le

_____

10.   train part huit dans minutes ce

_____

11.   partez ne pas manquer vous pour votre train

_____

12.   quelle pour à part le train Chartres? heure

_____

13.   la voie je numéro cinq vois

_____

14.   vous vous à un employé la SNCF adresser de allez

_____

15.   numéro est un la plus loin quatre peu voie

_____

E. Respond to the following situations. Use complete French sentences with all accents and punctuation.

1. You are at the information booth at a train station. Ask when the train for Versailles leaves.

   _____

2. The employee says the train leaves at 4:15 p.m. She says:

   _____

3. The conductor tells you your train has just left. He says:

   _____

4. You want to know what track number? You ask:

   _____

5. The conductor says over there, on the left. He says:

   _____

6. Tell someone that it is 10 p.m.

   _____

7. Tell your French colleague that you are going to leave from the Montparnasse station.

   _____

8. Tell him that the train leaves in thirty minutes.

   _____

E. *Continued:*

9. Tell the travel agent that you would like a ticket ("un biliet") for Paris.

_____

10. Tell him that you and your wife would like a quiet room with a bath. Begin with "Nous."

_____

# MEETING A PLANE

## Part One: Vocabulary

| **FRANÇAIS** | ENGLISH |
|---|---|
| à l'heure | on time |
| aéroport, l' (m.) | airport |
| annonce, il (annoncer) | is announcing, it (to announce) |
| arrivées, les (f.) | arrivals |
| arrivera, il (arriver, fut.) | will arrive, it (to arrive, fut.) |
| avion, l' (m.) | airplane, plane |
| bonne (f., adj.) | good |
| brouillard, le | fog |
| cafétéria, la | cafeteria |
| comme d'habitude! | as usual |
| départs, les (m., pl.) | departures |
| dix heures trente (10h30) | 10:30 a.m. |
| eh oui![1] | unfortunately |
| en bas[2] | downstairs |
| Europe, l' (f.) | Europe |
| fonctionne, il (fonctionner)[3] | works/functions, it (to work, to function) |
| heure, l' (f.)[4] | hour, time |
| hôtesse, l' (f.) | stewardess |
| huit cent (800)[5] | eight hundred |
| idée, l' (f.) | idea |
| parti (partir, past part.)[6] | left (to leave, past part.) |
| première (f., adj.)[7] | first |
| presque | almost |
| pressé (m., adj.)[8] | in a hurry, hurried |
| quelque chose | something |
| retard, le | delay |
| sa[9] | her, his |
| tante, la[10] | aunt |
| téléviseur, le[11] | monitor, television set |
| toujours[12] | always, still |
| vers | around, toward |
| visite, la | trip, visit |
| vol, le | flight |

## Vocabulary Notes

[1] "eh oui": unfortunately. Although this may be translated simply as 'oh, yes,' "eh oui" is a polite way to answer a question in which one might want to express regret.

[2] "en bas": downstairs (usually: down below). The opposite is "en haut" ('upstairs').

[3] "fonctionne, il": it works (as in 'functions'). Note that when a person works, the verb is "travailler." Another verb that means to work (in reference to a machine or appliance) is "marcher" (usually with an adverb such as "bien" or "mal"). "Marcher" can also mean 'to walk.'

[4] "heure, le": hour, time. Note that it can also mean 'o'clock' as in "il est six heures" ('it is six o'clock').

[5] "huit cent": eight hundred (a flight number). When simply counting, the French word for hundred(s) "cents" has an "s" ("deux cents, trois cents," etc.) When followed by additional numbers, the "s" disappears ("quatre cent huit, six cent dix," etc.). When speaking of a page or flight number, the "s" does not appear ("Le vol huit cent, la page neuf cent").

[6] "parti": left. This past participle of "partir" will agree in number and gender with its subject: "Marianne est partie à 6 heures du soir." This is true of all intransitive verbs in the compound past ("passé composé") tense.

[7] "première": first. Note that the masculine form is "premier."

[8] "pressé": in a hurry, hurried. Add an "-e" to make this adjective feminine -- "pressée"

[9] "sa": her, his, its (possessive adj.). "Sa" (f.) ["son" in front of words beginning with vowels and mute "h"], "son" (m.) and "ses" (f./m. pl) work the same way as "ma, mon, mes" and "ta, ton, tes" previously studied in Chapter 5 of your textbook.

[10] "tante": aunt. The word for 'uncle' is "oncle."

[11] "téléviseur, le": monitor, television set. To watch television (television programs), one would use the expression "regarder la télévision." In everyday speech, the word for television (set and programs) is "la télé."

[12] "toujours": always, still. The meaning of this term hinges on its context. In French, adverbs follow verbs.

ADDITIONAL VOCABULARY

Here are some more weather expressions:

**Il y a du brouillard**--*It's foggy.*
**Il fait chaud**--*It's hot.*
**Il fait froid**--*It's cold.*
**Il fait beau**--*It's nice.*
**Il pleut**--*It's raining.*
**Il neige**--*It's snowing.*

# CHAPTER 8

## Part Two: The Story

**FRANÇAIS**  ENGLISH

**STORY**

•Vous allez à l'aéroport Charles de Gaulle pour chercher votre tante qui arrive des Etats-Unis.
•C'est sa première visite en Europe.
•Le téléviseur qui annonce les départs et les arrivées ne fonctionne pas.
•Vous demandez à l'hôtesse à quelle heure arrive l'avion.

•You go to Charles de Gaulle airport to pick up your aunt who's arriving from the United States.
•It's her first trip to Europe.
•The monitor announcing arrivals and departures doesn't work.

•You ask the stewardess what time the plane arrives.

**ACTION**

VOUS: Mademoiselle, à quelle heure arrive l'avion de New York, s'il vous plaît?
L'HOTESSE: Quelle compagnie? Air France ou TWA?
VOUS: Le vol 800 (huit cent) de la TWA.
L'HOTESSE: Voyons, le vol 800 (huit cent) est en retard. Il arrivera vers 10h30 (dix heures trente).
VOUS: En retard? Mais je suis pressé.
L'HOTESSE: Eh oui, il est parti en retard de New York.
VOUS: Comme d'habitude!
L'HOTESSE: Ah non, monsieur! Ce vol est presque toujours à l'heure! Il y a du brouillard à New York aujourd'hui.
VOUS: Ah, bon!
L'HOTESSE: Vous pouvez prendre quelque chose en bas, à la cafétéria.
VOUS: C'est une bonne idée. Merci, mademoiselle.

YOU: Miss, what time does the plane from New York arrive?
STEWARDESS: What airline? Air France or TWA?
YOU: TWA flight 800.

STEWARDESS: Let's see, flight 800 is late. It'll arrive around 10:30.

YOU: Late? But I'm in a hurry.

STEWARDESS: Unfortunately, it left New York late.
YOU: As usual!
STEWARDESS: No, sir! This flight is almost always on time! There's fog in New York today.

YOU: Oh!
STEWARDESS: You can have something to eat in the cafeteria downstairs.
YOU: That's a good idea. Thanks.

## rt Three: The Grammar

NTERROGATIVE ADJECTIVES: **QUEL, QUELLE, QUELS, QUELLES**

he interrogative adjective **quel?** ('which?,' 'what?') shows gender and number, as do all adjecves:

|  | FEMININE | MASCULINE |
|---|---|---|
| SINGULAR: | quelle | quel |
| PLURAL: | quelles | quels |

**Quelle compagnie?**—*Which/what company?*
**Quelles voitures?**—*Which/what cars?*
**Quel livre?**—*Which/what book?*
**Quels restaurants?**—*Which/what restaurants?*

## HE VERB **POUVOIR**

ike **être, avoir,** and **aller, pouvoir** is an irregular verb.  Here are its forms in the present tense:

POUVOIR ('to be able, can')
je **peux**—*I am able, I can*
tu **peux**—*you are able, you can*
il, elle **peut**—*he/she/it is able, he/she/it can*
nous **pouvons**—*we are able, we can*
vous **pouvez**—*you are able, you can*
ils, elles **peuvent**—*they are able, they can*

XAMPLES:    **Vous pouvez partir à cinq heures.**
*You are able to (can) leave at 5 p.m.*

**Elle ne peut pas parler anglais.**
*She is not able (cannot) speak English.*

**Tu peux me téléphoner plus tard.**
*You can (are able to) call me later.*

# CHAPTER 8

ASKING QUESTIONS: USING INTONATION AND INVERSION

One common way to ask a question in French is by <u>raising the tone of your voice</u> at the end of a sentence:

**Vous avez une chambre pour moi?**
*Do you have a room for me?*

Another way is to <u>invert the subject pronoun and verb and hyphenate</u>:

**Etes-vous français?**
*Are you French?*

**Travaillez-vous aux Etats-Unis?**
*Are you working in the United States?*
(or) *Do you work in the United States?*

When a <u>third person singular</u> form <u>ends with a vowel</u> (mainly with **-er** verbs), a -**t**- is added <u>between the verb and the pronoun</u>. This is to facilitate pronunciation:

**Parle-t-il français?**
*Does he speak French?*
(or) *Is he speaking French?*

**Ecoute-t-elle la radio?**
*Does she listen to the radio?*
(or) *Is she listening to the radio?*

## Part Four: Exercises

### A. Fill in the Blanks.

Vous: Mademoiselle, à quelle heure arrive (1.)_____ de New York, s'il vous plaît?

L'hôtesse: Quelle compagnie? Air France ou TWA?

Vous: Le (2.)_____ 800 de la TWA.

L'hôtesse: Voyons, le vol 800 est en retard. Il (3.)_____ vers 10h30.

Vous: (4.)_____ ? Mais je suis (5.)_____.

L'hôtesse: Eh oui, il est parti en retard de New York.

Vous: Comme d'habitude!

L'hôtesse: Ah non, monsieur! (6.)_____ vol est (7.)_____ toujours à l'heure! Il y a du (8.)_____ à New York aujourd'hui.

Vous: Ah, bon!

L'hôtesse: Vous pouvez (9.)_____ quelque chose (10.)_____, à la cafétéria.

Vous: C'est une bonne idée. Merci, mademoiselle.

### B. Fill in the appropriate form of "quel":

*Note that "quel" can used for questions and exclamations.*

1. _____ bonne idée!

2. _____ vol vas-tu prendre?

3. _____ restaurants?

4. _____ chambres allez-vous réserver?

5. _____ banque préférez-vous?

6. _____ est votre nom? (nom = m.)

# CHAPTER 8

C. Write in the appropriate form of the verb "pouvoir":

1. Nous ne _____ pas aller au restaurant ce soir.

2. Elle _____ prendre son petit déjeuner à l'hôtel.

3. Vous _____ changer de train à Lyon, Monsieur.

4. Ils _____ partir pour New York ce soir.

5. _____ -tu aller avec nous?

6. Oui, je _____ téléphoner au restaurant.

D. Rewrite the sentences as questions using inversion of subject and verb.

1. _____ Vous parlez anglais.

2. _____ Il est au restaurant.

3. _____ Elle parle français.

4. _____ Nous pouvons partir.

5. _____ Tu es américaine.

6. _____ Ils ont une voiture.

E. Unscramble the jumbled words to form a logical sentence.

1. ce toujours à est presque l'heure vol

   _____

2. en bas vous prendre quelque pouvez chose

   _____

E. *Continued:*

3.     bonne idée une c'est

_____

4.     parti en retard pour Toulouse le vol est

_____

5.     à Chicago quelle heure arrive le vol de ?

_____

6.     votre tante Europe c'est la visite de première en

_____

7.     Etats-Unis votre tante des arrive

_____

8.     départs le les téléviseur et les arrivées annonce

_____

9.     toujours en est retard vol ce

_____

10.    heures sept vers vingt-deux cinquante vol cent le arrivera

_____

11.    du Londres brouillard à y a il

_____

12.    peut à cafétéria manger la on

_____

13.    pressé n'est pas ce monsieur

_____

**E.** *Continued:*

14.    le ne fonctionne téléviseur pas

_____

15.    vous Gaulle tante à l'aéroport de cherchez votre Charles

_____

**F. Respond to the following situations. Use complete French sentences with all accents and punctuation.**

1.    Ask a French colleague if she can go to the restaurant with you. Use inversion and the polite form for "you."

_____

2.    Ask a passerby if he speaks English. Use inversion.

_____

3.    Ask the stewardess if your flight is on time. Use rising intonation.

_____

4.    She asks what flight. She says:

_____

5.    Tell your taxi driver that you are in a hurry.

_____

6.    Tell someone that you are unable to understand. Use "comprendre" for "to understand."

_____

F. *Continued:*

7.    Complain that your flight is not on time.

_____

8.    Tell the stewardess that you're going to be late.

_____

9.    Ask a French colleague which restaurant he likes. Use "aimer" for "to like." Use inversion and the polite form for "you."

_____

10.   Tell someone that there's always fog in London ("à Londres").

_____

# CHAPTER 9

# LOOKING FOR A TAXI

# CHAPTER 9

## Part One: Vocabulary

| **FRANÇAIS** | ENGLISH |
|---|---|
| agent, l' (m.) | officer, agent |
| attends, j' (attendre)[1] | am waiting for, I (to wait for) |
| bouche de métro, la | subway entrance |
| cher (m., adj.)[2] | expensive |
| client, le[3] | customer |
| courez, vous (courir) | run, you (to run) |
| court, il (courir) | runs, he (to run) |
| derrière | behind |
| deuxième (m. & f., adj.) | second |
| en pleine | at the height |
| est-ce que...?[4] | do? does? |
| être | to be |
| heure de pointe, l' (f.) | rush hour |
| libre (m. & f., adj.) | available, free |
| lundi, le[5] | Monday |
| mais enfin![6] | hold on! |
| me dépêche, je (se dépêcher)[7] | am hurrying, I (to be hurrying) |
| métro, le | subway, metro |
| moins[8] | less |
| monde, le[9] | people |
| plus vite | faster |
| pluvieux (m., adj.)[10] | rainy |
| premier (m., adj.) | first |
| près | near |
| rentre, je (rentrer) | am going home, I (to go home) |
| sens, les (m.) | directions, senses |
| suis de service, je (être..., id.)[11] | am on duty, I (to be on duty) |
| tête de station, la | taxi stand |
| tous | all, every |
| trouve, on (trouver)[12] | finds, one/find, we (to find) |
| va, il (aller) | is going/goes, he (to go) |
| voiture, la | car |

## Vocabulary Notes

[1] "attends, j' ": I'm waiting for. There's no need to add the preposition 'for' to "attendre" as in English. "Attendez" is the imperative form for "Wait!"

[2] "cher": expensive. The feminine form is "chère"; the opposite is "bon marché" ('cheap').

[3] "client, le": customer (m.). The feminine form adds an "-e" to the end.

[4] "est-ce que...?": do?, does?. A common way to transform a simple statement into a question is by attaching this expression at the beginning. EX: "Jean parle français" ('Jean speaks French') > "Est-ce que Jean parle français?" ('Does Jean speak French?'). See Chapter 9 of your textbook for a more detailed explanation.

[5] "lundi, le": Monday, on Monday(s). Note that the article "le" already embraces the idea of 'on' when it is used. EX: "Je travaille le lundi" ('I work on Mondays' [every Monday]); "J'étudie le jeudi" ('I study on Thursdays').

[6] "mais enfin": hold on. As you have already seen, "mais" means 'but' and "enfin" means 'well' or 'finally.' The two words together have the meaning of 'hold on,' 'well now,' 'come now.'

[7] "me dépêche, je": I'm hurrying. The present tense of the reflexive verb "se dépêcher" ('to hurry'). Consider the entire conjugation: "Je me dépêche, tu te dépêches, il se dépêche, nous nous dépêchons, vous vous dépêchez, ils se dépêchent".

[8] "moins": less. The opposite is "plus" ('more'); "plus" and "moins" are used in front of adjectives to produce the comparative form "plus beau" ('more handsome/beautiful'), "moins riche" ('less rich'), etc    does one find a taxi? "On" means 'one,' 'they,' 'we.' It is a third person singular subject pronoun. "On" is often used when you don't want to indicate who is responsible for an action ("On a fermé la porte."-- 'The door has been closed'). "Trouve" comes from the verb "trouver" ('to find'). Notice the "-t-" added between "trouve" and "on" to facilitate pronunciation.

[9] "monde, le" in "il y a beaucoup de monde": there are many people. The word "monde" may mean 'world' or 'people.' EX: "Je vais faire le tour du monde" ('I'm going to go around the world'); "Tout le monde est là" ('Everybody is there').

[10] "pluvieux": rainy. To say 'it's raining' in French you will use the form "il pleut."

[11] Please note that the abbreviation "id." will be used throughout the text and program to signify idiomatic expressions (those which are difficult to translate word for word).

[12] "trouve, on" in "comment trouve-t-on un taxi?": how does one find a taxi? "On" means 'one,' 'they,' 'we.' It is a third person singular subject pronoun. "On" is often used when you don't want to indicate who is responsible for an action ("On a fermé la porte."-- 'The door has been closed'). "Trouve" comes from the verb "trouver" ('to find'). Notice the "-t-" added between "trouve" and "on" to facilitate pronunciation.

## Part Two: The Story

| FRANÇAIS | ENGLISH |
|---|---|
| •C'est un lundi matin pluvieux et aujourd'hui vous n'avez pas de voiture. | •It's a rainy Monday morning and you don't have a car. |
| •En pleine heure de pointe, vous courez à la tête de station. | •At the height of the rush hour, you hurry to the taxi stand. |
| •Il n'y a pas beaucoup de taxis, mais il y a beaucoup de monde qui court dans tous les sens. | •There are not many taxis, but there are a lot of people rushing about. |
| •Est-ce que vous allez trouver un taxi aujourd'hui? | •Are you going to find a cab today? |

**STORY**

| FRANÇAIS | ENGLISH |
|---|---|
| VOUS: Taxi! L'ambassade américaine, s'il vous plaît, près de la Concorde. | YOU: Taxi! The American Embassy, please, near Concorde Place. |
| 1ER TAXI: Mais enfin, j'ai un client, monsieur. Je ne suis pas libre. | 1ST TAXI: Hold on, I have a customer, sir. I'm not available. |
| VOUS: Oh! Excusez-moi. Taxi! | YOU: Oh! Excuse me. Taxi! |
| 2EME TAXI: Je ne suis pas de service. Je rentre. | 2ND TAXI: I'm not on duty. I'm going home. |
| VOUS: Mais je suis pressé. Taxi! | YOU: But I'm in a hurry. Taxi! |
| 3EME TAXI: J'attends un client qui va à Orly. | 3RD TAXI: I'm waiting for a customer who's going to Orly. |
| VOUS: Oh là là! Quelle journée! Je vais être en retard! | YOU: Wow! What a day! I'm going to be late! |
| --------------- | --------------- |
| VOUS: Monsieur l'agent? Comment trouve-t-on un taxi dans cette ville? | YOU: Officer? How do you find a taxi in this city? |
| L'AGENT: A Paris, on arrive plus vite par le métro et c'est moins cher. Regardez, la bouche de métro est derrière vous. | OFFICER: In Paris you get there faster with the metro, and it's less expensive. Look, the entrance to the metro is behind you. |
| VOUS: Ah oui, merci! Je me dépêche. | YOU: Oh, yes, thanks! I'll hurry. |

**ACTION**

## art Three: The Grammar

### ASKING QUESTIONS USING **EST-CE-QUE**

n Chapter 8 you saw two ways of asking a question: 1) by using a rising tone of voice at the end of a declarative sentence; and 2) by inverting subject and verb.

> 1) **Vous parlez anglais?**—*Do you speak English?*
> 2) **Parlez-vous anglais?**—*Do you speak English?*

A third way to turn a statement into a question is to put **est-ce que** at the beginning of a sentence.

> **Est-ce que vous parlez anglais?**
> *Do you speak English?*
>
> **Est-ce que nous allons à Paris?**
> *Are we going to Paris?*

Est-ce que simply introduces a question and is translated according to the context in which it is ound (i.e. 'are you?,' 'do we?,' 'is she?,' etc.).

### COMPARISONS: **PLUS** AND **MOINS**

Plus and moins are used before adjectives and adverbs. These words do not change to agree with umber or gender (they are invariable). Accompanying adjectives, however, must agree with the ouns they modify.

> **plus vite**—*quicker, more quickly*
> **moins vite**—*slower, less quickly*
>
> **plus tranquille**—*quieter*
> **moins tranquille**—*less quiet*
>
> **plus grand**—*taller*
> **moins grand**—*smaller, less tall*

# CHAPTER 9

THE DAYS OF THE WEEK/LES JOURS DE LA SEMAINE

**Les jours de la semaine** are listed below:

| | |
|---|---|
| **lundi*** | *Monday* |
| **mardi** | *Tuesday* |
| **mercredi** | *Wednesday* |
| **jeudi** | *Thursday* |
| **vendredi** | *Friday* |
| **samedi** | *Saturday* |
| **dimanche** | *Sunday* |

*Days of the week are not capitalized as they are in English.

By using the article **le** in front of a day of the week, you can convey the idea of *on* or *every*:

**Je travaille le lundi**—*I work on Mondays.*
**Elles font des courses le samedi**—*They go shopping every Saturday.*

## Part Four: Exercises

### A. Fill in the blanks.

Vous: Taxi! L'ambassade (1.)_____, s'il vous plaît, (2.)_____ de la Concorde.

1er taxi: Mais (3.)_____, j'ai un client, monsieur. Je ne suis pas (4.)_____.

Vous: Oh! Excusez-moi. Taxi!

2ème taxi: Je ne suis pas (5.)_____. Je rentre.

Vous: (6.)_____ je suis pressé. Taxi!

3ème taxi: J'attends un client qui (7.)_____ à Orly.

Vous: Oh là là! Quelle (8.)_____! Je vais (9.)_____ en retard!

Vous: Monsieur (10.)_____? Comment trouve-t-on un taxi dans cette (11.)_____?

L'agent: A Paris, on arrive plus vite par le métro et c'est moins (12.)_____. Regardez, la bouche de métro est derrière vous.

Vous: Ah oui, merci! Je me dépêche.

### B. Rewrite as questions using "est-ce-que":

1. Parle-t-elle anglais?

   _____

2. Allez-vous partir?

   _____

3. Arrive-t-il à 4 heures?

   _____

4. Etes-vous française?

   _____

5. Avez-vous une chambre?

   _____

6. Où trouve-t-on un taxi?

   _____

C. Type in the appropriate form of "plus" or "moins" + adjective:

1.     Cet hôtel est _____. (quieter)

2.     C'est _____ aussi.  (less expensive)

3.     Allez_____! Vous êtes en retard.  (more quickly)

4.     Ce sac est _____. (smaller)

5      Cette valise est _____. (blacker)

6.     Votre chambre est _____. (less quiet)

D. Unscramble the jumbled words to form a logical sentence.

1.     métro on vite par le plus arrive

_____

2.     je dépêche me

_____

3.     client qui il à Orly attend un va

_____

4.     pressé suis mais je !

_____

5.     de ce de n'est taxi pas chauffeur service

_____

6.     pluvieux un lundi c'est matin

_____

7.     n'avez vous voiture pas de

_____

**D.** *Continued:*

8.      courez à station la tête vous de

_____

9.      de qui court dans tous monde les sens il y a beaucoup

_____

10.     taxi est-ce que un ? vous allez trouver

_____

11.     de pointe nous heure sommes en pleine

_____

12.     trouve-t-on taxi dans un comment cette ville?

_____

13.     de taxi ce rentre chauffeur

_____

14.     bouche de métro est derrière ce la restaurant

_____

15.     dépêche parce qu'il se est pressé il

_____

**E.** Respond to the following situations. Use complete French sentences with all accents and punctuation.

1.      Ask your taxi driver if he is on duty. Use "est-ce que."

_____

2.      He tells you that he's not free. He says:

_____

E. *Continued:*

3.    He says that he is waiting for a customer who's going to Charles de Gaulle.

      _____

4.    He tells you that he's going home.  He says:

      _____

5.    Ask someone if the metro is less expensive.  Use "est-ce que."

      _____

6.    You've had a terrible day.  You exclaim:

      _____

7.    Tell a French colleague that you don't work on Saturdays.

      _____

8.    Tell your hotel maid that rooms are smaller in France.

      _____

9.    You go to a book store on the Left Bank in Paris.  Ask if English is spoken.
      Use "on" and inversion.

      _____

10.   Ask a French colleague which days people work in France.  Use "on" and
      "est-ce que."

      _____

CHAPTER

# 10

# TAKING THE
# PARIS METRO

# CHAPTER 10

## Part One: Vocabulary

| FRANÇAIS | ENGLISH |
|---|---|
| acheter | to buy |
| amie, l' (f.)[1] | friend |
| billets, les (m., pl.) | tickets |
| carnet, le (de dix tickets) | book (of ten tickets), notebook |
| carte, la[2] | map, menu |
| château, le | château, castle |
| cinq heures de l'après-midi (17h00) | five in the afternoon |
| connu (m., adj.) | known |
| conversation, la | conversation |
| direction, la | direction |
| entre | between |
| est de bonne humeur, elle (être...)[3] | is in a good mood, she (to be...) |
| fin, la | end |
| fois, la[4] | time |
| gens, les[5] | people, folk |
| guichet, le[6] | ticket window |
| ligne, la | line |
| loin | far |
| parlent, ils (parler) | speak, they (to speak) |
| place, la[7] | square, place |
| Porte d'Orléans, la | Porte d'Orléans |
| Quartier latin, le | Latin Quarter |
| quatre (4) | four |
| que | that |
| remarquer | to notice |
| répond, elle (répondre) | answers, she (to answer) |
| si | if |
| stations, les (f., pl.) | stations |
| trois (3) | three |
| un (1) | one |
| vendeuse, la[8] | ticket agent, vendor |
| vous trouvez, vous (se trouver) | find yourself, you (to find oneself) |

## Vocabulary Notes

[1] "amie, l' " (f.) in "avec une amie": with a friend (f.). "Avec un ami" also means 'with a friend' (m.). The letter "-e" in "amie" indicates feminine. Note that there is no difference in pronunciation of "ami" and "amie."

[2] "carte, la": map. The word "carte" also means 'card' and 'menu.'

[3] "est de bonne humeur, elle": she's in a good mood. From "être de bonne humeur" ('to be in a good mood'). If you're not feeling particularly happy, you should use "être de mauvaise humeur" ('to be in a bad mood').

[4] "fois, la" in "c'est la première fois": it's the first time. There are several ways to translate the word "fois": "une fois" ('once'); "deux fois" ('twice'); trois fois ('three times, thrice').

[5] "gens, les": people, folk. Always plural. Although this noun has been considered "historically feminine," "gens" is currently "felt" as masculine. Examples of both, however, can be found today. EX: "ces pauvres gens" (' these poor people') vs. "ces bonnes gens" ('these good people').

[6] "guichet, le" in "au guichet": at the ticket window. Remember the "à + le" contraction ("au").

[7] "place, la" in "Place de la Concorde": Concord Place. The word "place" can also mean 'square,' 'space' or 'seat' depending on its context.

[8] "vendeuse, la": ticket agent (usually: 'saleswoman'). To express 'salesman,' use "le vendeur."

## Part Two: The Story

| FRANÇAIS | ENGLISH |
|---|---|

**STORY**

•C'est la première fois que vous prenez le métro.

•Vous vous trouvez Place de la Concorde, à 5h00 (cinq heures) de l'après-midi, pas très loin de votre hôtel.

•Vous voulez aller place St-Germain-des-Prés, dans le Quartier latin où vous avez rendez-vous avec une amie Aux Deux Magots, un café bien connu.

•Regardez la carte du métro!

•Vous voyez que vous devez prendre la ligne 1 (un), direction Château de Vincennes.

•Vous devez changer à Châtelet et prendre la ligne 4 (quatre), direction Porte d'Orléans.

•Il y a 3 (trois) stations entre Concorde et Châtelet, et 3 stations entre Châtelet et St-Germain-des-Prés.

•Vous devez acheter vos billets au guichet et vous allez remarquer qu'on ne parle pas beaucoup dans le métro.

•It's the first time that you're taking the metro.

•You find yourself at Place de la Concorde at 5 o'clock in the afternoon, not very far from your hotel.

•You want to go to St-Germain-des-Prés Square, in the Latin Quarter, where you plan to meet a friend at "Aux Deux Magots," a well-known café.

•Look at the metro map!

•You see that you must take line No. 1 in the direction of Château de Vincennes.

•You must change trains at Châtelet and take line No. 4 in the direction of Porte d'Orléans.

•There are 3 stops between Concorde and Châtelet, and 3 stops between Châtelet and St-Germain-des-Prés.

•You must buy your tickets at the ticket window, and you'll notice that people don't talk much in the metro.

**ACTION**

VOUS: Un carnet, s'il vous plaît.

*Si la vendeuse est de bonne humeur, elle vous répond:*

LA VENDEUSE: Voilà!

*C'est la fin de la conversation parce que les gens ne parlent pas beaucoup dans le métro.*

YOU: A book of tickets, please.

*If the ticket agent is in a good mood, she answers:*

TICKET AGENT: There!

*It 's the end of the conversation because people don't speak a lot in the metro.*

## Part Three: The Grammar

### THE VERB VOULOIR

Like **être**, **avoir**, **aller** and **pouvoir**, **vouloir** is an irregular verb. Here are the forms for **vouloir** in the present tense:

> VOULOIR (to want, to wish)
> je **veux**—*I want, I wish*
> tu **veux**—*you want, you wish*
> il, elle **veut**—*he/she wants, he/she wishes*
> nous **voulons**—*we want, we wish*
> vous **voulez**—*you want, you wish*
> ils, elles **veulent**—*they want, they wish*

EXAMPLES:

> **Voulez-vous partir?**
> *Do you want (wish) to leave?*

> **Elle ne veut pas voyager.**
> *She does not want (wish) to travel.*

> **A quelle heure veut-elle manger?**
> *What time does she wish (want) to eat?*

> **Est-ce qu'ils veulent prendre le métro?**
> *Do they want (wish) to take the metro?*

### THE VERB DEVOIR

**Devoir** is another irregular verb. Here are the forms for **devoir** in the present tense:

> DEVOIR ('to have to, should')
> je **dois**—*I have to, I should*
> tu **dois**—*you have to, you should*
> il, elle **doit**—*he/she has to, he/she should*
> nous **devons**—*we have to, we should*
> vous **devez**—*you have to, you should*
> ils, elles **doivent**—*they have to, they should*

EXAMPLES:

> **Je dois partir à dix heures.**
> *I have to (should) leave at six o'clock.*

> **Il doit aller au quatrième étage.**
> *He has to (should) go to the fourth floor.*

**Vous devez travailler cet après-midi.**
*You have to (should) this afternoon.*

**Est-ce qu'on doit regarder ce film?**
*Should one (we) see that film?*

## ORDINAL NUMBERS

Ordinal numbers, as opposed to cardinal numbers, are used to indicate order or standing as in English. The word for *first* has a masculine form ("premier") and a feminine one ("première") in French. Other ordinals are formed by adding **-ième** to the numbers you already know. There are slight spelling changes for a few of them:

| | |
|---|---|
| **premier/première**—*1st* | **onzième**—*11th* |
| **deuxième**—*2nd* | **douzième**—*12th* |
| **troisième**—*3rd* | **treizième**—*13th* |
| **quatrième**—*4th* | **quatorzième**—*14th* |
| **cinquième**—*5th* | **quinzième**—*15th* |
| **sixième**—*6th* | **seizième**—*16th* |
| **septième**—*7th* | **dix-septième**—*17th* |
| **huitième**—*8th* | **dix-huitième**—*18th* |
| **neuvième**—*9th* | **dix-neuvième**—*19th* |
| **dixième**—*10th* | **vingtième**—*20th* |

You will often see the ordinal numbers abbreviated, as in **3ème**—*3rd*, **5e**—*5th*, etc.

## REFLEXIVE VERBS

In this chapter, you will see the expression **Vous vous trouvez...**('You find YOURSELF'). This is a reflexive verb. The action of a reflexive verb 'reflects' back on the subject (and not on an object as with transitive verbs). In Chapter 9 you saw **Je me dépêche** ('I am hurrying'; literally, 'I am hurrying MYSELF'). As you can see, both verbs are accompanied by reflexive pronouns: **me** for the first person singular **je**, and **vous** for the second person plural (and polite) form **vous**.

Below you will find two examples of the reflexive verbs **se lever** ('to get up') and **se réveiller** ('to wake up') used in sentences:

**Je me réveille à six heures vingt**
*I wake up (wake myself up) at six-twenty a.m.*

**Vous vous levez à six heures trente.**
*You get up (get yourself up) at six-thirty a.m.*

## Part Four: Exercises

### A. Fill in the blanks.

C'est la première (1.)_____ que vous (2.)_____ le métro.
Vous vous (3.)_____ Place de la Concorde, à cinq heures de
(4.)_____, pas très loin de votre (5.)_____.
Vous voulez aller place St- Germain-des-Prés, dans le Quartier Latin où vous avez
rendez-vous avec (6.)_____ Aux Deux Magots, un café bien connu.
(7.)_____ la carte du métro!
Vous voyez que vous devez prendre la ligne n° 1, (8.)_____ Château de
Vincennes.
Vous devez (9.)_____ à Châtelet et prendre la ligne n° 4, direction Porte
d'Orléans.
(10.)_____ trois stations entre Concorde et Châtelet, et trois stations entre
Châtelet et St-Germain-des-Prés.
Vous devez (11.)_____ vos billets (12.)_____ guichet et vous allez
remarquer qu'on ne parle pas beaucoup dans le métro.

### B. Write in the appropriate forms of "vouloir" or "devoir":

1. Je _____ (devoir) arriver à l'heure.

2. Elle _____ (vouloir) acheter un carnet de seconde.

3. Tu _____ (devoir) parler plus fort (louder).

4. Nous _____ (vouloir) changer d'hôtel.

5. _____ -il (vouloir) aller avec nous?

6. Oui, vous _____ (devoir) prendre un taxi.

C. Write in the correct ordinal number:

1. Nous allons au _____ étage.
   (third)

2. Ils vont prendre la _____ rue à droite.
   (fourth)

3. C'est ma _____ visite en France.
   (first)

4. Voilà le _____ billet.
   (ninth)

5. Où est la _____ voiture?
   (fifth)

6. Ils sont nés (born) au _____ siècle (century).
   (fifteenth)

D. Unscramble the jumbled words to form a logical sentence.

1. métro n'est pas de hôtel votre loin le

   _____

2. allez quatre prendre la ligne numéro vous

   _____

3. Aux Deux Magots j'ai avec une amie rendez-vous

   _____

4. pas on ne parle dans le métro beaucoup

   _____

5. tickets voudrais un je carnet de

   _____

**D.** *Continued:*

6. la première fois que vous c'est prenez le métro

   _____

7. regardez la carte vous du métro

   _____

8. voyez le train vous qui arrive

   _____

9. vous avez que rendez-vous où est-ce ce soir?

   _____

10. un carnet de je voudrais tickets

    _____

11. achetez au guichet vous vos billets

    _____

12. votre hôtel de est à trois stations métro d'ici

    _____

13. Magots Aux café Deux est un bien connu

    _____

14. elle qu'on ne parle beaucoup dans remarque pas le métro

    _____

15. devez de métro vous à Châtelet changer

    _____

# CHAPTER 10

E. Respond to the following situations. Use complete French sentences with all accents and punctuation.

1. Tell someone that it's the first time that you're taking the metro.

   _____

2. You don't know which line to take. Ask the ticket agent. Use "est-ce que" and "devoir."

   _____

3. Tell the agent that you would like a book of second class tickets.

   _____

4. You have an appointment this afternoon with a friend. You say:

   _____

5. Ask your French colleague if she is in a good mood. Use inversion and the "tu" form.

   _____

6. You're getting up at 7 a.m. You say:

   _____

7. Tell the police officer that you are hurrying.

   _____

8. The police officer asks you where you wish to go. He says (use inversion and "vous" form):

   _____

**E. *Continued*:**

9.  Tell your French friend that you have to work this evening.

    _____

10. A French couple is looking for the Dumont family in your building. Tell
    them that they have to go to the fifth floor. Use the ordinal form of "cinq"
    and "devoir."

    _____

# ORDERING A DRINK

## Part One: Vocabulary

| **FRANÇAIS** | ENGLISH |
|---|---|
| alcool, l' (m.) | alcohol |
| au régime[1] | on a diet |
| avant[2] | before |
| avez envie de, vous (avoir..., id.) | feel like, you (to feel like) |
| avez soif, vous (avoir..., id.)[3] | are thirsty, you (to be thirsty) |
| bière, la | beer |
| bois, je (boire)[4] | drink, I (to drink) |
| cacahuètes, les (f., pl.) | peanuts |
| cinq heures et demie (17h30) | 5:30 (p.m.) |
| commander[5] | to order |
| dîner | to eat dinner, to have dinner, to dine |
| dites, vous (dire) | say/tell, you (to say, to tell) |
| dois, je (devoir) | have to/ should, I (to have to, should) |
| excursion, l' (f.) | excursion |
| fatigué (m., adj.) | tired |
| garçon, le[6] | waiter |
| manger | to eat |
| parler | to speak, to talk |
| pression, la[7] | draft beer |
| puis | besides, then |
| qu'est-ce que...? | what...? |
| quelque | some |
| thé nature, le | plain tea |
| thé, le | tea |
| verre, le | glass |
| vite | quickly |

## Vocabulary Notes

[1] "au régime" in "être au régime": to be on a diet. EX: "Il est au régime" ('He's on a diet').

[2] "avant": before. The opposite is "après" ('after').

[3] "avez soif, vous ": you are thirsty. If you want to say 'you're hungry,' you will say "vous avez faim."

[4] "bois, je": I drink. The verb "boire" ('to drink') is irregular. It is conjugated in the present tense as follows: "je bois, tu bois, il bois, nos buvons, vous buvez, ils boivent."

[5] "commander": to order. "Passer une commande" means 'to place an order' or 'to put in an order.' You will see this new expression in Chapter 21.

[6] "garçon, le": waiter. The word "garçon" also is used for "boy" ("les garçons": 'boys'). Context will help you determine the correct meaning (i.e. if you are in a restaurant and hear "garçon," it is probably made in reference to a 'waiter'). 'Waitress' is "serveuse" or "mademoiselle."

[7] "pression, la": draft beer. "Pression" may also refer to 'pressure, tension, stress' and 'strain.'

ADDITIONAL VOCABULARY

Drinks, Foods

**Au café, on peut boire, par exemple:**

**un Perrier**--*Perrier water*
**un ballon de rouge**--*a glass of red wine*
**un Dubonnet**--*a glass of Dubonnet*
**un vin blanc**--*a glass of white wine*
**un café noir**--*a black coffee*
**un crème**--*a coffee with cream*
**un thé au citron**--*a tea with lemon*
**une bière**--*a beer*

**Au café, on peut manger, par exemple:**

**un sandwich**
**des amandes salées**--*salted almonds*
**des oeufs durs**--*hard boiled eggs*
**des cacahouètes**--*peanuts*
**des olives (noires/vertes)**--*olives (black/green)*
**des croissants**--*croissants*

## Part Two: The Story

| FRANÇAIS | ENGLISH |
|---|---|

**S T O R Y**

•Vous arrivez Aux Deux Magots un peu avant 5h30 (cinq heures et demie), et vous voyez tout de suite votre amie Sylvie Balland.

•Vous êtes fatigué et vous avez soif après votre excursion dans le métro.

•Vous dites bonjour à votre amie et vite vous appelez le garçon.

•Vous avez envie de parler français et vous allez commander pour vous et pour elle.

•You arrive at the Deux Magots a little before five thirty and right away you see your friend Sylvie Balland.

•You are tired and thirsty after your excursion in the metro.

•You say hello to your friend and quickly call the waiter.

•You feel like speaking French and order for both of you.

**A C T I O N**

VOUS: Qu'est-ce que vous prenez, Sylvie?
SYLVIE: Un thé, un thé nature.
VOUS: Un thé?
SYLVIE: Oui. Je ne bois pas d'alcool.
VOUS: Ah, bon. Vous voulez manger quelque chose?
SYLVIE: Non, merci! Je dois dîner chez ma soeur, et puis, je suis au régime.
VOUS: Well! Monsieur, un thé nature pour madame.
LE GARÇON: Bien.
VOUS: Et moi, j'ai très soif! Je voudrais un verre de bière.
LE GARÇON: Une pression?
VOUS: Oui, c'est ça, une pression et des cacahuètes.
LE GARÇON: Bien, monsieur.

YOU: What are you having, Sylvie?
SYLVIE: Tea, plain tea.
YOU: Tea?
SYLVIE: Yes. I don't drink alcohol.
YOU: I see. Do you want to eat something?
SYLVIE: No thank you! I have to eat dinner at my sister's, and also, I'm on a diet.
YOU: Well! Waiter, a tea without lemon, cream, or sugar for the lady.
WAITER: All right.
YOU: I'm very thirsty! I'd like a glass of beer.
WAITER: Draft beer?
YOU: Yes, that's right, a draft beer and some peanuts.
WAITER: Very good, sir.

## Part Three: The Grammar

NEGATIVES WITH **UN, UNE, DES**, ETC.

After verbs in the negative form, the noun markers **un**, **une**, **des**, **du**, **de la**, **de l'** are replaced by **de** (or **d'** if followed by a word beginning with a vowel or silent **h**). Consider the following examples:

> **Je bois <u>du</u> vin > Je ne bois pas <u>de</u> vin.**
> *I drink wine>I do not drink wine.*

> **J'ai <u>une</u> voiture > Je n'ai pas <u>de</u> voiture.**
> *I have a car>I do not have a car.*

> **Nous buvons <u>de</u> l'alcool > Nous ne buvons pas <u>d'</u>alcool.**
> *We drink alcohol>We do not drink alcohol.*

> **Il y a <u>des</u> hôtels > Il n'y a pas <u>d'</u>hôtel.**
> *There are hotels>There are no hotels.*

> **Je mange <u>un</u> sandwich > Je ne mange pas <u>de</u> sandwich.**
> *I eat a sandwich>I do not eat a sandwich.*

USING **CHEZ**

The preposition **chez** ('at the home of,' 'at the residence of,' 'at the office of,' etc.) occurs only before a noun or pronoun referring to a <u>person</u>:

> **Nous allons chez Roger**—*We're going to Roger's.*
> **Je vais chez le dentiste**—*I'm going to the dentist's.*
> **Il va dîner chez sa soeur**—*He's going to have dinner at his sister's.*
> **Vous êtes chez Sylvie Balland?**—*You're at Sylvie Balland's?*
> **Oui, je suis chez elle**— *Yes, I'm at her house.*

EXPRESSIONS WITH **AVOIR**

To express different <u>physical states,</u> the verb **avoir** is used, not the verb *to be* as in English. These expressions are marked (<u>id</u>.) for <u>idiomatic</u> in the Vocabulary section of each chapter (meaning that they cannot be easily understood when translated word for word).

<u>**AVOIR** EXPRESSIONS</u>
**avoir soif**—*to be thirsty*
**avoir faim**—*to be hungry*
**avoir froid**—*to be cold*
**avoir chaud**—*to be hot*
**avoir envie de** + infinitive—*to feel like -ing*

EXAMPLES:     **J'ai faim**—*I'm hungry.*
    **Elle a soif**—*She's thirsty.*
    **Nous avons froid**—*We're cold.*
    **Il a envie de manger**—*He feels like eating.*

## rt Four: Exercises

. Fill in the blanks.

ous: (1.)_____ vous prenez, Sylvie?
ylvie: Un thé, un thé (2.)_____.
ous: Un (3.)_____?
ylvie: Oui. Je ne (4.)_____ pas d'alcool.
ous: Ah, bon. Vous voulez (5.)_____ quelque chose?
ylvie: Non, merci! Je (6.)_____ dîner chez ma soeur, et puis, je suis au
'.)_____.
ous: Well! Monsieur, un thé nature pour madame.
e garçon: Bien.
ous: Et moi, j'ai très (8.)_____! Je (9.)_____ un verre de
0.)_____ .
e garçon: Une pression?
ous: Oui, c'est ça, une (11.)_____ et des cacahuètes.
e garçon: Bien, monsieur.

. Rewrite as negatives using "ne ... pas":

Je mange un sandwich._____

Elle prend un café._____

Il y a de la bière._____

Nous avons des valises._____

Ils boivent du vin._____

Elle a une voiture._____

Ils ont des amis._____

C. Type in the appropriate expression with "avoir":

1. Je n' _____ pas _____. (avoir soif)

2. Corinne _____ de boire quelque chose. (avoir envie)

3. Nous _____. (avoir faim)

4. Est-ce que tu _____? (avoir chaud)

5. En décembre on _____. (avoir froid)

6. _____ -vous _____ maintenant? (avoir faim)

D. Unscramble the jumbled words to form a logical sentence.

1. vous prenez que qu'est-ce ?

   _____

2. prend il de bière un verre

   _____

3. ma soeur allons dîner nous chez

   _____

4. soif j'ai très

   _____

5. d'alcool mes pas parents ne boivent

   _____

6. de envie parler j'ai français

   _____

7. commandez pour vous votre amie

   _____

. je garçon vais le appeler

_____

. voit suite son elle ami tout de

_____

0. peu six avant heures ils arrivent un et demie

_____

1. je après mon fatigué excursion suis

_____

2. vous manger chose? quelque voulez

_____

3. je pression voudrais des une et cacahuètes

_____

4. nous allons que ? prendre qu'est-ce

_____

5. régime depuis je suis au lundi

_____

**Respond to the following situations. Use complete French sentences with all accents and punctuation.**

Your waiter ou what you're going to have. He says:

_____

Tell him that you would like a draft beer.

_____

E. *Continued:*

3.   Tell him that you would like a glass of white wine.

_____

4.   Your companion wants coffee with cream.  Tell your waiter.  Begin with "Elle" and use "prendre."

_____

5.   Tell your waiter that you're going to have a sandwich.

_____

6.   Your companion tells you that she doesn't drink coffee.  She says:

_____

7.   You have to have dinner at a male friend's house.  Tell your French colleague.

_____

8.   Ask someone if they want to eat something.  Use "vous" and "manger."

_____

9.   Tell your friend that you're very thirsty.

_____

10.  You feel like drinking a Perrier.  You say:

_____

CHAPTER

# 12

# AT THE DRY CLEANERS

# CHAPTER 12

## Part One: Vocabulary

| FRANÇAIS | ENGLISH |
|---|---|
| après-demain | day after tomorrow |
| avoir | to have |
| chemises, les (f., pl.)[1] | shirts |
| costumes, les (m., pl.) | suits |
| cravates, les (f., pl.) | ties |
| dame, la | lady, woman |
| faire nettoyer[2] | to have cleaned |
| même[3] | itself, oneself, even |
| nettoyés (nettoyer, past part., pl.) | cleaned (to clean, past part.) |
| ont besoin, ils (avoir..., id.)[4] | need, they (to need) |
| parfait (m., adj.) | perfect, fine |
| passerai, je (passer, fut.)[5] | will stop by/will drop by, I (to stop by/to drop by, fut.) |
| pourriez, vous (pouvoir, cond.)[6] | could/would be able, you (could/to be able, cond.) |
| pressing, le | dry cleaner |
| semaines, les (f., pl.) | weeks |
| vêtements, les (m., pl.) | clothes, articles of clothing |
| vraiment | really |

## Vocabulary Notes

[1] "chemises, les (f.)": shirts. Not to be confused with "le chemisier" ('blouse').

[2] "faire nettoyer": to have cleaned. If you are doing the cleaning yourself, you can use "nettoyer" without the verb "faire": "Je vais nettoyer ce pantalon" ('I'm going to clean these pants').

[3] "même": itself, oneself, even. "Même" before a noun signifies 'same.' After a noun, "même" signifies 'itself,' 'oneself.' EX: "le même hôtel" ('the same hotel') vs. "l'hôtel même" ('the very hotel'); "Même nous parlons le français" ('Even we speak French').

[4] "ont besoin, ils": they need. The expression "avoir besoin" is almost always followed by the preposition "de": "Cette personne a besoin de ton aide" ('This person needs your help').

[5] "passerai, je": I will stop by, I will drop by. Future tense of the verb "passer."

[6] "pourriez, vous": you could, you would be able. The polite (conditional) form of "pouvoir."

DDITIONAL VOCABULARY

'autres vêtements à faire nettoyer:

chemisier (le)--*blouse*
imperméable (l') (m.)--*raincoat*
jupe (la)--*skirt*
manteau (le)--*coat*
pantalon (le)--*pants*
pullover (le)--*pullover*
robe (la)--*dress*
smoking (le)--*tuxedo*
veston (le)--*jacket*

DDITIONAL INFORMATION: SIZES — A CONVERSION CHART FOR BUYING CLOTHES
ND SHOES

this chapter, the protagonist goes shopping for a sweater. As you may note, the size he indicates to
e store's salesperson is not a U.S. size. Below is a table of sizes:

INFANTS

| .S. | 3 | 4 | 5 | 6 | 7 |
|------|-----|-----|-----|-----|-----|
| rance | 98 | 104 | 110 | 116 | 122 |

WOMEN

SHOES

| .S. | 5 | 6 | 7 | 8 | 9 |
|------|-----|-----|-----|-----|-------|
| rance | 36 | 36 | 37 | 38 | 39-40 |

DRESS SIZES

| .S. | 8 | 10 | 12 | 14 | 16 |
|------|-----|-----|-----|-----|-----|
| rance | 36 | 38 | 40 | 42 | 44 |

BLOUSES/SWEATERS

| .S. | 30 | 32 | 34 | 36 | 38 |
|------|-----|-----|-----|-----|-----|
| rance | 38 | 40 | 42 | 44 | 46 |

MEN

SHOES

| 9 | $9^{1/2}$ | 10 | $10^{1/2}$ | 11 |
|-----|-----------|-----|------------|-----|
| 41 | 42 | 43 | 44 | 45 |

SUIT SIZES

| 34 | 36 | 38 | 40 | 42 |
|-----|-----|-----|-----|-----|
| 44 | 46 | 48 | 50 | 52 |

SHIRTS/SWEATERS

| 36 | 37 | 38 | 39 | 40 |
|-----|-----------|-----|------------|-----|
| 14 | $14^{1/2}$ | 15 | $15^{1/2}$ | 16 |

## Part Two: The Story

| **FRANÇAIS** | ENGLISH |
|---|---|

**STORY**

•Vous êtes à Paris depuis deux semaines et vos vêtements ont bien besoin d'être nettoyés.
•Vous pourriez les faire nettoyer à l'hôtel même, mais c'est vraiment trop cher.
•Vous décidez d'aller dans un "Pressing" qui se trouve dans une petite rue derrière l'hôtel.

•You have been in Paris for two weeks and your clothes really need to be cleaned.
•You could have them cleaned at the hotel itself, but it's really too expensive.
•You decide to go to a dry cleaner, which is on a small street behind the hotel.

**ACTION**

LA DAME: Bonjour, monsieur.
VOUS: Bonjour, madame. Je voudrais faire nettoyer ces vêtements, s'il vous plaît.
LA DAME: Très bien. Voyons, qu'est-ce que vous avez?
VOUS: J'ai ces deux costumes, ces cravates, et quatre chemises.
LA DAME: Très bien, vous pouvez les avoir après-demain.
VOUS: Après-demain? D'accord. Je passerai après six heures.
LA DAME: C'est parfait. Votre nom, s'il vous plaît?
VOUS: Thomas. M. Thomas. T-H-O-M-A-S.

LADY: Good morning, sir.
YOU: Good morning. I'd like to have these clothes cleaned please.

LADY: All right. Let's see, what do you have?
YOU: I have these two suits, these ties, and four shirts.
LADY: Very well, you can have them the day after tomorrow.
YOU: Day after tomorrow? O.K. I'll stop by for them after six o'clock.
LADY: That's fine. Your name, please?
YOU: Thomas. Mr. Thomas. T-H-O-M-A-S.

# art Three: The Grammar

## TIME EXPRESSIONS WITH DEPUIS

**Depuis** is used in reference to time and means both *for* and *since*. In the affirmative, it requires a present tense and not past, as in English:

> **Vous êtes à Paris depuis deux jours.**
> *You've been in Paris for two days.*

> **Depuis combien de temps êtes-vous à Washington?**
> *How long have you been in Washington?*

> **Je suis ici depuis deux ans.**
> *I've been here for two years.*

Note that **depuis combien de temps** means *for how long*.

## FAIRE IN CAUSATIVE CONSTRUCTIONS

When the verb **faire** is followed by an infinitive, it indicates that you are having something done (or causing something to be done):

> **Je vais faire nettoyer ce pantalon.**
> *I'm going to have these pants cleaned.*

> **Est-ce que vous voulez faire nettoyer cette robe?**
> *Do you want to have this dress cleaned.*

For a complete conjugation of **faire**, see the Grammar section of Chapter 13.

## QUESTIONS WITH QU'EST-CE QUE

In Chapter 9 you learned that you can ask a question using **est-ce que** at the beginning of a sentence. By adding **qu'** ("que") to the same expression you have **qu'est-ce que**, which means *what?*

> **Qu'est-ce que vous prenez?**
> *What will you have?*

> **Qu'est-ce que vous avez?**
> *What's wrong with you?*

You may ask the same questions by inverting subject and verb, as in **Que prenez-vous?** ('What will you have [take]?') and **Qu'avez-vous?** ('What's wrong with you?').

# CHAPTER 12

## Part Four: Exercises

A. Fill in the blanks.

La dame: Bonjour, monsieur.
Vous: Bonjour, madame. Je voudrais faire (1.)_____ ces (2.)_____,
s'il vous plaît.
La dame: Très bien. Voyons, qu'est-ce que vous avez?
Vous: J'ai (3.)_____ deux costumes, ces (4.)_____, et quatre chemi-
ses.
La dame: Très bien, vous pouvez les (5.)_____ après-demain.
Vous: Après-demain? (6.)_____. Je passerai (7.)_____ six heures.
La dame: C'est (8.)_____. Votre (9.)_____, s'il vous plaît?
Vous: Thomas. M. Thomas. T-H-O-M-A-S.

B. Answer the following questions using "depuis" and the time element tha
is provided.

1.  Depuis combien de temps est-ce que vous êtes à Paris? (trois semaines -
    three weeks)

    _____

2.  Depuis combien de temps prends-tu le métro? (sept mois - 7 months)

    _____

3.  Depuis combien de temps est-ce qu'il travaille pour cette banque? (un an -
    a year)

    _____

4.  Depuis combien de temps est-ce qu'ils sont à l'hôtel? (deux jours - two
    days)

    _____

5.  Depuis combien de temps est-ce qu'elle nettoie ses vêtements? (un quart
    d'heure - fifteen minutes)

    _____

C. Rewrite as questions using "qu'est-ce que":

1.      Vous prenez un coca.

_____

2.      Tu veux un café.

_____

3.      Tu as des amis.

_____

4.      Il parle français.

_____

5.      Vous devez réserver une chambre.

_____

6.      Elle boit du vin blanc.

_____

7.      Vous voulez une bière.

_____

8.      Je vais acheter une chemise.

_____

9.      Nous allons nettoyer ces vêtements.

_____

10.    Ils prennent de l'eau minérale.

_____

D. Unscramble the jumbled words to form a logical sentence.

1.  que vous ? qu'est-ce avez

    _____

2.  heures passerai après je cinq

    _____

3.  faire je pantalon voudrais nettoyer ce

    _____

4.  pouvez avoir vous demain les

    _____

5.  vous d'aller pressing décidez dans un

    _____

6.  sommes nous depuis une à Lyon semaine

    _____

7.  nettoyés vêtements vos d'être ont besoin

    _____

8.  une petite rue se trouve dans le pressing

    _____

9.  cette est l'hôtel rue derrière

    _____

10. faire je cette vais nettoyer chemise

    _____

11. vous vêtements pouvez avoir ces après-demain

    _____

12. ce vraiment trop restaurant est cher

    _____

**D.** *Continued:*

13.     ils parents chez depuis sont quelques jours leurs

_____

14.     j'ai besoin le teinturier de passer chez

_____

15.     après quatre heures vous pouvez passer

_____

**E.** Respond to the following situations. Use complete French sentences with all accents and punctuation.

1.     Your waiter asks what you want for breakfast. Use "qu'est-ce que." He says:

_____

2.     He asks what you're going to drink. Use "qu'est-ce que." He says:

_____

3.     Ask your waiter how long he's been working at the café. You say:

_____

4.     He asks you how long you've been in Paris. He says:

_____

5.     Your friend Sylvia looks sad. Ask her what's wrong.

_____

**E.** *Continued:*

6.    Tell the clerk at the dry cleaner that you would like to have your shirts cleaned. Use "mes" for 'my.'

    _____

7.    Tell the clerk at the dry cleaner that you would like to have a pair of pants cleaned. Use a demonstrative adjective with 'pants.'

    _____

8.    Tell a French friend that you've been speaking French for several months (use "plusieurs mois").

    _____

9.    Tell someone that you've been working for your company ("entreprise") for six years. Use "cette" to refer to the company and "ans" for years.

    _____

10.   Tell someone that you'll drop by day after tomorrow.

    _____

CHAPTER

# 13

# AT THE
# BAKERY

# CHAPTER 13

## Part One: Vocabulary

| FRANÇAIS | ENGLISH |
|---|---|
| à côté | nearby |
| à votre disposition | at your disposal |
| alors[1] | well, in that case |
| argent, l' (m.) | money |
| assez | enough, pretty much |
| au revoir | see you later |
| baguette, la | thin, long bread |
| bâtard, le | medium-sized loaf of bread |
| BNP (Banque Nationale de Paris), la | National Bank of Paris |
| boulangère, la | baker |
| boulangerie, la | bakery |
| brioches, les (f., pl.) | brioches |
| c'est tout? | is that all? |
| ça fait[2] | that makes |
| cinq cents francs (500F) | five hundred francs |
| collègue, la | colleague |
| comme | like, as |
| commencer[3] | to start, to begin |
| croissants, les (m., pl.) | croissants |
| cuisine, la[4] | kitchen |
| donc | so |
| en congé[5] | on leave |
| et avec ça? | anything else? |
| faire vos courses[6] | to do your shopping |
| faites (faire, imp!)[7] | do, make (to do/to make, imperative) |
| laisse, je (laisser)[8] | leave behind, I (to leave behind) |
| maintenant | now |
| monnaie, la[9] | change |
| ne...plus | no longer |
| pain de campagne, le[10] | pain de campagne |
| préparer | to prepare |
| quatorze francs cinquante (14F50) | fourteen francs, fifty centimes |
| repas, les | meals |
| vous désirez?[11] | can I help you? |
| vous-même | yourself |

## Vocabulary Notes

[1] "alors": well, in that case. "Alors" is often used at the beginning of a sentence to focus the attention of the listener before introducing a topic.

[2] "ça fait": literally, 'that makes'. Used with the meaning of 'it amounts to.'

[3] "commencer" in "vous allez commencer par la boulangerie": you are going to start with the bakery. Note that the verb "commencer" ('to start, to begin') is followed by the preposition "par" ('by') preceding a noun.

[4] "cuisine, la": kitchen. Remember that another common meaning of this word is 'cooking' or simply 'cuisine' as we sometimes say in English.

[5] "en congé": on leave. In French a "congé" (m.) is a holiday or day off.

[6] "faire vos courses": to do your shopping ("vos" is the possessive adjective of "vous"). Note that the expression "faire les courses," meaning 'to go shopping,' is used more frequently. "Faire des courses" also means 'to go shopping.'

[7] "faites" in "faites comme vous voulez": do as you wish. The tone of this phrase could be considered a little aggressive.

[8] "laisse, je": I leave (behind). From the verb "laisser," 'to leave,' in the sense of leaving something behind.

[9] "monnaie, la": change. Note that the word "argent" means money. This is a typical example of a false cognate.

[10] "pain de campagne, le": a round loaf of bread (literally, 'country bread'). It used to be a common food item of the provinces.

[11] "vous désirez?": literally, 'you wish?' This expression is often used in stores with the meaning of 'may I help you?'

ADDITIONAL INFORMATION: THE MONETARY SYSTEM

The monetary system is based on the decimal system. Since 1980, the U.S. dollar/French franc exchange rate has been fluctuating around five or six francs. The official rate is published daily in many U.S. newspapers.

> **les pièces**--*coins*
> **centimes**--*100th units of a franc*
> **une pièce de 10 francs**--*a 10 franc coin*
> **les billets**--*bills (paper currency)*
> **un billet de 100 francs**--*a hundred franc bill*

The French monetary system was changed in 1958. The currency was divided by 100. For example, 100 old ("anciens") **francs** now equals one new ("nouveau") franc. In informal situations, many French still refer to **anciens francs**, especially when referring to large sums.

## Part Two: The Story

| FRANÇAIS | ENGLISH |
|---|---|
| **STORY** | |

•Vous n'êtes plus à l'hôtel et vous êtes maintenant dans l'appartement d'une collègue qui est en congé aux Etats-Unis.

•Vous avez enfin une cuisine à votre disposition et vous pouvez préparer vos repas vous-même.

•Vous devez donc faire vos courses et vous allez commencer par la boulangerie.

•You're no longer at the hotel, and you are now in the apartment of a colleague who is on leave in the States.

•Finally, you have a kitchen at your disposal, and you can prepare your meals yourself.

•You must go shopping, and you're going to start with the bakery.

**ACTION**

LA BOULANGERE: Bonjour, monsieur. Vous désirez?

VOUS: Bonjour, madame. Un pain, s'il vous plaît.

LA BOULANGERE: Mais que voulez-vous? Une baguette, un bâtard, un pain de campagne?

VOUS: Une baguette.

LA BOULANGERE: Bien, et avec ça?

VOUS: Je voudrais deux brioches et deux croissants.

LA BOULANGERE: C'est tout? Ça fait 14F50 (quatorze francs cinquante).

VOUS: Vous avez la monnaie de 500F (cinq cents francs)?

LA BOULANGERE: La monnaie de 500F (cinq cents francs)? Ah non! Vous pouvez aller à la BNP à côté.

VOUS: Alors, je n'ai pas assez d'argent. Je laisse les brioches et les croissants.

LA BOULANGERE: Faites comme vous voulez!

VOUS: Au revoir, madame.

BAKER: Good morning, sir? Can I help you?

YOU: Good morning. A loaf of bread please.

BAKER: But what do you want? A baguette, a bâtard, a pain de campagne?

YOU: A baguette.

BAKER: All right, anything else?

YOU: I'd like two brioches and two croissants.

BAKER: Is that all? That will be 14 francs fifty.

YOU: Do you have change for 500 francs?

BAKER: Change for 500 francs? No! You can go to the BNP (a French bank) next door.

YOU: Well, I don't have any money. I'll leave the brioches and the croissants.

BAKER: Do as you wish!

YOU: Goodbye.

## Part Three: The Grammar

THE VERB **FAIRE**

Like **être**, **avoir**, **aller**, etc., **faire** is an irregular verb. Here are its forms in the present tense:

FAIRE ('to do, to make')
je **fais**—*I do, I'm doing, I make, I'm making*
tu **fais**—*you do, you're doing, you make, you're making*
il, elle **fait**—*he/she makes, he/she is making*, etc.
nous **faisons**—*we make, we're making*, etc.
vous **faites**—*you make, you're making*, etc.
ils, elles **font**—*they make, they're making*, etc.

EXAMPLES:   **Je fais mes courses le mardi.**
*I go shopping on Tuesdays.*

**Elle fait du pain.**
*She's making bread.*

**Faites\* comme vous voulez!**
*Do as you wish!*

*Note that this is the imperative (command) form of **faire**.

## Part Four: Exercises

A. Fill in the blanks.

La boulangère: Bonjour, monsieur. Vous (1.)_____?
Vous: Bonjour, madame. Un (2.)_____, s'il vous plaît.
La boulangère: Mais que voulez-vous? Une (3.)_____, un bâtard, un pain
de (4.)_____?
Vous: Une baguette.
La boulangère: Bien, et (5.)_____ ça ?
Vous: Je voudrais deux brioches et deux (6.)_____.
La boulangère: C'est tout? Ça fait 14 francs (7.)_____.
Vous: Vous avez (8.)_____ de 500 francs?
La boulangère: La monnaie de 500 francs? Ah non! Vous pouvez aller à la BNP
(9.)_____.
Vous: Alors, je n'ai pas assez d'argent. Je (10.)_____ les brioches et les
croissants.
La boulangère: Faites comme vous voulez!
Vous: Au revoir, madame.

B. Type in the appropriate form of the verb "faire":

1.    Je vais _____ nettoyer cette robe.

2.    Nous _____ les courses (go shopping) le samedi.

3.    Elle _____ un gâteau pour nous.

4.    Est-ce que vous _____ attention* en classe?

5.    Qu'est-ce que tu _____ ?

6.    Ils ne _____ pas de pain.

      *faire attention = to pay attention

C.  How much does it cost in France?  Write out all numbers*:

*Note: insert the word "francs" to separate the amounts in francs and centimes.*

1.      Vous achetez un pain de seigle (12F50) et deux croissants (8F).

_____

2.      Vous achetez une brioche (4F60) et une baguette (3F70).

_____

3.      Vous achetez trois éclairs (12F20) et une tartelette aux fraises (4F60).

_____

4.      Vous achetez trois choux à la crème (14F60) et un palmier (4F50).

_____

5.      Vous achetez quatre pains aux raisins (13F40) et un éclair (4F).

_____


D.  Unscramble the jumbled words to form a logical sentence.

1.      n'a pas assez le client d'argent

_____

2.      comme vous voulez faites !

_____

3.      laissent les ils croissants

_____

4.      a boulanger de la le monnaie

_____

5.      BNP à à la côté ! allez

_____

# CHAPTER 13

**D.** *Continued:*

6.    à il plus l'hôtel n'est

_____

7.    en congé collègue est en Grande votre Bretagne

_____

8.    préparer je moi-même vais mes repas

_____

9.    nous nos devons faire courses

_____

10    par boulangerie nous la allons commencer

_____

11.    mais ? que voulez-vous

_____

12.    vous cents francs avez de de la monnaie cinq ?

_____

13.    client laisse et les le les brioches croissants

_____

14.    fait ça seize soixante francs

_____

15.    que vous qu'est-ce désirez?

_____

E. Respond to the following situations. Use complete French sentences with all accents and punctuation.

1.  Tell the baker that you would like a baguette and three croissants.

    _____

2.  Tell her that you would also ("aussi") like a brioche.

    _____

3.  She tells you that it costs ten francs sixty. She says:

    _____

4.  Ask her if she has change for two hundred francs. Use "est-ce que."

    _____

5.  She has no change. She tells you:

    _____

6.  She tells you there is a bank next door. She says:

    _____

7.  Tell her that you're leaving the baguette, the croissants, and the brioche.

    _____

8.  You buy some baked goods. The baker asks you if you want anything else. She says:

    _____

# CHAPTER 13

E. *Continued:*

9.     You decide to do something that your French friend doesn't want to do. Somewhat miffed, he says to you:

_____

10.    Tell a merchant that you don't have enough money.

_____

CHAPTER

# 14

# SHOPPING
# FOR
# GROCERIES

## Part One: Vocabulary

| FRANÇAIS | ENGLISH |
|---|---|
| à qui le tour? | whose turn is it? |
| ail, l' (m.) | garlic |
| arriver | to arrive |
| barquette, la | container |
| bon (m., adj.)[1] | good |
| bonsoir[2] | good evening |
| bureau, le | office |
| c'est à vous?[3] | is it your turn? |
| ça fera combien?[4] | how much will that be?, how much? |
| ça ne fait de mal à personne (id.)[5] | it doesn't do any harm, it won't harm anyone |
| caisse, la | cash register |
| carottes, les (f., pl.) | carrots |
| charcuterie, la | deli |
| cinq (5) | five |
| crudités, les (f., pl.) | raw vegetables |
| dépêchez-vous (se dépêcher, imp!) | hurry up (to hurry up, imperative) |
| déteste, je (détester) | hate, I (to hate) |
| deux cents grammes (200g) | two hundred grams |
| donnez-moi (donner, imp!) | give me (to give, imperative) |
| faire la cuisine | to cook |
| ferme, on (fermer) | close, we/closes, one (to close) |
| fermeture, la[6] | closing time |
| frais (m., pl., adj.)[7] | fresh |
| fruits, les (m., pl.) | fruit |
| ils (m., pl.) | they |
| jambon, le | ham |
| kilo, le[8] | kilogram |
| laitue, la | lettuce |
| légumes, les (m., pl.) | vegetables |
| livre, la | pound |
| magasin, le | shop |
| mange, je (manger) | eat, I (to eat) |
| marchand de primeurs, le | grocer |
| marchandise, la | merchandise |
| ne touchez pas (toucher, imp!) | don't touch (to touch, imperative) |
| ne...jamais[9] | never |
| pamplemousses, les (m., pl.) | grapefruit (pl.) |
| passez (passer, imp!) | go to, pass by, stop by (to go to/to pass by/to stop by, imperative) |
| pâté, le | pâté |
| persil, le | parsley |
| peut-être | perhaps, maybe |
| poireaux, les (m., pl.) | leeks |

| **FRANÇAIS** | ENGLISH |
|---|---|
| quarante-deux francs (42F) | forty-two francs |
| raisin, le[10] | grape |
| râpées (f., pl., adj.) | grated |
| rentrant (rentrer, pres. part.) | returning home (to return home, pres. part.) |
| servir[11] | to serve |
| soir, le | evening |
| sont, ils (être) | are, they (to be) |
| sorti (sortir, past part.) | left, exited (to leave/to exit, past part.) |
| tard | late |
| ticket, le | ticket, receipt |
| tomates, les (f., pl.) | tomatoes |
| tranches, les (f., pl.) | slices |
| vendeur, le | vendor, salesperson |
| vinaigrette, la | vinaigrette sauce |
| voilà tout ça! | here it is! |

# CHAPTER 14

## Vocabulary Notes

[1] "bon": good (m. adj.). Note the feminine form "bonne." The plurals are regular ("bons [m.], bonnes [f.]").

[2] "bonsoir": good evening. This expression is generally used after 6 p.m., but the usage of "bonsoir" varies from one region to another.

[3] "c'est à vous?": is it your turn? This expression also has the meaning of 'does this belong to you' or 'is it yours?'

[4] "ça fera combien?": how much will it be?, how much? "Fera" is the third person singular, future tense of "faire."

[5] "ça ne fait de mal à personne": it doesn't do any harm, it won't harm anyone. A form of understatement, the vendor really means that it's good for you. When in the negative, "faire de mal" is used. In the affirmative, the preposition is "du" as opposed to "de."

[6] "fermeture, la": the closing. The opposite is "l'ouverture" ('the opening').

[7] "frais": fresh. The feminine form is "fraîche."

[8] "kilo, le": abbreviation for "un kilogramme." Also abbreviated as "k." and "kg."

[9] "ne ... jamais": never. Another important negative form along with "ne ... plus" ('no longer'), "ne ... que" ('only'), and "ne ... personne" ('no one').

[10] "raisin": grape. An example of a false cognate. The word for 'raisin' in French is "raisin sec" (literally, a 'dried grape').

[11] "servir": to serve. Note that this verb is conjugated like the verb "sortir": "je sers, tu sers, il sert, nous servons, vous servez, ils servent."

ADDITIONAL INFORMATION

THE METRIC SYSTEM

Developed by a group of French scientists in 1790, the metric system is now used in most countries of the world. It is based on the decimal system and is easy to learn. Here is a list of common metric terms in French and English:

| MEASUREMENT | ENGLISH |
| --- | --- |
| le kilomètre | kilometer |
| le mètre | meter |
| le centimètre | centimeter |
| le kilogramme | kilogram |
| le gramme | gram |
| le litre | liter |

SAMPLE CONVERSIONS

| METRIC (in French) | ENGLISH |
| --- | --- |
| 2,5 centimètres* | 1 inch |
| 30 centimètres | 1 foot |
| 0,9 mètres | 1 yard |
| 1,6 kilomètres | 1 mile** |
| 28 grammes | 1 ounce |
| 5 millilitres | 1 teaspoon |
| 15 millilitres | 1 tablespoon |
| 0,24 litre | 1 cup |
| 0,47 litre | 1 pint |
| 0,95 litre | 1 quart |
| 3,8 litre | 1 gallon |

*In French a comma is used as a decimal point.

**To convert kilometers to miles, multiply by .62.

## Part Two: The Story

### FRANÇAIS

•**Vous êtes sorti très tard du bureau et vous n'avez vraiment pas envie de faire la cuisine ce soir.**
•**En rentrant chez vous, vous passez à la charcuterie juste avant la fermeture du magasin.**
•**Maintenant vous devez aller chez le marchand de primeurs pour acheter des fruits et des légumes frais.**

*A la charcuterie.*

LA VENDEUSE: **Bonsoir, monsieur. Dépêchez-vous. On ferme dans cinq minutes.**
VOUS: **Donnez-moi 200g (deux cents grammes) de pâté.**
LA VENDEUSE: **D'accord. Et avec ça?**
VOUS: **Quatre tranches de jambon de Paris et des crudités.**
LA VENDEUSE: **Que voulez-vous comme crudités?**
VOUS: **Hum! Des poireaux vinaigrette, peut-être.**
LA VENDEUSE: **Ils sont très frais.**
VOUS: **Bon, alors, quatre poireaux vinaigrette et une petite barquette de carottes râpées. Ça fera combien?**
LA VENDEUSE: **Voyons, 42F (quarante-deux francs). Voilà votre ticket. Passez à la caisse. A qui le tour?**

### ENGLISH

•You left the office very late and you don't really feel like cooking this evening.
•On the way home, you stop by the deli just before closing time.

•Now you need to go to the grocer's to buy some fresh fruit and vegetables.

*At the deli.*

SALESPERSON: Hello, sir. Please hurry. We're closing in five minutes.
YOU: Give me 200 grams of pâté.

SALESPERSON: All right. Anything else?
YOU: Four slices of Parisian ham and some raw vegetables.
SALESPERSON: What kind of raw vegetables do you want?
YOU: Hmm... Maybe leeks in vinaigrette sauce.
SALESPERSON: They're very fresh.
YOU: Good, then, four leeks in vinaigrette sauce and a small container of grated carrots. How much will that be?
SALESPERSON: Let's see, 42 francs. Here's your ticket. You can go to the cashier. Whose turn is it?

**A
C
T
I
O
N**

*Chez le marchand de primeurs.*

**LE VENDEUR: Bonjour, bonjour. C'est à vous?**
**VOUS: Oui. Je voudrais du persil, une laitue, et une livre de tomates.**
**LE VENDEUR: D'accord. J'ai de l'ail qui vient d'arriver, vous en voulez?**
**VOUS: Ah non, merci, je ne mange jamais d'ail. Je déteste ça.**
**LE VENDEUR: Ah mais, un peu d'ail, ça ne fait de mal à personne.**
**VOUS: Non, non, merci. Et je voudrais un kilo de Golden.**
**LE VENDEUR: Ne touchez pas à la marchandise, on va vous servir.**
**VOUS: Hum! Et un kilo de raisin et deux pamplemousses.**
**LE VENDEUR: C'est très bien. Voilà tout ça!**

*At the grocer's.*

SALESPERSON: Hello. Who's next?
YOU: Yes. I'd like some parsley, a lettuce, and a pound of tomatos.

SALESPERSON: OK. I have some garlic that's just arrived. Do you want some?
YOU: No thanks. I never eat garlic. I hate it.
SALESPERSON: But a little garlic doesn't do any harm.
YOU: No thanks. And I'd like a kilo of Golden apples.
SALESPERSON: Don't touch the merchandise. We'll take care of you.
YOU: Hum! And a kilo of grapes and two grapefruits.
SALESPERSON: Very good. Here it is!

# CHAPTER 14

## Part Three: The Grammar

USING THE EXPRESSION **IL Y A**

Introduced in Chapter 4, **il y a** means both *there is* and *there are*. In other words, **il y a** indicates the <u>existence</u> of something or someone.

> **<u>Il y a</u> un restaurant là-bas.**
> *There's a restaurant over there.*

> **<u>Il y a</u> trois cafés dans ce quartier.**
> *There are three cafés in this neighborhood.*

> **<u>Y-a-t-il</u> un retaurant ici?**
> *Is there a restaurant here?*

Il y a can also have the meaning of *ago*.

> **J'ai vu ce film <u>il y a</u> une semaine.**
> *I saw this film a week ago.*

IMPERATIVE FORM OF REFLEXIVES

You studied the reflexive verbs **se trouver** ('to find oneself'), **se dépêcher** ('to hurry'), **se lever** ('to get up'), and **se réveiller** ('to wake up') in Chapter 10.

When giving an <u>affirmative command</u> with a reflexive verb, the reflexive pronoun is hyphenated after the imperative form. When the command is <u>negative</u>, the reflexive pronoun goes before the imperative form.

| <u>AFFIRMATIVE</u> | <u>NEGATIVE</u> |
|---|---|
| **Dépêchez-vous!**—*Hurry up!* | **Ne vous dépêchez pas!**—*Don't hurry up!* |
| **Levez-vous!**—*Get up!* | **Ne vous levez pas!**—*Don't get up!* |
| **Lavez-vous!**—*Take a bath!* | **Ne vous lavez pas!**—*Don't take a bath!* |
| **Réveillez-vous!**—*Wake up!* | **Ne vous réveillez pas!**—*Don't wake up!* |

## THE EXPRESSION **VENIR DE**

**venir de**, *to have just...*, can be used with almost any verb to refer to an action that <u>has just been completed</u>. The forms of **venir** ('to come') in the present tense are listed below:

<u>VENIR</u> ('to come')
je **viens**—*I come, I am coming*
tu **viens**—*you come, you are coming*
il, elle **vient**—*he/she comes, he/she is coming*
nous **venons**—*we come, we are coming*
vous **venez**—*you come, you are coming*
ils, elles **viennent**—*they come, they are coming*

EXAMPLES:  **Il <u>vient de téléphoner</u>.**
*He's just called.*

**Je <u>viens d'acheter</u> du pain.**
*I've just bought some bread.*

**Nous <u>venons de partir</u>.**
*We've just left.*

## THE NEGATIVE CONSTRUCTION **NE... JAMAIS**

You studied the negative construction **ne... pas** in Chapter 2. There is also the negative **ne... jamais** ('never, not ever') which follows the same word order as **ne... pas**.

**Je <u>ne</u> parle <u>pas</u> français.**
*I don't speak French.*

**Je <u>ne</u> parle <u>jamais</u> français.**
*I <u>never</u> speak French.*

**Jamais** can also be used by itself.

**Vous travaillez après 6 heures?  —Ah non, <u>jamais</u>!**
*You work after 6 o'clock?  —No, <u>never!</u>*

## Part Four: Exercises

A. Fill in the blanks.

*A la charcuterie*

La vendeuse:  Bonsoir, monsieur. (1.)_____.  On ferme dans cinq
(2.)_____.
Vous:  Donnez-moi 200 grammes de pâté.
La vendeuse:  D'accord.  Et avec ça?
Vous: Quatre (3.)_____ de jambon de Paris et des crudités.
La vendeuse:  Que voulez-vous comme crudités?
Vous:  Hum!  Des poireaux vinaigrette, peut-être.
La vendeuse:  Ils sont très (4.)_____.
Vous:  Bon, alors, quatre poireaux vinaigrette et une petite barquette de
(5.)_____râpées.  Ça fera combien?
La vendeuse:  Voyons, 42 francs.  Voilà votre ticket.  Passez à la caisse.  A qui le
tour?

*Chez le marchand de primeurs*

Le vendeur:  Bonjour, bonjour.  C'est à vous?
Vous:  Oui.  Je voudrais du persil, une (6.)_____, et une livre de tomates.
Le vendeur:  D'accord.  J'ai (7.)_____ qui vient d'arriver, vous en voulez?
Vous:  Ah non, merci, je ne mange jamais d'ail.  Je (8.)_____ ça.
Le vendeur:  Ah mais, un peu d'ail, ça ne fait de mal à personne.
Vous:  Non, non, merci.  Et je voudrais un kilo de Golden.
Le vendeur:  Ne (9.)_____ pas à la marchandise, on va vous servir.
Vous:  Hum!  Et un kilo de (10.)_____ et deux pamplemousses.
Le vendeur:  C'est très bien.  Voilà tout ça!

. Convert the negative statements into commands (don't forget to end
our command with an exclamation point) :

Vous ne vous levez pas à 8 heures.

_____

Vous ne vous réveillez pas de bonne heure (early).

_____

Vous ne vous dépêchez pas.

_____

Vous ne vous lavez pas souvent.

_____

Vous ne vous couchez pas.  (se coucher = to go to bed)

_____

Vous ne vous habillez pas.  (s'habiller = to get dressed)

_____

Nous ne nous dépêchons pas.

_____

Nous ne nous occupons pas de nos affaires.  (s'occuper = to take care of)

_____

Vous ne vous occupez pas de votre chien.

_____

). Nous ne nous habillons pas.

_____

C. Type in the appropriate form of the verb "venir":

1.  Il _____ de manger.

2.  Elle _____ d'acheter du jambon.

3.  Tu _____ de parler au professeur.

4.  Est-ce que vous _____ de travailler.

5.  Qu'est-ce que nous _____ de faire?

6.  Elles _____ d'aller au cinéma.

D. Unscramble the jumbled words to form a logical sentence.

1.  de mal ne fait à ça personne

    _____

2.  pas à touchez la ne ! marchandise

    _____

3.  elle une voudrait de livre tomates

    _____

4.  vous sorti très êtes du bureau tard

    _____

5.  nous chez fruits le allons pour acheter primeur des

    _____

6.  acheté pâté j'ai du

    _____

7.  le tour à qui ?

    _____

. *Continued:*

très ces sont légumes frais

_____

l'ail j'ai vient de qui d'arriver

_____


Respond to the following situations. Use complete French sentences with all accents and punctuation.

Tell the salesperson that you would like 150 grams of pâté. Write out "150."

_____

Tell her that you would also like five slices of ham.

_____

Ask the salesperson how much it will be. Use the future tense of "faire."

_____

The salesperson tells you they're going to close in ten minutes. She says:

_____

Tell someone to hurry up in French.

_____

E. *Continued:*

6.     Ask the grocer for some tomatos and a kilo of apples (pommes).

_____

7.     Tell your French friend that you hate garlic.

_____

8.     He tells you that he never eats garlic, too.  Begin your sentence with: "Moi aussi, ..."

_____

9.     The grocer tells you not to touch the merchandise.  He says:

_____

10.    The grocer asks if its your turn in line.  He says:

_____

11.    Ask the grocer if he has some parsley and some carrots.

_____

# CHAPTER
# 15

# AT THE
# BUTCHER'S

# CHAPTER 15

## Part One: Vocabulary

| FRANÇAIS | ENGLISH |
|---|---|
| avez raison, vous (avoir..., id.)[1] | are right, you (to be right) |
| beau (m., adj.)[2] | handsome, beautiful |
| bien sûr! | sure, certainly, of course |
| boucher, le | butcher |
| boucherie, la | butcher's |
| ça ira? | is that okay? |
| ça, vous pouvez le dire | you can say that again |
| car | because |
| chien, le | dog |
| courage! | take heart! |
| course, la[3] | errand, purchase |
| courtes (f., pl., adj.)[4] | short |
| dernière (f., adj.)[5] | last |
| eh bien! | so! |
| en réclame | on sale, on special |
| hiver, l' (m.)[6] | winter |
| il fait froid (id.) | it's cold |
| il fait mauvais! (id.) | the weather's awful! |
| il fait un temps de chien (id.)[7] | the weather's for the dogs |
| invités, les (m., pl.) | guests |
| nos | our |
| os, l' (m.) | bone |
| pèse, il (peser)[8] | weighs, it (to weigh) |
| pleut, il (pleuvoir) | it's raining (to rain) |
| plus | more |
| poulets fermiers, les (m., pl.)[9] | farm-fresh chickens, free-range chickens |
| pourrais-je? (pouvoir, cond.) | may I? (to be able/can, cond.) |
| pourtant[10] | and yet, nevertheless, however |
| quatre-vingt-dix-sept (97) | ninety-seven |
| quel | which, what |
| rôti de boeuf, le | beef roast |
| sale (m., adj.)[11] | dirty, nasty, awful |
| six (6) | six |
| temps, le | weather |
| un kilo sept cents (1kg700) | one kilo, seven hundred grams |

## Vocabulary Notes

"avez raison, vous": you're right. You've seen other idiomatic expressions that require the verb 'to have' ("avoir") rather than 'to be,' as in English. Some examples are: "J'ai froid./ Il a faim./ Elle a bif./ Vous avez chaud./ Vous avez raison." Do you remember what they mean?

"beau" (m.): handsome, beautiful . The adjective is"**bel**" in front of words beginning with a vowel or silent "h." The feminine forms are "belle" and "belles" (pl.).

"course, la": errand, purchase. 'To go shopping' is expressed as "faire les courses" or "faire des courses."

"courtes" (f. pl.): short. The opposite term is "longues" (the m. sg. form is "long").

"dernière" in "votre dernière course": your last errand. Note that there is a difference in pronunciation between "dernier" (m.) and "dernière" (f.) in phrases such as "la semaine dernière" ('last week') and "le dernier film" ('the last film'). See the Grammar section of Chapter 22 of your textbook for more details.

"hiver, l'" (m.) in "en hiver": in winter. The other seasons are "au printemps" ('in spring'), "en été" ('in summer') and "en automne" ('in fall').

"il fait un temps de chien": the weather is for the dogs (i.e., rotten). Another version of this expression is: "Il fait un temps à ne pas mettre un chien dehors." ('The weather is such that you shouldn't even put a dog outside'). In English, we say that 'it's raining cats and dogs.'

"pèse, il": it weighs. Note the grave accent that appears when the ending of the verb is silent ("cette entrecôte pèse un kilo"/"vous pesez 65 kilos").

"poulets fermiers, les": Farm-fresh chickens, free-range chickens. A "poulet" is what you buy in a grocery store. In contrast, "poule" (f.) is a hen, and a "coq" (m.) is a rooster.

"pourtant": and yet, nevertheless, however. Another way to express this concept is "cependant."

"sale": dirty. The opposite is "propre" ('clean').

## ADDITIONAL INFORMATION

Temperature in France is measured in centigrades or degrees Celsius. Below is a chart which converts Fahrenheit to Celsius:

**Fahrenheit**

| 0 | 10 | 20 | 30 | 40 | 50 | 60 | 70 | 80 | 90 | 100 | 110 |
|---|----|----|----|----|----|----|----|----|----|-----|-----|
| -18 | -12 | -7 | -1 | 4 | 10 | 16 | 21 | 27 | 32 | 38 | 43 |

**Celsius**

Some important temperatures in Celsius:

> 0-freezing point
> 23-25--comfort zone/room temperature
> 37--normal body temperature
> 40--high body temperature/call a doctor

# CHAPTER 15

## Part Two: The Story

**FRANÇAIS**          ENGLISH

**STORY**

•Une fois de plus, il fait vraiment mauvais.

•Il fait froid, il pleut, et en hiver les journées sont si courtes!

•Pourtant vous devez encore aller à la boucherie car vous avez des invités ce soir.

•Courage!

•C'est votre dernière course de la journée.

•Once again, the weather is really bad.

•It is cold and rainy, and in the winter the days are so short!

•And yet, you still have to go to the butcher's because you're having guests tonight.

•Take heart!

•It's your last errand of the day.

**ACTION**

VOUS: Eh bien! Quel sale temps!
LE BOUCHER: Vous avez raison. Il fait un temps de chien!
VOUS: Ça, vous pouvez le dire. Enfin! Je voudrais un rôti de boeuf pour 6 (six) personnes.
LE BOUCHER: Voilà un beau rôti. Il pèse 1kg700 (un kilo sept cents). Ça ira?
VOUS: Ah, oui, très bien.
LE BOUCHER: Et avec ça? Nos poulets fermiers sont en réclame aujourd'hui.
VOUS: Non, merci. Pourrais-je avoir un os pour mon chien?
LE BOUCHER: Bien sûr. Voilà. Ça fait 97F (quatre-vingt-dix-sept francs). Passez à la caisse, s'il vous plaît. Monsieur?

YOU: What nasty weather!
BUTCHER: You're right! This weather is for the dogs.
YOU: You can say that again. All right. I'd like a roast for 6 people.

BUTCHER: Here's a nice roast. It weighs 1 kilo 700.* Is that OK?

YOU: Yes, fine.
BUTCHER: Anything else? Our farm-fresh chickens are on special today.
YOU: No thanks. Could I have a bone for my dog?
BUTCHER: Sure. Here. That will be 97 francs. Please pay at the cash register. May I help you?

*1 kilo 700 = almost 4 lbs.

## Part Three: The Grammar

### POLITE REQUESTS WITH VOULOIR AND POUVOIR

So far, most of the verbs you have seen have been in the present tense with the exception of the following two verbs in the <u>conditional</u>:

> **Je <u>voudrais</u>**—*I would* like (expressing a wish)
> **Pourrais-je?/Est-ce que je <u>pourrais</u>?**—*May I?* (asking permission)

The conditional forms of **vouloir** and **pouvoir** give a polite tone to a request.

> **Est-ce que je <u>pourrais</u> avoir une baguette?**
> *May I have a baguette?*

### POSSESSIVE ADJECTIVES: NOTRE AND NOS

In earlier chapters, you have seen the possessive adjectives **mon, ma, mes** ('my') and **votre, vos** ('your'). **Notre** (before singular nouns) and **nos** (before plural nouns) both mean **our**.

> **<u>Nos</u> poulets fermiers sont en réclame.**
> *<u>Our</u> farm-fresh chickens are on special.*

> **Où est <u>notre</u> femme de chambre?**
> *Where is <u>our</u> maid?*

Just like **votre** and **vos**, there is no special feminine form in the singular. Use **notre** to refer to both masculine and feminine singular nouns, **nos** for masculine and feminine plural nouns.

# CHAPTER 15

## Part Four: Exercises

### A. Fill in the blanks.

Vous: Eh bien! Quel (1.)_____ temps!
Le boucher: Vous avez raison. Il fait un (2.)_____ de chien!
Vous: Ça, vous pouvez le (3.)_____. Enfin! Je voudrais un
(4.)_____ de boeuf pour 6 personnes.
Le boucher: Voilà un beau rôti. Il (5.)_____ 1 kilo 700. Ça ira?
Vous: Ah, oui, très bien.
Le boucher: Et avec ça?  Nos (6.)_____ fermiers sont en réclame aujour-
d'hui.
Vous: Non, merci. (7.)_____ avoir un os pour mon chien?
Le boulanger: Bien sûr. Voilà. Ça fait 97 francs. Passez à la
(8.)_____ , s'il vous plaît. monsieur?

### B. Make the following sentences polite by using the conditional form:

1.    Je _____ aller au bureau de poste.  (vouloir)

2.    _____ -je parler à la réceptionniste?  (pouvoir)

3.    Est-ce que je _____ avoir un grand pain?  (pouvoir)

4.    Je _____ manger dans ce restaurant.  (vouloir)

5.    Je _____ partir ce soir?  (pouvoir)

### C. Write in the possessive adjective next to the noun it agrees with:

QUESTIONS                                          POSSESSIVES

1.    _____ pain            nos
                                              notre
2.    _____ salade

3.    _____ pâté

4.    _____ melons

C. *Continued:*

5. _____ vin

6. _____ clients

7. _____ numéro de téléphone

8. _____ avion

D. Unscramble the jumbled words to form a logical sentence.

1. en réclame nos fermiers poulets sont

   _____

2. boucher a toujours notre raison

   _____

3. passer à pouvez la caisse vous

   _____

4. voudrait os son chien un pour il

   _____

5. elle boeuf pour six rôti un de personnes voudrait

   _____

6. vraiment mauvais il fait

   _____

7. en hiver il froid fait

   _____

8. course votre la journée c'est dernière de

   _____

D. *Continued:*

9.    invités ce soir j'ai des

_____

10.   sont en hiver si courtes les journées

_____

11.   fait un temps il de chien

_____

12.   beau un très rôti voilà

_____

13.   vous boucherie devez à la aller

_____

14.   pèse kilo deux poulet ce un cents

_____

15.   j'ai os mon pour acheté un chien

_____

E. Respond to the following situations. Use complete French sentences with all accents and punctuation.

1. The butcher tells you that their veal (veau) is on special today. He says:

   _____

2. Ask the butcher for a farm-fresh chicken. Use the polite form of "pouvoir" and "est-ce que."

   _____

3. He tells you that he doesn't have any more (use "ne ... plus") chicken. He says:

   _____

4. Tell a French friend that it's raining cats and dogs.

   _____

5. He tells you you're right. He says (use "tu" form and "avoir raison"):

   _____

6. The butcher shows you some meat. He asks if it will do. He says:

   _____

7. You ask someone what their telephone number is. Use the polite form. Begin with "Quel est..." You say:

   _____

8. The butcher tells you to go the cash register. He says:

   _____

E. *Continued:*

9.    Tell a French friend that you would like to go shopping ("faire des courses").

   _____

10.   You call a French colleague named Monsieur Perrier.  His wife answers the phone.  Tell her that you would like to speak to him.

   _____

CHAPTER

16

# SHOPPING
# FOR A
# GIFT

# CHAPTER 16

## Part One: Vocabulary

| FRANÇAIS | ENGLISH |
|---|---|
| bleu (m., adj.) | blue |
| bleu clair (m., adj.)[1] | light blue |
| boulevard, le | boulevard |
| ce que[2] | that which (what) |
| celui-ci | this one |
| cherche, je (chercher) | look for, I (to look for) |
| combien?[3] | how much? |
| coûte, il (coûter) | costs, it (to cost) |
| descendez, vous (descendre) | get off/descend, you (to get off, to descend) |
| donner | to give |
| en solde | on sale |
| faire un cadeau (id.) | to give a present |
| faire un tour (id.) | to visit, to go around |
| faut, il (falloir)[4] | is necessary, it (to be necessary, to need) |
| grands magasins, les (m., pl.) | department stores |
| joli (m., adj.)[5] | pretty |
| jusqu'à[6] | up to, until |
| marchez, vous (marcher) | walk, you (to walk) |
| ont, ils (avoir) | have, they (to have) |
| pensé (penser, past part.) | thought (to think, past part.) |
| pullover, le | sweater |
| pulls, les (m.) | sweaters |
| quarante-deux (42) | forty-two |
| rayon, le | department of a store |
| remercie, je (remercier)[7] | thank, I (to thank) |
| sûr (m., adj.)[8] | sure |
| taille, la[9] | size |
| ton, le[10] | color, shade |
| tout à fait | quite |
| trois cents francs (300F) | three hundred francs |

## Vocabulary Notes

[1] "bleu clair": light blue. Use the words "clair" and "foncé" to refer respectively to 'light' and 'dark' shades of a color.

[2] "ce que": that which (usually: 'what'). Used as a relative pronoun but not to ask a question. EX: "Que voulez vous? -- Je ne sais pas ce que je veux" ('What do you want? -- I don't know what [that which] I want').

[3] "combien?" in "c'est combien?": how much is it? There are other expressions to ask the price of something, but this one is the easiest to remember.

[4] "faut, il" in "vous faut-il": do you need. Note that the expression of necessity "il faut" can be preceded by an indirect object pronoun: "Il me faut deux morceaux de fromage" ('I need two pieces of cheese').

[5] "joli" in "il est très joli": it's very pretty. So far you have seen the following adverbs that commonly modify adjectives: "trop" ('too'), "peu" ('little'), "très" ('very').

[6] "jusqu'à": up to, until. The expression "jusqu'à" can be used with both distance and time: "Je vais travailler jusqu'à ce soir" ('I'm going to work until this evening').

[7] "remercie, je" in "je vous remercie": thank you. From the verb "remercier" ('to thank'). It is used almost as much as "merci," but is more formal.

[8] "sûr": sure (also: 'certain, safe'). Be careful not to confuse this "sûr" (with a circumflex) with the preposition "sur" which means 'on,' 'upon' or 'above.'

[9] "taille, la": size. The word "taille" refers to clothes sizes of dresses, coats and pants, and can also refer to the waist or figure. To refer to the size of gloves, shoes and hats, use the French word "pointure."

[10] "ton, le" in "dans quel ton?": in what shade? Instead of asking directly what color, the salesperson asks 'what shade?'

## Part Two: The Story

| FRANÇAIS | ENGLISH |
|---|---|

**STORY**

•Vous voulez faire un cadeau à une amie.

•Vous n'êtes pas tout à fait sûr de ce que vous voulez lui donner, mais, comme c'est l'hiver, vous avez pensé à un pullover.

•Vous décidez d'aller faire un tour dans les grands magasins.

•Vous prenez le métro, vous descendez à l'Opéra, vous marchez jusqu'au boulevard Haussman et vous arrivez aux Galeries Lafayette.

•You want to give a present to a friend.

•You're not quite sure of what you want to give her, but since it's winter, you're thinking about a sweater.

•You decide to visit a department store.

•You take the metro, get off at Opera station, walk up to boulevard Haussman, and arrive at the Galeries Lafayette.

**ACTION**

VOUS: Bonjour, madame. Je cherche un pullover.
LA VENDEUSE: Mais oui, monsieur. Quelle taille vous faut-il?
VOUS: Ce n'est pas pour moi. Un 42 (quarante-deux), je crois.
LA VENDEUSE: Très bien. Dans quel ton?
VOUS: Je ne sais pas. Voyons. Un bleu peut-être. Oui, un bleu clair, comme celui-ci.
LA VENDEUSE: Ah oui. Il est très joli. C'est un Rodier.
VOUS: Combien coûte-t-il?
LA VENDEUSE: 300F (trois cents francs).
VOUS: C'est un peu cher.
LA VENDEUSE: Eh bien, allez au rayon à côté. Ils ont des pulls en solde.
VOUS: Ah, bon! Je vous remercie, madame.

YOU: Hello. I'm looking for a pullover sweater.
SALESPERSON: Of course, sir. What size would you like?
YOU: It's not for me. A 42, I think.

SALESPERSON: Very good. What color?
YOU: I don't know. Let's see. Blue, perhaps. Yes, light blue, like this one.
SALESPERSON: Yes. It's very handsome. It's a Rodier.
YOU: How much does it cost?
SALESPERSON: Three hundred francs.
YOU: It's a little too expensive.
SALESPERSON: Then go to the next department. They have pullover sweaters on sale.
YOU: Good! Thank you very much.

# Part Three: The Grammar

THE EXPRESSION **IL FAUT**

**Il faut** (from the irregular" falloir"), *it is necessary*, is used all the time in French. It can be translated in a variety of ways depending on context:

> **Quelle taille vous faut-il?**—*What size do you need?*
> **Il me faut une voiture**—*I need a car.*
> **Il faut travailler**—*It is necessary to work.*

As you have just seen, **il faut** can be followed by an infinitive or a noun object. If it is a noun object, **il faut** refers to a need for something. With an infinitive, it conveys necessity.

THE PRONOUNS **CELUI, CELLE, CEUX,** AND **CELLES**

When distinguishing between different things, it is useful to know the demonstrative pronouns **celui** (m. sg.), **celle** (f. sg.), **ceux** (m. pl.), **celles** (f. pl.)."

> **Quel pullover voulez-vous? Celui-ci ou celui-là?**
> *Which sweater do you want? This one or that one?*
>
> **Quelle voiture est-ce que tu veux? Celle-ci ou celle-là?**
> *Which car do you want? This one or that one?*

In each case we would translate **celui** and **celle** as either *this one* or *that one*. Tacking on **-ci** makes the reference closer at hand ('this'), and **-là** more distant ('that').

In the plural **ceux** and **celles** would mean *these* or *those*.

# CHAPTER 16

## Part Four: Exercises

A. Fill in the blanks.

Vous: Bonjour, madame. Je (1.)_____ un pullover.
La vendeuse: Mais oui, monsieur. Quelle (2.)_____ vous faut-il?
Vous: Ce n'est pas (3.)_____. Un 42, je crois.
La vendeuse: Très bien. Dans quel ton?
Vous: Je ne sais pas. Voyons. Un (4.)_____ peut-être. Oui, un bleu clair,
comme celui-ci.
La vendeuse: Ah oui. Il est très (5.)_____. C'est un Rodier.
Vous: Combien (6.)_____?
La vendeuse: Trois cents francs.
Vous: C'est un peu cher.
La vendeuse: Eh bien, allez (7.)_____ à côté. Ils ont des (8.)_____
en (9.)_____.
Vous: Ah, bon! Je vous (10)_____, madame.

B. Fill in the blanks with the appropriate word(s) taken from the list:

1.    Il faut _____ cette robe.

2.    Est-ce qu'il vous faut _____?

3.    Il faut _____ de train à Lyon.

4.    Il me faut encore deux _____.

5.    Qu'est-ce qu'il faut _____?

6.    Faut-il _____ le métro à Paris?

7.    Quelle _____ est-ce qu'il vous faut?

WORDS
quelque chose
faire
prendre
changer
pommes
taille
faire nettoyer

C. Write in the demonstrative pronoun next to a noun that it refers to:

<u>QUESTIONS</u>                                    <u>PRONOUNS</u>

1. _____  la taille        celui
                                                celle
2. _____  le cadeau        ceux
                                                celles
3. _____  des pulls

4. _____  le rayon

5. _____  les boulevards

6. _____  le magasin

7. _____  des amies

8. _____  la tomate

D. Unscramble the jumbled words to form a logical sentence.

1. un pullover ma femme cherche

   _____

2. taille faut-il quelle vous ?

   _____

3. y allez au rayon à côté où il a des pulls en solde!

   _____

4. ce pas pour moi costume n'est

   _____

5. faire les grands magasins un tour dans je vais

   _____

D. *Continued:*

6.      vous faire un ami voulez à un cadeau

_____

7.      vous pull donnez lui un

_____

8.      pensé à j'ai un veston

_____

9.      Rivoli vous jusqu'à de le marchez rue

_____

10.     ne je de ce je lui pas que suis sûre vais donner

_____

11.     moi pas ce n'est pour

_____

12.     coûte-t-il combien ?

_____

13.     un bleu je voudrais celui-ci clair comme

_____

14.     quel ton vous faut est-ce qu'il ?

_____

15.     un Cécile cadeau à faisons !

_____

E. Respond to the following situations. Use complete French sentences with all accents and punctuation.

1. Tell the salesperson that you would like to buy a gift for a male friend.

   _____

2. She asks what you're looking for. She says: (use "chercher" for 'to look for').

   _____

3. Tell her that you're looking for a tie ("une cravate").

   _____

4. She points out two ties and asks which one you like. Tell her that you prefer 'that one.' Start with "Je préfère ..."

   _____

5. She shows you some ties, but they're a little too expensive. You say:

   _____

6. She tells you that there are ties on sale in the next department ("au rayon à côté").

   _____

7. You're buying a shirt in a French department store. The salesperson asks you what size you need. He says:

   _____

E. *Continued:*

8.      He shows you some shirts and asks which ones you like. Tell him you would like 'these.'

_____

9.      As you leave you thank the salesman. You say (use a form of "remercier"):

_____

10.     Tell a French colleague that you need a car. Use "il faut."

_____

# 17

# A PARISIAN TRAFFIC JAM

# CHAPTER 17

## Part One: Vocabulary

| FRANÇAIS | ENGLISH |
|---|---|
| allons, nous (aller) | go, we (to go) |
| ami, l' (m.) | friend |
| avance, on (avancer)[1] | moves forward, one/move forward, we (to move forward) |
| avancer | to move forward |
| avez entendu parler de, vous (entendre..., id.) | heard about, you (to hear about) |
| bloqués (bloquer, past part., pl.) | stuck (to block, past part.) |
| ce n'est pas trop tôt! (id.)[2] | it's not a moment too soon! |
| coin, le | corner |
| complètement[3] | completely |
| content (m., adj.)[4] | content, pleased |
| embouteillage, l' (m.) | traffic jam |
| en colère | angry |
| en général | in general |
| fête du travail, la[5] | Labor Day |
| incroyable (m., adj.) | incredible, unbelievable |
| mai, le | May |
| manifestations, les (f., pl.) | demonstrations |
| manifs, les (f., pl.)[6] | demonstrations |
| peut, on (pouvoir) | is able, one/are able, we; can, one/we (to be able, can) |
| pique-nique, le | picnic |
| restaurant, le | restaurant |
| se passe, il (se passer)[7] | is going on/happens/takes place, it (to go on, to happen, to take place) |
| septembre, le | September |
| six cent quatre (604)[8] | six-"o"-four (a Peugeot model number) |
| veux dire, je (vouloir dire, id.) | mean, I (to mean) |

## ocabulary Notes

[1] "avance, on": one moves forward, we move forward. When you want to tell someone ahead of you to move on, you can say: "Avancez!"

[2] "ce n'est pas trop tôt." Used ironically in the sense of 'it's about time' or 'it's not a moment too soon.'

[3] "complètement": completely. Note that the "-ment" at the end of the adverb "complètement" (as well as similar adverbs ending in "-ment") can be usually translated as the English '-ly.' Other such adverbs include "gentiment" ('kindly'), "facilement" ('easily'), "directement" ('directly'), "certainement" ('certainly'), etc.

[4] "content": happy, content. Another word for "content" (m.)/"contente" (f.) used in this course is "heureux" (m. sg. & pl.) and "heureuse (f.)/"heureuses" (f. pl.); "heureux" generally means 'really happy.'

[5] "fête du travail, la": Labor Day. The word "fête" commonly means 'feast, festival, legal holiday.' EX: "la fête de Noël" ('Christmas'); "la fête de Pâques" ('Easter'). New Year's, however, is commonly expressed as "Nouvel An."

[6] "manifs, les" (short for "manifestations"): manifestations. Used at first mostly by young people, "les manifs" is now commonly used in France by people of all ages.

[7] "se passe, il": it is going on, it happens, it takes place. From the reflexive verb "se passer." EX: "Que se passe-t-il?" ('What's happening?'); "Il se passe quelque chose." ('Something is happening').

[8] "six cent quatre": six-"o"-four. Car models are often given as numbers. Note that a three digit car model would be read using 'hundreds" in French, while in English the tendency is to use numbers 1-9 with "o" in place of zero.

## Part Two: The Story

| FRANÇAIS | ENGLISH |
|---|---|

**STORY**

•Ce soir, vous allez dîner à La Coupole.

•Vous avez beaucoup entendu parler de ce restaurant et vous êtes très content d'y aller.

•Vous vous trouvez avec un ami français, dans sa 604 (six cent quatre), et vous voilà complètement bloqués au coin du boulevard Montparnasse et de la rue de Rennes.

•On ne peut pas avancer.

•Quel embouteillage!

•Que se passe-t-il?

•Pierre, votre ami, est en colère.

•Tonight you are going to dinner at the La Coupole restaurant.

•You have heard a lot about this restaurant, and you are looking forward to going there.

•You are with a French friend in his Peugeot 604. Now you're completely stuck at the corner of the Boulevard Montparnasse and the Rue de Rennes.

•It's impossible to move!

•What a traffic jam!

•What's going on?

•Pierre, your friend, is angry.

**ACTION**

PIERRE: Mais que se passe-t-il? Regardez ça! On ne peut pas avancer.

VOUS: Quel embouteillage!

PIERRE: Mais c'est incroyable. Ce n'est pas le premier mai, pourtant!

VOUS: Le premier mai?

PIERRE: Oui, il y a toujours des manifs le premier mai. Des manifestations, je veux dire.

VOUS: Ah! Oui, c'est la fête du travail. Aux Etats-Unis, le Labor Day, c'est en septembre.

PIERRE: Et vous aussi, vous avez beaucoup de manifs?

VOUS: Non, nous en général, nous allons en pique-nique.

PIERRE: Eh bien, regardez! On avance. Ce n'est pas trop tôt!

PIERRE: What's going on? Look at that! We can't move.

YOU: What a traffic jam!

PIERRE: It's unbelievable. And it's not even May 1st.

YOU: May 1st?

PIERRE: Yes, there are always demonstrations on May 1st.

YOU: Ah! Yes, it's Labor Day. In the United States, it's in September.

PIERRE: Do you have a lot of demonstrations, too?

YOU: No. Usually, we go on picnics.

PIERRE: Hey, look! We're moving. It's not a moment too soon!

# art Three: The Grammar

## THE EXPRESSION VOULOIR DIRE

The combination of the verb **vouloir** ('to want') and the verb **dire** ('to say, to tell') gives the meaning of *to mean*. **Vouloir** is conjugated; **dire** stays in the infinitive.

> **Qu'est-ce que <u>vous voulez dire</u>?**
> *What do you mean?*

> **Qu'est-ce que <u>ça veut dire</u> en français?**
> *What does that mean in French?*

> **C'est exactement ce que <u>je veux dire</u>**
> *That's exactly what I mean.*

## THE MONTHS

**Voici les mois de l'année**—*Here are the months of the year.* Also observe how the expression **prendre des vacances*** ('to take vacation,' 'to go on vacation') and <u>possessive adjectives</u> are used n relation to the months of the year**:

> **Je prends <u>mes</u> vacances en <u>janvier</u>.**
> *I take my vacation in January.*

> **Elle prend <u>ses</u> vacances en <u>février</u>.**
> *She takes her vacation in February.*

> **Nous prenons <u>nos</u> vacances en <u>mars</u>.**
> *We take our vaction in March.*

> **Il prend <u>ses</u> vacances en <u>avril</u>.**
> *He takes his vacation in April.*

> **Ils prennent <u>leurs</u> vacances en <u>mai</u>.**
> *They take their vacation in May.*

> **Prenez-vous <u>vos</u> vacances en <u>juin</u>?**
> *Do you take your vacation in June?*

> **Je ne les prends pas en <u>juillet</u>.**
> *I do not take it (vacation) in July.*

> **Tu prends <u>tes</u> vacances en <u>août</u>?**
> *Do you take your vacation in August?*

**Je les prends en <u>septembre, octobre, novembre</u> et <u>décembre</u>.**
*I take it (vacation) in September, October, November, and December.*

*Note that even though vacation is singular in English, **vacances** is always used in the plural in French.

**Also note that the names of the months are not capitalized in French.

## EXPRESSING THE DATE

Even though ordinal numbers are used in English to express the date, <u>cardinal numbers</u> are used in French, except for the first day of the month which uses **premier**. Here are some examples:

>**le premier octobre**—*the first of October*
>**le vingt-huit juillet**—*the 28th of July*
>**le dix décembre**—*the 10th of December*

## POSSESSIVE ADJECTIVES: **SON, SA, SES**

Now that you have mastered the forms **mon, ma, mes, votre, vos, notre,** and **nos**, you are ready for forms for *his, her,* and (sometimes) *its*: **son, sa,** and **ses**.

>**son** (m. sg.)—**son ami**—*his/her friend*
>**sa** (f. sg.)—**sa voiture**—*his/her car*
>**ses** (pl.)—**ses livres**—*his/her books*

In English, the gender of the possessive adjective depends on the possessor's gender: *he has <u>his</u> book; <u>she</u> has <u>her</u> purse.* In French, the <u>gender of the possession</u> (not the possessor) is what determines whether the masculine **son** or feminine **sa** is used for singular nouns.

As with **mon, ma,** and **mes**, if a singular noun begins with a vowel or silent **h**, **son** will be used regardless of the gender of the possession: e.g. **son habitude** (f.)—*his/her habit.*

Below is a complete list of subject pronouns with their corresponding masculine, feminine and plural possessive adjectives:

| <u>SUBJECT PRONOUNS</u> | <u>POSSESSIVE ADJECTIVES</u> |
|---|---|
| je | mon, mas, mes |
| tu | ton, ta, tes |
| il, elle | son, sa, se |
| nous | notre, notre, nos |
| vous | votre, votre, vos |
| ils, elles | leur, leur, leurs |

## Part Four: Exercises

A. Fill in the blanks.

Pierre: Mais que se passe-t-il? Regardez ça! On ne (1.)_____ pas avancer.
Vous: Quel embouteillage!
Pierre: Mais c'est (2.)_____. Ce n'est pas le (3.)_____ mai, pourtant!
Vous: Le premier mai?
Pierre: Oui, il y a (4.)_____ des manifs le premier mai. Des
(5.)_____, je veux dire.
Vous: Ah! Oui, c'est la fête du travail. Aux Etats-Unis, le Labor Day, c'est en
septembre.
Pierre: Et vous aussi, vous avez beaucoup de manifs?
Vous: Non, nous (6.)_____, nous allons en pique-nique.
Pierre: Eh bien, regardez! On (7.)_____. Ce n'est pas trop
(8.)_____!

B. Type in the appropriate form of "vouloir dire":

1.    Qu'est-ce que ça _____?

2.    Qu'est-ce que vous _____?

3.    Tu _____ que tu n'as plus d'argent?

4.    Il y a des manifs, des manifestations je_____.

5.    Que _____ ce mot?

6.    Que _____ ces phrases?

C. Write in the possessive adjective next to the noun it agrees with:

| QUESTIONS | | POSSESSIVES |
|-----------|---|-------------|
| 1. _____ cadeau | | ses |
| | | sa |
| 2. _____ voiture | | son |
| 3. _____ pâté | | |
| 4. _____ amis | | |
| 5. _____ taxi | | |
| 6. _____ soeurs | | |
| 7. _____ sac | | |
| 8. _____ fête | | |
| 9. _____ fruits | | |
| 10. _____ journal | | |

D. Unscramble the jumbled words to form a logical sentence.

1.  le premier il des manifs mai y a

_____

2.  peut pas on ne avancer

_____

3.  se passe-t-il que ?

_____

4.  Coupole contente d'aller je suis très à la

_____

**D.** *Continued:*

5.  avons nous parler de ce beaucoup entendu restaurant

_____

6.  contente d'y elle est aller

_____

7.  il y a un près de la embouteillage gare

_____

8.  sont bloqués Montparnasse au coin ils du boulevard

_____

9.  est mon colère mari en

_____

10. la fête du travail est le premier mai

_____

11. pas n'est ce trop tôt

_____

12. allons petit restaurant dîner dans un nous

_____

13. de les voilà bloqués devant Triomphe l'Arc

_____

14. retrouver on va se cinéma devant le

_____

15. est incroyable cet vraiment embouteillage !

_____

# CHAPTER 17

E. Respond to the following situations. Use complete French sentences with all accents and punctuation.

1. Ask someone what's happening.

   _____

2. You're shocked by the size of a traffic jam. You exclaim to a friend:

   _____

3. Tell someone that you're not moving. Use "On" as your subject.

   _____

4. Ask your French colleague if they're a lot of demonstrations in Paris. Use the slang word for demonstrations.

   _____

5. Tell your French friends that people go on picnics in the United States. Start with "On."

   _____

6. You don't understand what a word means. You say:

   _____

7. Ask a close friend what he means.

   _____

8. Tell a French colleague that you take your vacation in July.

   _____

**E.** *Continued:*

9.  Tell someone you have an appointment on March 23.  Begin with: "J'ai rendez-vous ..."

    _____

10. Ask a colleague (use "vous") if she is taking her vacation in September.

    _____

CHAPTER

# 18

# AT THE RESTAURANT

# CHAPTER 18

## Part One: Vocabulary

| FRANÇAIS | ENGLISH |
|---|---|
| à la russe[1] | Russian style |
| à point (id.)[2] | medium |
| absolument | absolutely |
| animation, l' (f.) | animation |
| ans, les (m., pl.) | years |
| apéritif, l' | drink, apéritif |
| apportez-moi (apporter, imp!) | bring me! (to bring, imperative) |
| assiette, l' (f.) | plate |
| aucun[3] | not a, no |
| aussi souvent que possible | as much as possible (usually: as soon as possible) |
| bavardez, vous (bavarder) | chat, you (to chat) |
| choisi (choisir, past part.) | chosen, selected (to choose/to select, past part.) |
| commandez, vous (commander)[4] | order, you (to order) |
| coquille St Jacques, la | scallops |
| déjeuné (déjeuner, past part.) | had lunch (to have lunch, past part.) |
| demi-bouteille, la | half-bottle |
| demie, la[5] | half (here: half-bottle) |
| dîner, le | dinner |
| doute, le | doubt |
| eau, l' (f.) | water |
| en attendant (attendre, pres. part.) | while waiting for (to wait for, pres. part.) |
| ensuite | then, afterwards, next |
| finalement | finally |
| formidable (m., adj.)[6] | wonderful, great |
| gardé (garder, past part.) | saved, kept (to save/to keep, past part.) |
| grande (f., adj.) | tall, large |
| heureusement | fortunately |
| il y a deux ans | two years ago |
| janvier, le | January |
| jour, le | day |
| maître d'hôtel, le | maître d' |
| mangé (manger, past part.) | eaten (to eat, past part.) |
| mercredi, le | Wednesday |
| notre | our |
| oeuf, l' (m.) | egg |
| onze (11)[7] | eleventh (of January) |
| ou[8] | or |
| parisienne (f., adj.) | Parisian |
| prendra, il (prendre, fut.)[9] | will have/will take, he (to have/to take, fut.) |
| regarder | to look at |
| s'annonce, il (s'annoncer) | starts off/appears, it (to start off, to appear) |
| saignant (m., adj.) | medium rare |
| salle, la | room |

| **FRANÇAIS** | ENGLISH |
|---|---|
| sans | without |
| sommelier, le[10] | wine steward |
| souvent | often |
| spectacles, les (m., pl.) | shows |
| suivre | to follow |
| table, la | table |
| tellement | really |
| tournedos, le | tournedos (steak) |
| veuillez (vouloir, imp!)[11] | would you kindly, please (to want, imperative) |
| vie, la | life |
| vingt heures (20h00) | 8:00 p.m. |
| vins, les (m., pl.) | wines |
| voudrions, nous (vouloir, cond.) | would like, we (to want/to like, cond.) |
| vous amusez, vous (s'amuser)[12] | have a good time, you (to have a good time) |

# CHAPTER 18

## Vocabulary Notes

[1] "à la russe": Russian style. You could say, for instance, "à la française" ('French style'). The expression "à la mode," which literally means 'in a fashionable style,' is well-known in the U.S.

[2] "à point": medium. Other useful expressions for ordering meat in a restaurant are "bien cuit" ('well done'), "saignant" ('medium rare'), and "bleu" ('quite rare'). The French method for judging doneness differs slightly from the U.S. For example, if you would like a 'medium' level of doneness, ask for "bien cuit" even if it translates as 'well done.'

[3] "aucun" in "sans aucun doute": without a doubt. "Aucun/aucune" is another negative expression you will encounter meaning 'not a, no.' EX: "Elle n'a aucune envie de sortir ce soir" ('She has no desire/doesn't want to go out this evening').

[4] "commandez, vous": you order, you command. "Commander" has two meanings: 'to order' and 'to command.'

[5] "demie, la": half (bottle). Note that this adjective has a feminine ending because here it is used as a noun referring to "bouteille" as in "la demi-bouteille." Since the article is included, "la demie" is translated as 'half-bottle' (given the context in which it is found). "Le demi" is used to refer to a 'draft beer.'

[6] "formidable" is a false cognate, which does not mean 'formidable' but 'wonderful, great.' You will often hear "c'est formidable!" ('it's great!').

[7] "onze": eleventh (literally: eleven). Whereas in English a date is given with ordinal numbers ('1st., 2nd, 15th,' etc.), in French the only use of the ordinal number is to express the first day of a month: "le premier février" ('February 1st.'). Otherwise, the cardinal numbers ("deux, trois, quatre" etc.) are used to express dates beyond the first of the month.

[8] "ou": or. Do not confuse with "où" with an grave accent which means 'where.'

[9] "prendra, il": he will have, we will take. As you have discovered, "prendre" can signify a variety of verbal actions depending on context. It can mean 'to take' as in "prendre un taxi," 'to have a drink' as in "prendre un pot/boisson," 'to have something to eat' as in "prendre quelque chose à manger."

[10] "sommelier, le": wine steward. In most ordinary restaurants your waiter will also assist you in ordering your wine. A "sommelier" is found at only the pricier places.

[11] "veuillez" in "veuillez me suivre": please follow me. "Veuillez" is actually the imperative form of the verb "vouloir," 'to want.' It is a polite way of giving a command. EX: "Veuillez vous asseoir" ('Please sit down.'); "Veuillez remplir ces fiches" ('Please fill out these forms'); "Veuillez attendre un instant" ('Please wait a moment').

[12] "vous amusez, vous": you have a good time. From the reflexive verb "s'amuser." When you want to tell someone to have a good time, you can say either "amuse-toi bien" or "amusez-vous bien."

## Part Two: The Story

| FRANÇAIS | ENGLISH |
|---|---|

**STORY**

- Finalement, vous arrivez à la Coupole.
- Vous êtes fatigué et Pierre est encore en colère; mais heureusement vous n'êtes pas trop en retard et le maître d'hôtel vous a gardé votre table.
- Comme vous voulez absolument parler français aussi souvent que possible, c'est vous qui allez commander.
- En attendant le sommelier, vous vous amusez à regarder la grande salle du restaurant où il y a beaucoup d'animation.
- C'est sans aucun doute un des grands spectacles de la vie parisienne.
- Vous commandez les vins et vous bavardez avec Pierre.

- Finally, you arrive at La Coupole.
- You are tired and Pierre is still angry; but fortunately you are not too late and the maître d' has saved your table for you.
- Since you absolutely want to speak French as much as possible, you will do the ordering.
- While waiting for the wine steward, you have a good time looking at the large dining room which is bustling.
- It's without a doubt one of the best shows in Paris.
- You order the wine and chat with Pierre.

**ACTION**

LE MAITRE D'HOTEL:
Bonjour, monsieur. Vous avez une réservation? A quel nom, s'il vous plaît?
VOUS: Thomas, monsieur Thomas. T-H-O-M-A-S.
LE MAITRE D'HOTEL: Ah oui, voilà pour le mercredi 11 (onze) janvier à 20 (vingt) heures!
VOUS: Oui, c'est ça.
LE MAITRE D'HOTEL: Veuillez me suivre. Voilà la carte.
VOUS: Nous allons commencer par un apéritif. Pierre, que prenez-vous?
PIERRE: Un Pernod.
VOUS: Alors, un Pernod et un whisky à l'eau pour moi.
LE MAITRE D'HOTEL: Très bien, monsieur. Je vous envoie le garçon.

MAITRE D': Good evening, sir. You have a reservation? What name, please?
YOU: Thomas, Mr. Thomas. T-H-O-M-A-S.
MAITRE D': Of course, for Wednesday, January 11, at 8 p.m.!
YOU: Yes, that's right.
MAITRE D': Please follow me. Here is the menu.
YOU: We're going to start with a drink. Pierre, what would you like?
PIERRE: A Pernod.
YOU: A Pernod and a scotch and water for me.
MAITRE D': Very good, sir. I'll send the waiter.

## Part Two: The Story (cont'd)

*Quelques minutes plus tard.*

LE GARÇON: Bonsoir, vous êtes prêts à commander?

VOUS: Ah oui. Pour monsieur, une assiette de crudités, et pour moi un oeuf à la russe.

LE GARÇON: C'est très bien, et ensuite?

VOUS: Ensuite je voudrais une coquille St. Jacques, et monsieur prendra un tournedos.

LE GARÇON: A point ou saignant, le tournedos?

PIERRE: A point.

LE GARÇON: C'est parfait. Pour les vins, je vous envoie le sommelier.

PIERRE: Et apportez-moi une Evian, s'il vous plaît.

LE SOMMELIER: Bonsoir, monsieur. Vous avez choisi les vins?

VOUS: Oui, nous voudrions une demi-bouteille de St. Emilion pour monsieur, et une demie de Pouilly-Fuissé pour moi.

LE SOMMELIER: C'est parfait.

PIERRE: Eh bien, notre dîner s'annonce très bien. A propos, vous avez déjà mangé à la Tour d'Argent?

VOUS: Oui, j'y ai déjeuné une fois, il y a deux ans. C'est un restaurant formidable mais tellement cher.

PIERRE: Oh, trop cher, vraiment. Je n'y ai jamais mangé. Un jour peut-être.

*A few minutes later.*

WAITER: Good evening, are you ready to order?

YOU: Yes. For the gentleman, a vegetable plate, and for me, an egg Russian style.

WAITER: Very well, and after that?

YOU: Next I would like the scallops, and the gentleman will have a steak.

WAITER: Medium or medium rare for the steak?

PIERRE: Medium.

WAITER: That's perfect. For the wine, I'll send the wine steward.

PIERRE: And bring me a bottle of Evian, please.

WINE STEWARD: Good evening, sir. Have you selected your wine?

YOU: Yes, we would like a half-bottle of St. Emilion for the gentleman, and a half-bottle of Pouilly-Fuissé for me.

WINE STEWARD: Very good.

PIERRE: Our dinner is starting off nicely. By the way, have you ever had dinner at La Tour d'Argent?

YOU: Yes, I ate there once two years ago. It's a terrific restaurant but very expensive.

PIERRE: Oh, too expensive, really. I've never eaten there. Maybe one day.

## Part Three: The Grammar

### EXPRESSIONS WITH ETRE

Expressions formed by combining adjectival phrases or past participles and the verb **être** must agree in <u>gender</u> and <u>number</u> with the subject.

<u>ETRE EXPRESSIONS</u>

| | |
|---|---|
| **être prêt(e)**—*to be ready* | **être malade**—*to be sick* |
| **être fatigué(e)**—*to be tired* | **être marié(e)**—*to be married* |
| **être en retard**—*to be late* | **être divorcé(e)**— *to be divorced* |
| **être pressé(e)**—*to be in a hurry* | **être veuf/veuve**—*to be widowed* |
| **être à l'heure**—*to be on time* | **être célibataire**—*to be single* |
| **être enceinte**- *to be pregnant* | |

EXAMPLES:   **Il est prêt**—*He's ready*
**Elles sont prêtes**—*They (f.) are ready.*

**Elle est très fatiguée**—*She's very tired.*
**Ils sont très fatigués**—*They (m.) are very tired.*

### EXPRESSING THE YEAR

Now that you know how to express days and months in French, let's look at years. There are two ways to express a year:

<u>1994</u>
**mil neuf cent quatre-vingt-quatorze**
(or)  **dix-neuf cent quatre-vingt-quatorze**

The above methods can be used interchangeably, although the second sounds more historical. When giving a complete date, do so as follows:

*<u>July 4, 1776</u>*
**le quatre juillet mil sept cent soixante-seize**
(or)  **dix-sept cent soixante-seize**

# CHAPTER 18

A PAST TENSE—LE PASSE COMPOSE

In this chapter you will learn to talk about actions that took place in the past.  In the Story section you will see:

**Le garçon vous <u>a gardé</u> la table**—*The waiter <u>held</u> your table.*

In the Action section of this chapter you will see:

<u>Avez</u>-vous <u>choisi</u> les vins?—*Have you chosen the wines?*
Vous <u>avez</u> déjà <u>mangé</u>...?—*Have you already eaten...?*
**J'y <u>ai mangé</u> une fois**—*I ate there once.*

All the above verbs are in the past tense which is called the **passé composé**.  This tense is formed by combining the present tense of the auxiliaries **avoir** or **être** and a <u>past participle</u> of a verb.

REGULAR PAST PARTICIPLES

The past participle of verbs ending in **-er** is formed with **-é** (e.g. "parlé").  Below is a list of all the **-er** verbs you have learned up till now.  Next to them you will find a corresponding past participle:

| | |
|---|---|
| parler—**parlé** | passer-**passé** |
| travailler—**travaillé** | détester—**détesté** |
| écouter—**écouté** | commander—**commandé** |
| téléphoner—**téléphoné** | toucher—**touché** |
| raccrocher—**raccroché** | peser—**pesé** |
| replacer—**replacé** | chercher—**cherché** |
| se dépêcher—**dépêché** | remercier—**remercié** |
| se lever—**levé** | avancer—**avancé** |
| se trouver—**trouvé** | envoyer—**envoyé** |
| se réveiller—**réveillé** | apporter—**apporté** |
| s'annoncer—**annoncé** | aller—**allé** |

THE PRONOUN **Y**

The pronoun **y** is used to replace a noun or series of words preceded by such prepositions of location as **à, dans, en, chez**, etc.  In most cases, **y** can be translated as *there*.

—**Vous avez déjà mangé à la Tour d'Argent?**
*Have you already eaten at the Tour d'Argent?*

—**Oui, j'y ai déjeuné une fois.**
Yes, I've eaten <u>there</u> once.

Note that **y** replaces **à la Tour d'Argent** and means *there*.  Like other pronoun objects in French, **y** is placed in front of the verb:

—**Quand y allez-vous?**
*When are you going <u>there</u>?*

—**J'y vais dans deux heures.**
*I'm going <u>there</u> in two hours.*

# CHAPTER 18

## Part Four: Exercises

### A. Fill in the Blanks.

Le maître d'hôtel: Bonjour, monsieur. Vous avez une réservation? A quel nom, s'il vous plaît?

Vous: Thomas, monsieur Thomas. T-H-O-M-A-S.

Le maître d'hôtel: Ah oui, voilà pour le (1.)_____ 11 (2.)_____ à 20 heures!

Vous: Oui, c'est ça.

Le maître d'hôtel: (3.)_____ me suivre. Voilà la carte.

Vous: Nous allons commencer par un (4.)_____. Pierre, que prenez-vous?

Pierre: Un Pernod.

Vous: Alors, un Pernod et un whisky à l'eau pour (5.)_____.

Le maître d'hôtel: Très bien, monsieur. Je vous envoie le garçon.

Le sommelier: Bonsoir, monsieur. Vous avez (6.)_____ les vins?

Vous: Oui, nous voudrions une demi-bouteille de St. Emilion pour monsieur, et une (7.)_____ de Pouilly-Fuissé pour moi.

Le sommelier: C'est parfait.

Pierre: Eh bien, (8.)_____ s'annonce très bien. A propos, vous avez déjà mangé à la Tour d'Argent?

Vous: Oui, (9.)_____ une fois, il y a (10.)_____. C'est un restaurant (11.)_____ mais tellement cher.

Pierre: Oh, trop cher, vraiment. Je n'y ai jamais mangé. Un (12.)_____ peut-être.

### B. Write in the appropriate form of the verb "etre" and the adjective(s). If necessary refer back to the grammar section.

1. Je_____ et très _____. (angry / tired -- use masculine form of adj.]

2. Nous _____. (divorced)

3. Elle _____ aujourd'hui. (sick)

4. Est-ce que vous _____ ? (single)

5. Elle _____ et _____. (widowed / pregnant)

6. _____ -tu _____? (in a hurry -- use feminine form of adj.)

C. Rewrite the dates in French  (write out all numbers):

1.  August 5, 1672 _____

2.  October 9, 1984_____

3.  February 2, 1812_____

4.  June 6, 1944_____

5.  April 14, 1765_____

D. Rewrite these present tense sentences in the passé composé (compound past tense):

*Note: each sentence should contain a form of "avoir" and a past participle.*

1.      Nous cherchons un taxi.

_____

2.      Qu'est-ce que vous commandez?

_____

3.      Ils travaillent ce weekend.

_____

4.      J'écoute de la musique classique.

_____

5.      Tu manges des escargots.

_____

6.      Elle téléphone à sa soeur.

_____

D. *Continued:*

7.      Tu regardes le menu.

_____

8.      Elle choisit le vin.  (use "choisi" as past participle)

_____

9.      Ils parlent anglais.

_____

10.     Vous achetez des provisions.

_____

E.  Unscramble the jumbled words to form a logical sentence.

1.      les pommes nous avons pesé

_____

2.      n'ont pas apporté de gâteaux chez nous ils

_____

3.      ont envoyé des livres mes parents à Lyon

_____

4.      jamais je n'y ai mangé

_____

5.      avons travaillé nous y avec nos amis

_____

**E.** *Continued:*

6. allez c'est vous commander qui

   _____

7. bavarder j'ai de cousins envie avec mes

   _____

8. table maître d'hôtel le vous a gardé votre

   _____

9. grands de la vie c'est un parisienne des spectacles

   _____

10. envoient ils garçon nous le

    _____

11. déjeuné une j'y ai fois

    _____

12. commander je de crudités voudrais une assiette

    _____

13. sommelier s'occupe le des vins

    _____

14. 12 pour le mardi juin à vingt heures j'ai une réservation

    _____

15. commencer apéritif nous par un allons

    _____

F. Respond to the following situations. Use complete French sentences with all accents and punctuation.

1.  Tell someone that they're not on time. Begin with "Vous ..."

    _____

2.  Tell a friend that your birthday is on March 26, 1968. Write out all numbers. Begin with "Mon anniversaire est ..."

    _____

3.  Ask someone what the date is today.

    _____

4.  Ask someone what the date of their birthday is.

    _____

5.  Ask someone what their wedding anniversary date is.

    _____

6.  Tell someone that your parents ("parents" in French) are divorced.

    _____

7.  Tell your French boss that you're a little sick.

    _____

8.  Your wife ("femme") is never on time. Tell your "concierge" about this.

    _____

F. *Continued:*

9.  The waiter asks how you would like your steak. Say "Medium rare."

    _____

10. Tell your waitress that you would like to begin with a drink.

    _____

11. Tell someone that you ordered some wine yesterday ("hier").

    _____

12. Ask your waiter for a half a bottle of Gevrey-Chambertin.

    _____

13. A French colleague asks you if you've ever eaten at Maxim's. Tell her that you had lunch there once.

    _____

14. Tell her that it's a fantastic but very expensive restaurant.

    _____

15. She tells you that she's never eaten there because ("parce que") it's too expensive.

    _____

16. Tell your waiter that you would like some white wine with your fish ("le poisson").

    _____

**F.** *Continued:*

17. A close friend asks you when you spoke with your family ("la famille").

_____

18. You're talking about what you ordered for dinner last night. Say that you ordered a steak, some potatoes, and salad.

_____

19. Ask someone if they would like to have lunch with you. Use "vous" form.

_____

20. Your waiter asks if you've selected a wine (in this case, "les vins"). He says:

_____

# AT THE PHARMACY

# CHAPTER 19

## Part One: Vocabulary

| FRANÇAIS | ENGLISH |
|---|---|
| ai mal à, j' (avoir..., id.)[1] | am in pain, I (to be in pain) |
| biscottes, les (f., pl.) | melba toast |
| comprimés, les (m., pl.) | tablets |
| docteur, le | doctor |
| en plus | moreover |
| estomac, l' (m.) | stomach |
| excellent (m., adj.) | excellent |
| fait des courses (faire..., past part.) | gone shopping (to go shopping, past part.) |
| foie, le | liver |
| hier | yesterday |
| léger (m., adj.)[2] | light |
| malade (m. & f., adj.) | sick |
| mangez, vous (manger) | eat, you (to eat) |
| me sens, je (se sentir)[3] | feel, I (to feel) |
| mis (mettre, past part.) | put, (to put, past part.) |
| passé (passer, past part.) | stopped by, passed by (to stop by/to pass by, past part.) |
| pharmacie, la | pharmacy |
| pharmacienne, la | pharmacist |
| poche, la | pocket |
| recommande, je (recommander) | recommend, I (to recommend) |
| seulement | only |
| tout | all |
| venez de, vous (venir de, id.)[4] | have just, you (to have just) |

## Vocabulary Notes

[1] "ai mal à, j' ": I am in pain. This expression can be combined with any part of the body to indicate physical pain: "J'ai mal à l'estomac" ('My stomach hurts'); "J'ai mal au foie" ('I have a liver problem'); "J'ai mal à la tête" ('I have a headache').

[2] "léger": light. The feminine form is "légère."

[3] "me sens, je" in "je ne me sens pas bien": I don't feel well. This is the present form of "se sentir," 'to feel,' a reflexive verb. EX: "Vous ne vous sentez pas bien?" ('You don't feel well?')

[4] "venez de, vous": you have just. Note the expression "venir de" + infinitive means to have just done something. Also note that in the expression "je viens de vous les donner" ('I have just given them to you') the object pronouns "vous" and "les." Pronouns in French always come in front of the verb. This phenomenon can also be observed in "vous les avez mis dans votre poche" ('you put them in your pocket'). The direct object pronoun "les" refers to the tablets ("les comprimés") and precedes the verb form "avez mis."

## Part Two: The Story

| FRANÇAIS | ENGLISH |
|---|---|

**STORY**

•Vous mangez un peu trop depuis plus d'une semaine.

•Vous avez fait des courses à la boulangerie et à la charcuterie.

•Vous êtes passé chez le marchand de primeurs et aussi chez le boucher.

•En plus, vous venez de faire un excellent repas dans un grand restaurant.

•Tout ça est vraiment trop.

•Pas assez malade pour aller chez le docteur, vous décidez de passer à la pharmacie.

•You've been overeating for more than a week.

•You've shopped at the bakery and at the delicatessen.

•You stopped by the grocer's and the butcher's.

•Moreover, you have just had an excellent meal in a very good restaurant.

•You've really overdone it!

•You're not sick enough to go to a doctor, so you decide to go to the pharmacy.

**ACTION**

LA PHARMACIENNE: Monsieur?

VOUS: Bonjour, madame. Ecoutez, je ne me sens pas très bien. J'ai mal à l'estomac.

LA PHARMACIENNE: Vous avez peut-être mal au foie.

VOUS: Je ne sais pas, mais je crois que j'ai trop mangé hier soir.

LA PHARMACIENNE: Ah bon! Eh bien, je vais vous donner ces comprimés. Et puis, je vous recommande de prendre seulement du thé léger et des biscottes.

VOUS: Merci bien. Mais où sont les comprimés?

LA PHARMACIENNE: Je viens de vous les donner. Vous les avez mis dans votre poche.

VOUS: Oh là là. Excusez-moi. Ah oui, les voilà. Merci. Au revoir, madame.

LA PHARMACIENNE: Au revoir, monsieur.

PHARMACIST: May I help you?

YOU: Yes, I don't feel very good. I have an upset stomach.

PHARMACIST: Maybe you have a liver problem.

YOU: I don't know, but I think that I ate too much yesterday evening.

PHARMACIST: I see! Very well, I'll give you these tablets. And I recommend that you only have light tea and toast.

YOU: Thanks very much. But where are my tablets?

PHARMACIST: I just gave them to you. You put them in your pocket.

YOU: Oh my. Excuse me. Yes, here they are. Thanks. Goodbye.

PHARMACIST: Goodbye, sir.

# CHAPTER 19

## Part Three: The Grammar

MORE EXPRESSIONS WITH **AVOIR**

| RECYCLED EXPRESSIONS | NEW EXPRESSIONS |
|---|---|
| avoir soif | avoir sommeil—*to be sleepy* |
| avoir faim | avoir... ans—*to be... years old* |
| avoir froid | avoir besoin de—*to need* |
| avoir chaud | avoir peur de—*to be afraid of* |
| avoir envie de + inf. | avoir tort—*to be wrong* |
| avoir mal | avoir raison—*to be right* |

EXAMPLES:  J'<u>ai peur d</u>'avoir 40 ans.
*I'm afraid to be (turn) 40.*

Elle <u>a besoin d</u>'un verre d'eau.
*She needs a glass of water.*

Il <u>a</u> toujours <u>tort</u>, et elle <u>a</u> toujours <u>raison</u>.
*He's always wrong, and she's always right.*

DIRECT OBJECT PRONOUNS

Three direct object pronouns are introduced in this chapter:  **le, la,** and **les.**  In French, object pronouns precede the verb in affirmative, negative, or interrogative sentences:

Où sont <u>mes comprimés</u>? — Vous <u>les</u> avez mis dans votre poche.
*Where are my pills?  —You have them in your bag.*

J'ai mangé <u>le croissant</u> > Je l'ai mangé.
*I ate the croissant > I ate it.*

Ils ont apporté <u>la caisse</u> > Ils l'ont apportée.*
*They brought the box > They brought it.*

Ils n'ont pas écouté <u>les cassettes</u> > Ils ne <u>les</u> ont pas écoutées.*
*They did not listen to the cassettes  > They did not listen to them.*

*There is agreement in gender and number between the past participle and its preceding <u>direct object pronoun</u>.

PRESENT TENSE OF REGULAR -**RE** VERBS

Here are the endings for the third regular conjugation of verbs:

| ENDINGS | VENDRE ('to sell') |
|---|---|
| -**s** (je) | je **vends** |
| -**s** (tu) | tu **vends** |
| - (il, elle) | il, elle **vend** |
| -**ons** (nous) | nous **vendons** |
| -**ez** (vous) | vous **vendez** |
| -**ent** (ils, elles) | ils, elles **vendent** |

EXAMPLES: **J'attends le métro.**
*I'm waiting for the metro.*

**Elle vend du pain,**
*She sells bread.*

**Nous attendons nos amis**
*We're waiting for our friends.*

# CHAPTER 19

## Part Four: Exercises

### A. Fill in the Blanks.

La pharmacienne: Monsieur?

Vous: Bonjour, Madame. Ecoutez, je ne (1.)_____ pas très bien. J'ai mal à l'estomac.

La pharmacienne: Vous avez peut-être ( 2.)_____.

Vous: Je ne sais pas, mais je (3.)_____ que j'ai trop mangé hier soir.

La pharmacienne: Ah bon! Eh bien, je vais (4.)_____ ces comprimés. Et puis, je vous recommande de prendre seulement du thé léger et des (5.)_____.

Vous: Merci bien. Mais où sont les (6.)_____?

La pharmacienne: Je viens de vous les donner. Vous les avez (7.)_____ dans votre poche.

Vous: Oh là là. Excusez-moi. Ah oui, (8.)_____. Merci. Au revoir, Madame.

La pharmacienne: Au revoir, monsieur.

### B. Write in the appropriate expression using the verb "avoir":

1.  Mon père _____. (is fifty-two years old)

2.  Elle _____ d'appeler un taxi. (needs to)

3.  Nous _____. (are hungry)

4.  J' _____ de prendre des vacances. (feel like)

5.  Excusez-mois mais j' _____ . (am thirsty)

6.  Vous _____ ? Allez dormir! (are sleepy)

7.  Tu _____ ? Prends de l'aspirine! (have a headache)

Complete each sentence with the appropriate verb:

| QUESTIONS | VERBS |
|---|---|
| Nous _____ des fruits. | vendons |
| | attends |
| Ils _____ le métro. | attendent |
| | attendez |
| J'_____ le taxi. | vend |
| | vends |
| Il _____ du pain. | attendons |
| | attends |
| Nous _____ le bus. | |
| _____ un peu! | |
| Je _____ ma voiture. | |

Unscramble the jumbled words to form a logical sentence.

femme a mal ma à l'estomac

_____

ont pas cherchés ils ne les aujourd'hui

_____

mal pauvre au ce Français a foie

_____

l'avons écouté nous

_____

je ne me du pas sens tout bien

_____

faire un de excellent vous venez repas

_____

D. *Continued:*

7. le docteur décidez vous d'aller chez

_____

8. ça trop tout vraiment est

_____

9. passé chez le je suis boucher

_____

10. passés chez le nous sommes boulanger

_____

11. une semaine peu trop depuis il mange un

_____

12. pharmacienne me donne la ces comprimés

_____

13. avez mis dans vous les votre poche

_____

14. je mangé crois hier soir que j'ai trop

_____

15. j'ai mal à la peut-être gorge

_____

. Respond to the following situations. Use complete French sentences with all accents and punctuation.

. Tell the pharmacist that you don't feel good.

_____

. She asks you what's wrong. She says: (use "avoir" & "monsieur")

_____

. Tell her that you have a headache and your stomach hurts.

_____

. She recommends that you have tea and toasted biscuits. She says:

_____

. She gives you some tablets for your illness. You seem to have lost them. She tells you she just gave them to you. She says:

_____

. You suddenly find the tablets. You say:

_____

. Tell your French roommate that you're sleepy.

_____

. Someone asks you if you're afraid of snakes ("serpents"). They say:

_____

E. *Continued:*

9. Tell someone that they're wrong.

_____

10. A French friend asks how old you are. Tell her that you're 33.

_____

CHAPTER

# 20

# CALLING A DOCTOR

# CHAPTER 20

## Part One: Vocabulary

| FRANÇAIS | ENGLISH |
|---|---|
| appeler[1] | to call |
| Bruxelles | Brussels |
| cent trois (103) | one hundred and three |
| dîné (dîner, past part.) | dined (to have dinner, past part.) |
| donné (donner, past part.) | given (to give, past part.) |
| en cas d'urgence | in case of an emergency |
| en fait | in fact |
| fièvre, la[2] | fever |
| gorge, la | throat |
| grippe, la | flu, influenza |
| infirmière, l' (f.) | nurse |
| médecin, le | doctor |
| ne vous inquiétez pas (s'inquiéter, imp!)[3] | don't worry (to worry, imperative) |
| onze (11)[4] | one-one (unit of a phone number) |
| pris (prendre, past part.) | taken (to take, past part.) |
| probablement | probably |
| quarante (40) | four-"o" (unit of a phone number) |
| quarante-huit (48) | four-eight (unit of a phone number) |
| quarante-neuf (49) | four-nine (unit of a phone number) |
| quarante-sept (47) | four-seven (unit of a phone number) |
| quarante-six (46) | four-six (unit of a phone number) |
| quatorze (14) | one-four (unit of a phone number) |
| soixante et un (61) | sixty-one |
| soixante-dix-sept (77) | seven-seven (unit of a phone number) |
| soixante-quatorze (74) | seven-four (unit of a phone number) |
| symptômes, les (m., pl.) | symptoms |
| téléphone, le | telephone |
| température, la | temperature |
| tête, la | head |
| trente-neuf degrés en centigrade (39°C) | thirty-nine degrees centigrade (Celsius) |
| vingt-quatre (24) | twenty-four |
| vingt-trois (23) | two-three (unit of a phone number) |
| vous sentez mal, vous (se sentir mal) | feel bad, you (to feel bad) |
| zéro-sept (07) | "o"-seven (unit of a phone number) |

## Vocabulary Notes

[1] "appeler": to call. Note that there is a slight spelling change in the present tense forms of "appeler". EX: "Je vous appelle ce soir"/"Vous appelez le médecin." A single "-l" is written when the ending is pronounced.

[2] "fièvre, la" in "j'ai beaucoup de fièvre": I have a high fever. Never say "j'ai une fièvre" because it is incorrect. Use "j'ai de la fièvre." Also note that the definite articles ("le, la, les") are dropped after adverbs of quantity such as "beaucoup, trop, assez, peu." EX: "J'ai trop de travail" ('I have too much work'); "Nous avons assez d'argent" ('we have enough money').

[3] "ne vous inquiétez pas": don't worry (command). Another way to tell someone not to worry is: "ne vous en faites pas."

[4] "onze" in "49-74-23-11." In France, a telephone number is made up of eight digits and is commonly divided into four groups of two digits and is pronounced in the same manner. EX: 49-07-77-77 is said as "quarante-neuf, zéro-sept, soixante-dix-sept, soixante-dix-sept." In English, the same number would be given with the individual numbers 1-9 and 'zero' as the letter 'o.'


ADDITIONAL VOCABULARY

Here are more medical symptoms:

**être inconscient**--*to be unconscious*
**avoir mal aux dents**--*to have a toothache*
**avoir des vertiges**--*to feel dizzy*
**avoir des douleurs**--*to be in pain*
**avoir mal aux yeux**--*to have eyes that hurt*

Note: when you want to talk about a pain you have, use the construction **avoir mal + à + noun** referring to a body part. Don't forget the following contractions: **à + le = au; à + les = aux.**

And here are more words related to the human body:

| | | |
|---|---|---|
| **la tête**--*head* | **le front**--*forehead* | **l'oeil** (m.) pl., **yeux**--*eye* |
| **le sourcil**--*eyebrow* | **le cil**--*eyelash* | **la paupière**--*eyelid* |
| **le nez**--*nose* | **la narine**--*nostril* | **la bouche**--*mouth* |
| **la lèvre**--*lip* | **la langue**--*tongue* | **la dent**--*tooth* |
| **le menton**--*chin* | **la joue**--*cheek* | **le visage**--*face* |
| **l'oreille** (f)--*ear* | **les cheveux**--*hair* | **la barbe**--*beard* |
| **la moustache**--*moustache* | **le cou**--*neck* | **la gorge**--*throat* |
| **le dos**--*back* | **la poitrine**--*chest* | **le sein**--*breast* |
| **le ventre**--*belly* | **le membre**--*limb* | **le bras**--*arm* |
| **l'épaule** (f.)--*shoulder* | **le coude**--*elbow* | **le poignet**--*wrist* |
| **la paume**--*palm* | **le doigt**--*finger* | **le pouce**--*thumb* |
| **la jambe**--*leg* | **le genou**--*knee* | **la cheville**--*ankle* |
| **le pied**--*foot* | **le talon**--*heel* | **l'orteil** (m.)--*toe* |
| **l'estomac** (m.)--*stomach* | **le cerveau**--*brain* | **le poumon**--*lung* |
| **le coeur**--*heart* | **le foie**--*liver* | **le rein**--*kidney* |

And, finally, more <u>medical conditions</u>:

le rhume--*cold*
le mal de tête--*headache*
le mal d'estomac--*stomach ache*
la grippe--*flu, influenza*
la pneumonie--*pneumonia*
la bronchite--*bronchitis*
l'amygdalite (f)--*tonsilitis*
l'encéphalite (f)--*encephalitis*
le cancer--*cancer*
la malaria--*malaria*
la varicelle--*chicken pox*
la rougeole--*measles*
la coqueluche--*whooping cough*
la lèpre--*leprosy*

la migraine--*migraine*
le mal de dent (s.)--*toothache*
le mal de gorge--*sore throat*
la diarrhée--*diarrhea*
la tuberculose--*tuberculosis*
la laryngite--*laryngitis*
la méningite--*meningitis*
le rhumatisme--*rheumatism*
le choléra--*cholera*
la variole--*small pox*
la fièvre typhoïde--*typhoid fever*
les oreillons--*mumps*
le tétanos--*tetanus*

## Part Two: The Story

### FRANÇAIS

•Vous avez pris les comprimés que vous a donnés la pharmacienne.
•Depuis bientôt 24 (vingt-quatre) heures vous n'avez pris que du thé et des biscottes, et pourtant, vous vous sentez de plus en plus mal.
•En fait, vous êtes vraiment malade maintenant.
•Vous avez de la fièvre, vous avez très mal à la gorge, et aussi mal à la tête.
•L'ambassade vous a donné un numéro à appeler en cas d'urgence.
•Pour Paris: S.O.S. Docteur: le 47-07-77-77 (quarante-sept, zéro-sept, soixante-dix-sept, soixante-dix-sept).
•Pour Bruxelles: Hotline: le 46-48-40-14 (quarante-six, quarante-huit, quarante, quatorze).
•Vite vous appelez.

VOUS: Allo? S.O.S. docteur? Je suis malade. J'ai beaucoup de fièvre.
L'INFIRMIERE: Vous avez de la température?
VOUS: Oui, 103° (cent trois degrés).
L'INFIRMIERE: Comment? Que dites-vous?
VOUS: Oui, 103 en degrés Fahrenheit.
L'INFIRMIERE: Ah bon! Euh... ça fait 39° (trente-neuf degrés) en centigrade. Quels sont vos symptômes?
VOUS: J'ai mal à la gorge et très mal à la tête. Il y a deux jours, j'ai dîné au restaurant et peut-être...
L'INFIRMIERE: Si vous avez mal à la gorge, c'est probablement une grippe. Ne vous inquiétez pas, on vous envoie un médecin tout de suite. Donnez-moi votre nom, adresse, et numéro de téléphone.
VOUS: Thomas, M. Thomas, 61 (soixante et un), boulevard du lycée, Vanves, le 49-74-23-11 (quarante-neuf, soixante-quatorze, vingt-trois, onze).

### ENGLISH

•You've taken the tablets the pharmacist gave you.
•For almost 24 hours you have had nothing but tea and melba toast, and yet you're feeling even worse.

•In fact, you're really sick now.

•You have a fever, a sore throat, and a headache.
•The embassy gave you a number to call in case of an emergency.
•For Paris: S.O.S. Doctor 47-07-77-77

•For Brussels: Hotline 46-48-40-14

•Quickly, you call.

YOU: Hello? S.O.S. doctor? I'm sick. I have a high fever.
NURSE: You have a temperature?

YOU: Yes, 103°.
NURSE: What? What did you say?

YOU: Yes, 103 degrees Fahrenheit.
NURSE: I see! Uh... that's 39° centigrade. What are your symptoms?
YOU: I have a sore throat and a bad headache. Two days ago, I had dinner in a restaurant and maybe ...
NURSE: If you have a sore throat, it's probably the flu. Don't worry; we'll send a doctor right away. Give me your name, address, and phone number.

YOU: Thomas, M. Thomas, 61, boulevard du lycée, in Vanves, 49-74-23-11.

# Part Three: The Grammar

EXPRESSING *AGO* WITH **IL Y A...**

You have already seen how **il y a** can mean *there is, there are.* Followed by an expression of time, **il y a** means *ago.*

> **J'ai dîné dans un restaurant <u>il y a</u> deux jours.**
> *I had dinner in a restaurant two days ago.*

> **Nous l'avons envoyé <u>il y a</u> trois mois.**
> *We sent it three months ago.*

**Il y a** can also begin a sentence:

> **<u>Il y a</u> une heure le téléphone a sonné.**
> *An hour ago the telephone rang.*


USING ADVERBS

You have already seen the following adverbs:

| | |
|---|---|
| **très**—*very* | **vite**—*quickly* |
| **aussi**—*also, too* | **encore**—*again, yet, beside* |
| **assez**—*so, also, as* | **peu**—*little, few* |
| **tellement**—*so, so much* | **finalement**—*finally* |
| **trop**—*too* | **heureusement**—*happily* |
| **beaucoup**—*much, many, a lot* | **absolument**—*absolutely* |
| **souvent**-*often, frequently* | **vraiment**—*truly* |
| **déjà**-*already* | **probablement**—*probably* |
| **bien**-*well* | **toujours**—*still* |

The usual position of adverbs is immediately after the first verb: **Je travaille trop**—*I work too much*; **J'ai trop travaillé**—*I worked too much*; **Il mange beaucoup**—*He eats a lot*; **Il a beaucoup mangé**—*He ate a lot.*

## art Four: Exercises

**A. Fill in the blanks.**

Vous: Allo? S.O.S. (1.)_____ Je suis malade. J'ai beaucoup de fièvre.
L'infirmière: Vous avez de la (2.)_____?
Vous: Oui, 103°.
L'infirmière: Comment? Que (3.)_____ -vous?
Vous: Oui, 103 en degrés Fahrenheit.
L'infirmière: Ah bon! Euh .... ça fait 39° en centigrade. Quels sont
(4.)_____symptômes?
Vous: J'ai mal à la gorge et très mal à la tête. Il y a deux jours,
(5.)_____ au restaurant et peut-être ...
L'infirmière: Si vous avez mal (6.)_____, c'est probablement une grippe.
Ne vous inquiétez pas, on vous envoie un (7.)_____ tout de suite. Donnez-
moi votre nom, adresse, et (8.)_____ de téléphone.
Vous: Thomas, M. Thomas, 61, boulevard du lycée, Vanves, le 49-74-23-11.

**B. Write in the appropriate expressions of illness using a form of the verb
"avoir mal" + "à" + body part:**

*Note: remember to make any necessary contractions of "à" and a definite article
(i.e., au, aux).*

1.      Pierre (le foie)
       _____

2.      Cécile (l'estomac)
       _____

3.      Je (les dents)
       _____

4.      Tu (les yeux)
       _____

5.      Vous (le pied)
       _____

6.      Ils (la gorge)
       _____

7.      Nous (le dos)
       _____

8.      Elles (la jambe)
       _____

9.      Philippe (les oreilles)
       _____

10.     Anne-Marie (le ventre)
       _____

# CHAPTER 20

**C. Write in the proper adverb.**

| QUESTIONS | ADVERBS |
|---|---|

1.      Ils prennent _____ un taxi. (often)

2.      Elle parle très _____ . (little)

3.      J'ai _____ faim. (very)

4.      Vous avez _____ raison. (probably)

5.      Ils l'ont _____ fait. (already)

6.      Vous allez trop _____ . (fast)

7.      Ça coûte _____ .  (a lot)

ADVERBS

peu
beaucoup
souvent
déjà
vite
probablement
très

**D. Unscramble the jumbled words to form a logical sentence.**

1.      travaillé il y a j'y ai cinq ans

_____

2.      frère a mal mon aux dents

_____

3.      remercié mes amis il y j'ai  a deux jours

_____

4.      il le récepteur raccroche

_____

5.      que du n'avez vous pris thé

_____

6.      vous vous sentez de en mal plus plus

_____

**D.** *Continued:*

7.    je malade suis vraiment

_____

8.    en cas d'urgence c'est un numéro à appeler

_____

9.    sont que les pharmacien m'a comprimés le où donnés?

_____

10.    de la j'ai fièvre

_____

11.    votre de téléphone donnez-moi ! numéro

_____

12.    vous inquiétez pas ne !

_____

13.    au restaurant il y j'ai dîné a deux jours

_____

14.    on envoie un médecin vous tout de suite

_____

15.    de vous température avez la ?

_____

E. Respond to the following situations. Use complete French sentences with all accents and punctuation.

1.  Tell the nurse that you have a high fever.

    _____

2.  The doctor asks if you have a temperature. He says:

    _____

3.  The nurse tells you she is sending a doctor right away. She says:

    _____

4.  She tells you not to worry. She says:

    _____

5.  Tell the doctor that you called ("téléphoner à") the pharmacy three days ago.

    _____

6.  Tell the nurse that you ate too much at the restaurant.

    _____

7.  Tell your French colleague that you spoke with the nurse two hours ago.

    _____

8.  The doctor tells you that you probably have the flu. He says:

    _____

F. *Continued:*

9.    Tell the dentist that you have a toothache.

    _____

10.   The nurse tells you to give her your name, address, and telephone number.
      She says:

    _____

CHAPTER

# 21

# MAILING THINGS

# CHAPTER 21

## Part One: Vocabulary

| FRANÇAIS | ENGLISH |
|---|---|
| Arc de Triomphe, l' (m.) | Arch of Triumph |
| boîte aux lettres, la | mailbox |
| bureau de tabac, le | the tobacconist's, tobacco shop |
| cartes postales, les | postcards |
| Centre Beaubourg, le | Beaubourg Center |
| chaque[1] | each |
| choisissez (choisir, imp!)[2] | choose, select (to choose/ to select, imperative) |
| classiques (m. & f., pl., adj.) | classic |
| elles | they |
| en[3] | some, any |
| en face | across the street |
| envoyé (envoyer, past part.) | sent (to send, past part.) |
| envoyer | to send |
| ici | here |
| leur | their |
| Louvre, le (m.) | Louvre |
| marchand de tabac, le | tobacconist |
| monuments, les | monuments |
| Notre-Dame | Notre Dame |
| passé une commande (passer... , past part., id.) | placed an order, put in an order (to place an order/to put in an order, past part.) |
| photos, les (f., pl.) | photographs |
| Sacré-Coeur, le | Sacré Coeur |
| timbres, les (m., pl.) | stamps |
| trois francs cinquante (3F50) | three francs, fifty centimes |
| vingt et un francs (21F) | twenty-one francs |

# Vocabulary Notes

[1] "chaque." The adjective form for 'each.' "Chacun" (m.) or "chacune" (f.) are the masculine and feminine pronoun forms: "Chacun à son goût" ('each to his/her own taste').

[2] "choisissez": choose, select. This is the imperative (command) form of the verb "choisir."

[3] "en": here. "En" is an object pronoun which replaces "de" + noun. See the textbook's Grammar section of this chapter.

## Part Two: The Story

**FRANÇAIS** | ENGLISH
---|---

**S T O R Y**

•Vous êtes à Paris depuis presque 5 (cinq) semaines et vous n'avez pas encore envoyé de cartes postales à vos amis aux Etats-Unis.
•Vous décidez d'aller en acheter au bureau de tabac.
•Vous voulez leur envoyer des photos classiques des monuments de Paris.

•You have been in Paris for almost five weeks and you haven't sent any postcards to your friends in the States.
•You decide to go and buy some at the tobacconist's.
•You want to send them some classic snapshots of monuments in Paris.

**A C T I O N**

LE MARCHAND DE TABAC: Bonjour, monsieur. Vous désirez?
VOUS: Je voudrais des cartes postales, s'il vous plaît.
LE MARCHAND DE TABAC: Elles sont là-bas, à gauche. Choisissez.
VOUS: Vous n'avez pas de cartes de l'Arc de Triomphe et de Notre-Dame?
LE MARCHAND DE TABAC: Non, nous n'en avons plus. J'ai passé une commande mais elle n'est pas encore arrivée.
VOUS: Ah bon, enfin, voilà, j'ai choisi: le Louvre, le Sacré-Coeur, le Centre Beaubourg. Deux de chaque.
LE MARCHAND DE TABAC: Bien, six cartes à 3F50 (trois francs cinquante). Ça fait 21F (vingt et un) francs. Vous voulez des timbres?
VOUS: Non, merci, j'en ai déjà. Est-ce qu'il y a une boîte aux lettres près d'ici?
LE MARCHAND DE TABAC: Oui, bien sûr. Juste en face.
VOUS: Merci. Au revoir.

TOBACCONIST: Good morning, sir. May I help you?
YOU: I'd like some post cards, please
TOBACCONIST: They're over there, on the left. Help yourself.

YOU: You don't have any cards of the Arch of Triumph and Notre-Dame?
TOBACCONIST: No, we don't have any more. I placed an order, but it hasn't arrived yet.

YOU: All right, I've made up my mind: the Louvre, Sacré-Coeur, Beaubourg Center. Two of each.

TOBACCONIST: Six cards at 3 francs 50. That makes 21 francs. Do you want some stamps?

YOU: No thanks. I already have some. Is there a mail box nearby?

TOBACCONIST: Yes, certainly. Across the street.
YOU: Thanks. Goodbye.

## Part Three: The Grammar

THE PRONOUN "EN"

Earlier you learned the direct object pronouns **le**, **la**, and **les** and saw **les** in the context of the expression **Vous les avez mis dans votre poche** ('You put <u>them</u> in your pocket'). In the Action section of this chapter, you will see **J'en ai déjà** ('I already have some').

**En** is used instead of **le**, **la**, or **les** when the noun it replaces is used with an expression of quantity, an indefinite article, or with numbers:

> **J'achète du pain > J'en achète.**
> *I buy some bread  > I buy <u>some</u>.*

> **Elle a cinq livres > Elle en a cinq.**
> *She has five books  > She has <u>five</u>.*

OBJECT PRONOUN REVIEW

You should now be able to recognize and use the following object pronouns: **y, en, le, la,** and **les**.

> **y:** **Vous allez chez vous? —Oui, j'y vais.**
> *Are you going home? —Yes, I'm going <u>there</u>.*

> **en:** **Tu as commandé du vin? —Oui, j'en ai commandé.**
> *Did you order some wine? —Yes, I ordered <u>some</u>.*

> **le:** **Avez-vous écouté le discours? —Oui, je l'ai écouté.**
> *Did you hear the speech? —Yes, I heard <u>it</u>.*

> **la:** **Est-ce que tu aimes la musique? —Non, je ne l'aime pas.**
> *Do you like music? —No, I don't like <u>it.</u>*

> **les:** **Avez-vous passé les commandes? —Oui, je les ai passées.**
> *Did you place the orders? —Yes, I placed <u>them</u>.*

Remember to use **y** with places (i.e. location), **en** with quantities, and **le, la,** and **les** in reference to specific things/persons.

## Part Four: Exercises

A. Fill in the blanks.

Le marchand de tabac: Bonjour, monsieur. (1.)_____?
Vous: Je voudrais des (2.)_____, s'il vous plaît.
Le marchand de tabac: Elles sont là-bas, à gauche. (3.)_____.
Vous: Vous n'avez pas de cartes de l'Arc de Triomphe et de Notre-Dame?
Le marchand de tabac: Non, nous (4.)_____ avons plus. J'ai (5.)_____
une commande mais elle n'est pas encore arrivée.
Vous: Ah bon, enfin, voilà, j'ai choisi: le Louvre, le Sacré-Coeur, le Centre
Beaubourg. Deux de(6.)_____.
Le marchand de tabac: Bien, six cartes à 3F50. Ça fait 21 francs. Vous voulez
des (7.)_____?
Vous: Non, merci, j'en ai déjà. Est-ce qu'il y a une (8.)_____ aux lettres
(9.)_____ d'ici?
Le marchand de tabac: Oui, bien sûr. (10)_____.
Vous: Merci. Au revoir.

B. Write in the correct pronoun next to the nouns(s) it replaces:

| | QUESTIONS | PRONOUNS |
|---|---|---|
| 1. | _____ Philippe et Marie | le |
| | | la |
| 2. | _____ le taxi | les |
| | | y |
| 3. | _____ la concierge | en |
| 4. | _____ à Paris | |
| 5. | _____ des chocolats | |
| 6. | _____ du vin | |
| 7. | _____ aux Etats-Unis | |

C. Rewrite each sentence replacing the nouns(s) with the appropriate object pronouns(s):

*Note: when dealing with the compound past, remember to make your past endings agree in number and gender with the preceding object pronoun.*

1.　J'ai mangé des tomates.

   _____

2.　Il a déjeuné au café.

   _____

3.　Ils ont choisi les cartes.

   _____

4.　On a commandé du vin.

   _____

5.　Tu as regardé la télé.

   _____

6.　Je vais chez Sylvie.

   _____

7.　Elle apporte de la viande.

   _____

8.　Tu aimes le vin?

   _____

9.　Je déteste le broccoli.

   _____

10.　Nous commandons de la bière.

   _____

D. Unscramble the jumbled words to form a logical sentence.

1.　de demandé l'eau j'ai minérale

_____

2.　ai douzaine commandé j'en une

_____

3.　d'ici il une boîte aux lettres y a près

_____

4.　cartes je des postales voudrais

_____

5.　n'en avons nous plus

_____

6.　famille je envoyé rien à n'ai ma

_____

7.　cartes acheter je vais des postales

_____

8.　en acheter au de tabac bureau vous pouvez

_____

9.　je des de cherche des photos Paris monuments

_____

10.　sommes à Paris depuis hier nous

_____

11.　avons passé une commande nous y a trois il jours

_____

12.　pas encore arrivée la commande n'est

_____

## D. *Continued:*

13. face de l'hôtel aux la boîte en lettres est juste

_____

14. les vous préférez cartes postales choisissez que

_____

15. les cartes postales chères nous les moins avons choisi

_____

## E. Respond to the following situations. Use complete French sentences with all accents and punctuation.

1. The cashier asks if you want some stamps. Tell her that you have some already.

_____

2. She tells you that she has no more post cards. She says:

_____

3. She informs you that she put in a order but it hasn't arrived yet. She says:

_____

4. Ask her if there is a mailbox nearby.

_____

5. She says there is one just across the street. She says:

_____

E. *Continued:*

6. Tell her that you're not going there now ("maintenant").

   _____

7. Ask her if she has any postcards of the Arc de Triomphe and Notre-Dame.

   _____

8. You have five stamps. Tell the cashier how many you have. Use "en."

   _____

9. You had dinner at La Coupole. Tell someone. Use "y."

   _____

10. The waiter offers you some more wine. Tell him that you have enough.

   _____

# CHAPTER
# 22

# AN EVENING ON THE TOWN

## Part One: Vocabulary

| FRANÇAIS | ENGLISH |
|---|---|
| à ce soir[1] | see you this evening |
| accompagner | to accompany |
| allait, on (aller, imperf.)[2] | would go, one/we (to go, cond.) |
| allé (aller, past part.)[3] | gone (to go, past part.) |
| autre (m., adj.) | other |
| bain, le | bath |
| c'est dommage![4] | it's a pity, it's a shame |
| ça | that, it |
| cinéma, le | movie theater |
| commence, ça (commencer) | begins, it (to begin) |
| consultez, vous (consulter) | consult, you (to consult) |
| demain | tomorrow |
| dérange, je (déranger) | bother, I (to bother) |
| devant | in front of |
| discutez, vous (discuter) | discuss, you (to discuss) |
| écrivain, l' (m.) | writer |
| en tout cas | in any event, in any case |
| en train de | in the process of |
| espère, j' (espérer)[5] | hope, I (to hope) |
| étais, j' (être, imperf.) | was, I (to be, imperf.) |
| était, il (être, imperf.) | was, it (to be, imperf.) |
| extraordinaire (m., adj.) | extraordinary |
| film, le | movie |
| histoire, l' (f.)[6] | story, history |
| il faut dire que (id.) | you must admit that |
| inviter à | to invite to |
| jeudi, le | Thursday |
| joue, on (jouer) | are showing, they/ is playing, one (to play) |
| journal, le[7] | newspaper |
| lire | to read |
| mardi, le | Tuesday |
| musique, la | music |
| naturellement | naturally |
| nous retrouvons, nous (se retrouver)[8] | meet each other again, we (to meet each other again) |
| obligé (m., adj.) | required |
| Opéra de Paris, l' (m.) | Paris Opera, Paris Opera House |
| pas du tout | not at all |
| pourquoi | why |
| pouvons, nous (pouvoir) | are able/can, we (to be able, can) |
| prendre un pot (id.) | to have a drink |
| principale (f., adj.) | main, principal |

| **FRANÇAIS** | ENGLISH |
|---|---|
| prochaine (f., adj.) | next |
| projets, les (m., adj.) | projects, plans |
| proposez, vous (proposer) | propose, you |
| provençal (m., adj.)[9] | from Provence |
| quartier, le | quarter, neighborhood |
| s'occupe de, qui (s'occuper de) | is taking care of/is in charge of, who (to take care of/to be in charge of) |
| séance, la[10] | show |
| sept heures et demie (19h30) | 7:30 p.m. |
| soirée, la | evening (party) |
| sonne, il (sonner) | rings, it (to ring) |
| sortez, vous (sortir)[11] | leave, you (to leave) |
| sortie, la | exit |
| traverser | to go across, to go through |
| trouvé (trouver, past part.)[12] | found (to find, past part.) |
| vingt et une heures (21h) | 9:00 p.m. |
| vingt heures trente (20h30) | 8:30 p.m. |
| voir | to see |
| voudrait, elle (vouloir, cond.) | would like, she (to want/to like, cond.) |

# CHAPTER 22

## Vocabulary Notes

[1] "à ce soir": see you this evening. The preposition "à" in front of an expression of time gives the meaning of 'see you.' EX: "à bientôt!" ('see you soon!'); "à lundi!"; ('see you Monday!'); "à demain!" ('see you tomorrow!').

[2] "allait, on" in "si on allait": literally, 'if we went.' This construction conveys the meaning 'suppose we go..., what if we went....' "Allait" is the imperfect tense of "aller."

[3] "allé" in "j'y suis allé": I went there. The verb "aller" ('to go' ) is an intransitive verb (does not take a direct object), which is conjugated with "être" in the passé composé. "Y" refers to a place already mentioned which can be translated here as 'there.'

[4] "c'est dommage!": it's a pity, it's a shame. You will also hear: "quel dommage!" ('what a pity!')

[5] "espère, j' ": I hope. This is the present tense of the verb "espérer." EX: "A bientôt, j'espère" ('See you soon, I hope'); "J'espère partir la semaine prochaine" ('I hope to leave next week').

[6] "histoire, l' (f.)." This means both 'story' and 'history.' It is easy to tell which by the context of the conversation. A speaker who wants to emphasize the fact that she is talking about history might say "l'histoire avec un grand H."

[7] "journal, le": newspaper. Note that the plural of most words ending in "-al" is "-aux": "le journal > les journaux"; "le général > les généraux"; "le cheval > les chevaux ('horses')."

[8] "nous retrouvons, nous" in "où nous retrouvons-nous?": where will we meet again? A handy way to discuss meeting someone at a later date is to use a form of the verb "se retrouver": "on se retrouve plus tard?" ('shall we meet later?').

[9] "provençal": from Provence. A southern province of France.

[10] "séance, la": show (when referring to a movie). It also means 'session' and 'meeting.'

[11] "sortez": you leave. Normally, the verb "sortir" is followed by the preposition "de" when followed by an object: "vous sortez de chez vous" ('you are leaving your house').

[12] "trouvé" in "comment l'avez-vous trouvé?": what did you think about it? (literally, 'how did you find it?'). When asking someone's opinion of a work of art, a book, a movie, etc., it is common to use this expression.

## Part Two: The Story

| FRANÇAIS | ENGLISH |
|---|---|

**S T O R Y**

•Vous êtes en train de prendre un bain et naturellement le téléphone sonne.
•Comme le téléphone est dans l'entrée, vous êtes obligé de traverser tout l'appartement.
•C'est votre amie, Sylvie, qui voudrait vous inviter à l'accompagner au cinéma.
•Plus tard dans la soirée vous sortez du cinéma et vous allez prendre un pot avec Sylvie au café du coin.
•Il faut dire que le film n'était pas extraordinaire.
•En tout cas, comme vous n'êtes jamais allé à l'Opéra de Paris, vous proposez à Sylvie de vous y accompagner un jour de la semaine prochaine.

•You are taking a bath and naturally the telephone rings.
•Since the phone is in the hall, you have to go through the entire apartment.
•It's your friend, Sylvie, who would like to invite you to go to the movies with her.
•Later that evening you leave the movie theater and go to the corner café to have a drink with Sylvie.
•You must admit that the movie wasn't very good.
•In any event, since you have never been to the Paris Opera, you ask Sylvie to go with you one day next week.

**A C T I O N**

SYLVIE: Bonjour, comment allez-vous?
VOUS: Mais, très, très bien, merci.
SYLVIE: Je ne vous dérange pas, j'espère.
VOUS: Oh non, pas du tout. J'étais en train de lire le journal.
SYLVIE: Ah bon! Vous voulez aller au cinéma ce soir? On joue "Un coup de torchon" de Tavernier.
VOUS: Merci, mais j'y suis allé la semaine dernière.
SYLVIE: Oh! C'est dommage! Comment l'avez-vous trouvé?
VOUS: Excellent. Si vous voulez, on peut aller voir le dernier film avec Isabelle Adjani.
SYLVIE: D'accord. A quelle séance?

SYLVIE: Hello, how are you?

YOU: Just great, thanks.

SYLVIE: I'm not disturbing you, I hope.
YOU: No, not at all. I was reading the newspaper.
SYLVIE: I see! Do you want to go to the movies this evening? They're showing "Un coup de torchon" by Tavernier.
YOU: Thanks, but I went to [saw] it last week.
SYLVIE: Oh! That's a shame! What did you think?
YOU: Excellent. If you want, we can go see the latest film with Isabelle Adjani.
SYLVIE: All right. Which show?

VOUS: A la séance de 20h30 (vingt heures trente). On le joue à Publicis Saint-Germain. Nous pouvons nous retrouver au café à côté vers 7h30 (sept heures et demie).

SYLVIE: C'est une bonne idée. A ce soir, alors.

*Après le film vous discutez de vos projets pour une sortie.*

VOUS: Si on allait à l'Opéra un jour.

SYLVIE: Mais oui, pourquoi pas la semaine prochaine?

VOUS: D'accord. Voyons, qu'est-ce qu'on joue?

*Vous consultez "Pariscope."*

SYLVIE: Tiens, on joue "l'Arlésienne" mardi, mercredi, et jeudi.

VOUS: "L'Arlésienne?" C'est de Gounod.

SYLVIE: Mais non, la musique est de Bizet et l'histoire est d'Alphonse Daudet, l'écrivain provençal.

VOUS: 'Never heard of him'. En tout cas, ça commence à 21h00 (vingt et une heures). Qui s'occupe des billets?

SYLVIE: Je passerai les prendre demain, je vais dans le quartier.

VOUS: Quand et où nous retrouvons-nous?

SYLVIE: Euh, a 20h30 (vingt heures trente), devant l'entrée principale?

VOUS: Formidable. Vous prenez un autre Perrier?

SYLVIE: Non merci.

YOU: The show at 8:30 p.m. It's playing at the Publicis Saint-Germain. We can meet at the café next door around 7:30 p.m.

SYLVIE: That's a good idea. See you this evening, then.

*After the movie you discuss your plans to go out another time.*

YOU: What if we were to go to the Opera one day.

SYLVIE: Of course, why not next week?

YOU: OK. Let's see, what's playing?

*You consult "Pariscope."*

SYLVIE: Say, they're performing "L'Arlésienne" Tuesday, Wednesday, and Thursday.

YOU: "L'Arlésienne?" It's by Gounod.

SYLVIE: No, the music is by Bizet and the story by Alphonse Daudet, the writer from Provence.

YOU: Never heard of him. In any case, it starts at 9 p.m. Who's taking care of the tickets.?

SYLVIE: I'll pick them up tomorrow. I'll be in the neighborhood.

YOU: When and where will we meet?

SYLVIE: At 8:30 p.m. in front of the main entrance?

YOU: Fantastic. Would you like another Perrier?

SYLVIE: No thanks.

## rt Three: The Grammar

### HE EXPRESSION **ETRE EN TRAIN DE**

e expression **être en train de** ('to be in the process of') can be used with any verb to indicate or nphasize that an action is not only taking place, but is ongoing:

> **Je <u>suis en train de parler</u> au chauffeur de taxi.**
> *I <u>am (in the process of) talking</u> to the taxi driver.*

> **Elle <u>est en train de téléphoner</u>.**
> *She'<u>s phoning</u>.*

tre en train de is always followed by an <u>infinitive</u>

### ASSE COMPOSE WITH **ETRE**

Chapter 18, you learned that **avoir** is an auxiliary for the **passé composé**. **Etre** is an auxiliary r <u>intransitive verbs</u> (i.e. those which do not take a direct object). In addition, **être** is the auxiliary ed with <u>reflexive verbs</u>:

| INFINITIVE | PAST PARTICIPLE | ENGLISH PAST PART. |
|---|---|---|
| **aller** | **allé(e)(s)** | *gone* |
| **partir** | **parti(e)(s)** | *left* |
| **arriver** | **arrivé(e)(s)** | *arrived* |
| **se lever** | **se... levé(e)(s)** | *gotten up* |
| **se trouver** | **se... trouvé(e)(s)** | *found oneself* |
| **se sentir** | **se... senti(e)(s)** | *felt* |
| **se dépêcher** | **se... dépêché(e)(s)** | *hurried* |
| **se réveiller** | **se... réveillé(e)(s)** | *woke up* |

XAMPLES:   **J'y <u>suis allé(e)</u> une fois.**
*I went there one time.*

**Elle <u>s'est levée</u> à 8h.**
*She got up at 8 a.m.*

e past participle agrees in <u>gender</u> and <u>number</u> with the <u>subject</u>; remember that <u>reflexive pro-</u> <u>uns</u> must agree with the subject.

# CHAPTER 22

## LINKING ELEMENTS

It is common in conversation to start a sentence with a linking element. These sounds or words allow the speaker to focus attention on what is about to be said. They also give the speaker extra time to formulate his or her thoughts.

Here are some linking elements:

**ah**—*ah*  
**oh**—*oh*  
**eh bien**—*unfortunately*  
**enfin**—*finally, at last*  
**alors**—*well, in that case*  
**à propos**—*by the way*  

**en tout cas**—*in any event, in any case*  
**mais enfin**—*hold on*  
**voyons**—*let's see*  
**bon**—*well*  
**bon alors**—*well then*  

## THE VERB S'OCCUPER DE

The verb **s'occuper de** ('to take care of') requires the preposition **de**. Thus, when replacing the object of **s'occuper de** with a pronoun use **en**.

**Je m'occupe de la réservation > Je m'en occupe.**  
*I'm taking care of the reservation > I'm taking care of it.*

**Elle va s'occuper des billets > Elle va s'en occuper.**  
*She's going to take care of the tickets > She's going to take care of them.*

## THE FORMS OF PROCHAIN AND DERNIER

To express the idea of *next* and *last* in French, use **prochain** and **dernier**. Examples of the feminine and masculine forms can be found below:

| FEMININE: | **la semaine dernière**—*last week* |
| | **la semaine prochaine**—*next week* |

| MASCULINE: | **le mois prochain**—*next month* |
| | **le mois dernier**—*last month* |

Normally, these adjectives follow the nouns they modify. In some cases, they can precede, but then the meaning changes somewhat (e.g. "la dernière semaine" means 'the final week' [of a period of time]).

## rt Four: Exercises

A. Fill in the blanks.

ylvie: Bonjour, comment allez-vous?

Vous: Mais, très, très bien, merci.

ylvie: Je ne vous (1.)_____ pas, j'espère.

Vous: Oh non, pas du tout. J' (2.)_____ en train de lire le journal.

ylvie: Ah bon! Vous voulez aller au (3.)_____ ce soir? On joue "Un coup
le torchon" de Tavernier.

Vous: Merci, mais j'y (4.)_____ la semaine dernière.

ylvie: Oh! C'est (5.)_____! Comment l'avez-vous trouvé?

Vous: Excellent. Si vous voulez, on peut aller voir le dernier film avec Isabelle
Adjani.

ylvie: D'accord. A quelle (6.)_____?

Vous: A la séance de 20h30. On le joue à Publicis Saint-Germain. Nous pou-
rons nous retrouver au café à côté vers 7 heures et demie.

ylvie: C'est une bonne idée. A ce soir, alors.

Vous: Si on (7.)_____ à l'Opéra un jour.

ylvie: Mais oui, pourquoi pas la semaine prochaine.

Vous: D'accord. Voyons, qu'est-ce qu'on (8.)_____?

ylvie: Tiens, on joue "l'Arlésienne" mardi, mercredi, et (9.)_____.

Vous: "L'Arlésienne?" C'est de Gounod.

ylvie: Mais non, la (10.)_____ est de Bizet et l'histoire est d'Alphonse
Daudet, l'écrivain provençal.

Vous: 'Never heard of him'. En tout cas, ça commence à 21 heures. Qui s'occupe
les billets?

ylvie: Je (11.)_____ les prendre demain, je vais dans le quartier.

Vous: Quand et où nous retrouvons-nous?

ylvie: A 20h30, devant l'entrée principale?

Vous: Formidable. Vous prenez un autre Perrier?

ylvie: Non merci.

B. Rewrite in the passe compose: (be careful - some verbs will require "avoir" and others "être" as an auxiliary)

*Note: if "être" is the auxiliary, the past participle will agree in number and gender with the subject (or with the reflexive pronoun, in the case of reflexive verbs).*

1.  Elle se sent mal.

    _____

2.  Nous travaillons.

    _____

3.  Elles n'arrivent pas.

    _____

4   Sylvie va à Paris.

    _____

5.  Nous nous levons.

    _____

6.  Je cherche un taxi.

    _____

7.  Ils se dépêchent.

    _____

8.  Paul et Virginie partent.

    _____

9.  Nous trouvons un bon hôtel.

    _____

10. Elles se trouvent au Louvre.

    _____

. Rewrite replacing the noun with the pronoun "en":

*ote: remember that "en" takes the place of the preposition "de" + a noun.*

.   Elle s'occupe de ses affaires.

_____

.   Qui s'occupe des billets?

_____

.   Tu t'occupes de ta voiture?

_____

.   Nous nous occupons de la maison.

_____

.   Ils s'occupent de leur jardin.

_____

.   Je m'occupe de cela.

_____

.   Elle ne s'occupe pas de sa poupée (doll).

_____

.   Sylvie et Mireille s'occupent de leur appartement.

_____

.   Je ne m'occupe pas de ses problèmes.

_____

0.   Paul va s'occuper des billets.

_____

D. Unscramble the jumbled words to form a logical sentence.

1.  pas ne va se elle réveiller

_____

2.  du matin sont levés à sept ils se heures

_____

3.  sommes en train téléphone nous de répondre au

_____

4.  pharmacien est en train de remercier elle le

_____

5.  nous retrouver au café nous pouvons à côté à sept heures

_____

6.  nous allons en occuper nous

_____

7.  Genève nous travailler à voulons

_____

8.  un on allait si un film à jour

_____

9.  l'entrée prendrai les billets je devant principale

_____

10. elle s'est de la occupée réservation

_____

11. un pot amis je prendre vais avec des

_____

12. le film n'est extraordinaire pas il faut dire que

_____

. *Continued:*

3. jamais allée elle n'est à l'Opéra

   _____

4. il inviter à l'accompagner voudrait nous

   _____

5. accompagne demain je vous y

   _____

. Respond to the following situations. Use complete French sentences with all accents and punctuation.

   . You call a friend late at night. You hope you're not disturbing him. You say (use "te" as object pronoun):

   _____

   . The friend tells you she was watching TV. She says (use "être en train de" & "regarder la télé"):

   _____

   . Ask a female acquaintance if she wants to go to the movies this evening. Use "vous."

   _____

   . Tell them that a Louis Malle film is playing.

   _____

   . Your friend says that she went to the movies last week. She says:

   _____

E. *Continued:*

6.   Tell someone that you and a friend arrived at the movie theater for the eight thirty show. Use "official" time.

   _____

7.   You missed an opportunity to see a terrific film. You say:

   _____

8.   Tell someone you'll see them soon.

   _____

9.   Tell someone you'll see them tomorrow.

   _____

10.   You ask who's going to take care of the tickets. You say:

   _____

11.   Your friend says that she is. She says (use an object pronoun):

   _____

12.   Your friend asks you what's playing next week. He says:

   _____

13.   You suggest that you go to dinner. You say (use "Si" and the imperfect tense of "aller"):

   _____

14.   Tell your French boss that you are going to New York next month.

   _____

*Continued:*

5.  Tell your "concierge" that you went to Switzerland ("en Suisse") last month.

    _____

6.  Tell someone that your French friend Sylvie took care of the reservation. Use a subject pronoun to refer to Sylvie.

    _____

7.  Ask who the writer of the story is.

    _____

8.  Ask whom the music is by. (Begin with "De qui ... ")

    _____

# A Dinner Invitation

# CHAPTER 23

## Part One: Vocabulary

| FRANÇAIS | ENGLISH |
|---|---|
| bouquet, le | bouquet |
| cent dix-huit (118)[1] | one-eighteen (house number) |
| cher (m., adj.)[2] | dear |
| cinquième (m. & f., adj.) | fifth |
| commencez, vous (commencer) | begin, you (to begin) |
| commerciale (f., adj.) | business |
| conseils, les (m., pl.) | advice |
| entrez (entrer, imp!) | enter, come in (to enter, imperative) |
| eux | them |
| femme, la | wife, woman |
| fille, la | daughter |
| fils, le[3] | son |
| fleurs, les (f., pl.) | flowers |
| font beaucoup de tra-la-la, ils (faire…, id.) | make a really big fuss, they (to make…) |
| Français, les | French people |
| frappez, vous (frapper) | knock, you (to knock) |
| invitent, ils (inviter) | invite, they (to invite) |
| magnifiques (f., pl.) | magnificent, wonderful |
| mettent les petits plats dans les grands, ils (mettre…, id.)[4] | put on a wonderful dinner, they (to put on…) |
| minuterie, la | light switch, timer |
| offrez, vous (offrir) | offer, you (to offer) |
| passons (passer, imp!)[5] | let's move! (usually: to stop by, to drop by, imperative) |
| penser | to think |
| pensez tout haut, vous (penser…, id.) | think out loud, you (to think out loud) |
| porte, la | door |
| présenter[6] | to introduce |
| professeur, le[7] | professor, instructor, teacher |
| reçoivent, ils (recevoir)[8] | entertain at home, they (to entertain at home) |
| salon, le | living room |
| section, la | department |
| suivi à la lettre (suivre…, past part., id.) | followed to the letter (to follow to the letter, past part.) |
| surprenant (m., adj.)[9] | surprising |
| tenez (tenir, imp!) | here, hold (to hold, imperative) |
| travaille, il (travailler) | he works (to work) |

## ocabulary Notes

[1] "cent dix-huit": 118 ('one-eighteen'). Note that street numbers of buildings and residences in French use "hundreds" and "thousands," while in English the tendency is to separate figures. EX: 328 > " trois cent vingt-huit" ('three-twenty-eight'); 1615 > "mil six cent quinze" ('sixteen-fifteen').

[2] "cher": dear. In reference to a person or group of people, "cher" does not mean 'expensive,' but rather 'dear.'

[3] "fils": son. Note that the final "-s" of the word is pronounced but not the "l." When "fils" is pronounced with the "l" but without the final "-s," it means 'wires, threads.'

[4] "mettent les petits plats dans les grands, ils": they put on a wonderful dinner (literally: they put small dishes in large ones). This is an idiomatic expression meaning 'they go to a lot of trouble.'

[5] "passons": let's move (literally: 'let's pass by, let's drop by'). The use of the imperative form of "nous" takes on the meaning of 'let's + verb,' as opposed to the imperative forms of "tu" and "vous."

[6] "présenter": to introduce. Note that the verb "introduire" is a false cognate, meaning 'to insert.'

[7] "professeur, le": professor, instructor, teacher. It is important to note that "professeur" can be used for high school teachers on up through college professors. "Maître (m.)/maîtresse (f.)" correspond to 'grade school teacher,' as do "instituteur (m.)/institutrice (f.)."

[8] "reçoivent, ils": they entertain at home (literally: they receive). EX: "Ils reçoivent beaucoup" ('They entertain a lot at home').

[9] "surprenant": surprising. The related verb form is "surprendre" ('to surprise').

# CHAPTER 23

## Part Two: The Story

| **FRANÇAIS** | ENGLISH |
|---|---|

**S T O R Y**

•En général, les Français n'invitent pas très souvent chez eux.
•C'est parce qu'ils mettent les petits plats dans les grands et qu'ils font beaucoup de tra-la-la quand ils reçoivent.
•Mais ce soir, vous êtes invité à dîner chez M. et Mme Gillette.
•M. Gillette travaille dans la section commerciale de l'ambassade.
•Vous suivez à la lettre les conseils de votre professeur de français et vous leur apportez un beau bouquet de fleurs.
•C'est surprenant mais vous commencez à penser en français.
•Vous pensez tout haut...

•Generally, the French don't invite people over very often.
•This is because they go to a lot of trouble and fuss when they entertain.

•But this evening you are invited to dinner at the Gillette's.
•Mr. Gillette works in the business department of the embassy.
•You follow to the letter the advice of your French teacher, bringing them a beautiful bouquet of flowers.

•It's surprising, but you're beginning to think in French.
•You're thinking out loud ....

**A C T I O N**

VOUS: 118 (cent dix-huit), rue de Javel, c'est ici. Où est la minuterie? Ah, voilà. Au 5ème (cinquième) étage et il n'y a pas d'ascenseur. Enfin! Allons-y!

*Vous frappez à la porte.*

M. GILLETTE: Bonjour, entrez, entrez, cher ami.
VOUS: Merci. Tenez.

*Vous offrez les fleurs.*

M. GILLETTE: Mais ces fleurs sont magnifiques! Je vais les donner à ma femme. Elle est en train de mettre la table.
VOUS: Quel grand appartement!
M. GILLETTE: Oh! Pas si grand que ça. Passons au salon prendre un apéritif. Je voudrais vous présenter ma fille, Chantal, et mon fils, Alain.

YOU: 118, rue de Javel, here it is. Where's the light switch? Ah, there. On the fifth floor and no elevator. Finally! Here we go!

*You knock on the door.*

M. GILLETTE: Hello, come in, come in, dear friend.
YOU: Thanks. Here.

*You present the flowers.*

M. GILLETTE: Why, these flowers are magnificent! I'm going to give them to my wife. She's setting the table.
YOU: What a big apartment!
M. GILLETTE: Oh! It's not so big. Let's move to the living room and have a drink. I'd like to introduce you to my daughter, Chantal, and my son, Alain.

## Part Three: The Grammar

INDIRECT OBJECT PRONOUNS **LUI** AND **LEUR**

You have already learned the direct object pronouns **le, la,** and **les.** In this chapter you will practice using the indirect object pronouns **lui** and **leur.**

Here are some examples of <u>indirect object pronouns</u>:

> **Je parle <u>à ma soeur</u> > Je <u>lui</u> parle.**
> *I speak to my sister > I speak to her.*

> **Elle téléphone <u>à son frère</u> > Elle <u>lui</u> téléphone.**
> *She calls her brother > She calls him.*

> **Il apporte des fleurs <u>à M. et Mme Gillette</u> > Il <u>leur</u> apporte des fleurs.**
> *He brings flowers to Mr. and Mrs. Gillette > He brings them flowers.*

Distinguishing between direct and indirect objects is easy in French. When an object is preceded by **à,** it is an indirect object that can be replaced by **lui** (sg., 'to him,' 'to her') or **leur** (pl., 'to them'). As with other object pronouns, **lui** and **leur** precede the verb.

DIRECT:  **Je cherche <u>le dictionnaire</u> > Je <u>le</u> cherche.**
I look *for the dictionary > I look for <u>it</u>.*
[*it* is an object of a preposition in English]

INDIRECT:  **Je donne le dictionnaire <u>à Paul</u> > Je <u>lui</u> donne le dictionnaire.**
*I give the dictionary to Paul > I give the dictionary to him.*

## Part Four: Exercises

A. Fill in the blanks.

Vous: 118, rue de Javel, c'est ici. Où est la (1.)_____? Ah, voilà. Au 5ème étage et il n'y a pas d' (2.)_____. Enfin! Allons-y!

M. Gillette: Bonjour, entrez, (3.)_____, cher ami.

Vous: Merci. Tenez.

M. Gillette: Mais (4.)_____ sont (5.)_____! Je vais les donner à ma femme. Elle est (6.)_____ mettre la table.

Vous: Quel grand (7.)_____!

M. Gillette: Oh! Pas si grand que ça. Passons au salon prendre un (8.)_____. Je voudrais vous présenter ma fille, Chantal, et mon fils, Alain.

B. Answer the question using the correct object pronoun  (le, la, les, lui, leur, en, y).

*Note: preface your answer with a "oui" or "non," depending on the clue.*

1.  Est-ce qu'il remercie son frère?  (oui)

    _____

2.  Ecoute-t-elle sa soeur?  (non)

    _____

3.  Est-ce que Michel va aux Etats-Unis?  (oui)

    _____

4.  Est-ce que tu prends du pain?  (non)

    _____

5.  Est-ce que vous parlez à votre père?  (oui)

    _____

6.  Tes amis téléphonent-ils à leurs parents.  (oui)

    _____

**B.** *Continued:*

7. Est-ce qu'il va retrouver ses amis? (non)

_____

8. Est-ce que tu as acheté du vin? (oui)

_____

9. Est-ce que vous êtes arrivé à l'ambassade? (oui)

_____

10. Tu apportes des fleurs? (non)

_____

**C.** Write in the pronoun next to the noun(s) it replaces:

| QUESTIONS | PRONOUNS |
|---|---|

1. _____ en France      leur
       le
2. _____ trois pommes      la
       les
3. _____ à l'agent de police      y
       en
4. _____ aux enfants      lui
5. _____ les garçons
6. _____ le marchand
7. _____ la voiture

# CHAPTER 23

D. Unscramble the jumbled words to form a logical sentence.

1.　bouquet apporte un je leur

_____

2.　mettre la table femme est en train ma de

_____

3.　n'y a pas d'ascenseur il

_____

4.　quand ils reçoivent Français les de tra la la font beaucoup

_____

5.　voudrais vous présenter je mon fils Alain

_____

6.　n'invitent pas très souvent les Français chez eux

_____

7.　sommes nous chez des collègues invités à dîner

_____

8.　de leur apporter un fleurs il faut beau bouquet

_____

9.　tu commences à penser est-ce que en français?

_____

10.　dans la section commerciale il travaille du consulat

_____

11.　pas si appartement n'est grand que ça notre

_____

12.　vais donner je à ma ces fleurs fille

_____

**D. Continued:**

13. apéritif un prendre va on

_____

14. à sa femme et à ses il présenté m'a enfants

_____

15. minuterie est près de la l'ascenseur

_____

**E.** Respond to the following situations. Use complete French sentences with all accents and punctuation.

1. You're handing someone some flowers. What do you say?

_____

2. You're impressed at the size of your French colleague's living room. You say:

_____

3. Your colleague tells you that his wife is setting the table. He says:

_____

4. You would like to introduce your wife, Carole, to a colleague. You say:

_____

5. Tell your colleague that the two of you would like to have a drink ("un apéritif").

_____

E. *Continued:*

6.     As you leave your host's apartment, ask him where the light switch is.

     _____

7.     Your French host calls and tells you he lives on the fourth floor.  He says:

     _____

8.     Inform your concierge that you're going to bring some flowers to M. and Mme Gillette.  Use an object pronoun to refer to the Gillettes.

     _____

9.     Mme Gillette gave her son a new watch ("une nouvelle montre").  Tell a French colleague about it.  Use a pronoun to refer to the son and Mme Gillette.

     _____

10.    Ask someone what floor they live on.  Use "vous."

     _____

# GETTING A HAIRCUT

## Part One: Vocabulary

| FRANÇAIS | ENGLISH |
|---|---|
| arrive, j' (arrive) | arrive, I (to arrive) |
| attend, il (attendre) | is waiting for/expects, he (to wait for, to expect) |
| brushing, le[1] | blow dry, styling |
| celle-là | that one |
| cheveux, les (m., pl.)[2] | hair |
| cinq francs (5F) | five francs |
| coiffeur, le | hairdresser |
| coupe, la[3] | cut |
| de toute façon | anyway |
| deux heures trente (2h30) | 2:30 p.m. |
| douce (f., adj.) | soft, smooth, gentle |
| émotif (m., adj.)[4] | emotional |
| entendez, vous (entendre) | hear/understand, you (to hear, to understand) |
| entendu dire (entendre dire, past part.) | heard (to hear, past part.) |
| explosion, l' (f.)[5] | explosion |
| facilement | easily |
| folle, la[6] | lunatic |
| fond, le | bottom, back |
| honteux (m., adj.)[7] | shameful |
| instant, l' (m.) | moment |
| j'en ai par-dessus la tête (id.) | I'm fed up |
| ongles, les (m., pl.) | fingernails |
| pourboire, le | tip, gratuity |
| prend, elle (prendre) | takes, she (to take) |
| recommandé (recommander, past part.) | recommended (to recommend) |
| rinçage, le | rinse |
| s'énerve, il (s'énerver)[8] | loses his temper, he (to lose one's temper) |
| salon de coiffure, le | hairdresser's salon, beauty shop |
| scandale, le | scandal |
| sera, il (être, fut.) | will be, he (to be, fut.) |
| shampooing, le | shampoo |
| tout d'un coup | all of a sudden, suddenly |
| travailler | to work |
| unisexe (m., adj.) | unisex |
| voix, la | voice |
| vous asseyez, vous (s'asseoir) | sit down/seat yourself, you (to sit down, to seat oneself) |
| vu (voir, past part.) | seen (to see, past part.) |

## Vocabulary Notes

[1] "brushing, le": blow dry, styling. You will often hear words that come from English but are used in a different way. EX: "un self" ('a cafeteria'); "un living" ('a living room'); "un smoking" ('a tuxedo'). Note: English words used in French are usually masculine.

[2] "cheveux, les": hair. Contrary to English, the word is used in the plural in French and means only the hair on your head.

[3] "coupe, la": cut. If you are at the hairdresser's, there is no need to say "une coupe de cheveux" ('a haircut'). The word "cheveux" is understood. The same sort of thing happens in many circumstances. For example, if you are in a café, there is no need to ask for "une tasse de café." You just ask for "un café." Naturally, it will be in a cup!

[4] "émotif": emotional. The related noun form is "émotion" (f.). EX: "J'ai quitté mes parents avec beaucoup d'émotion" ('I left my parents with a lot of emotion,' i.e., 'I was very upset when I left my parents').

[5] "explosion, l" (f.): explosion. Words ending in "-sion" and "-tion" are usually feminine.

[6] "folle, la": lunatic (female). A male lunatic would be "un fou."

[7] "honteux" in "c'est honteux": it's shameful, it's a shame. Here are some other ways to express indignation in French: "c'est scandaleux!; c'est affreux!; c'est impensable! c'est terrible!" If you're pleased, you might say "c'est formidable!, c'est merveilleux!, c'est parfait!, c'est superbe!"

[8] "s'énerve, il": he loses his temper. If you are truly angry, use the verb "se fâcher" ('to get angry').

## Part Two: The Story

**FRANÇAIS**    ENGLISH

**STORY**

•Depuis que vous êtes à Paris, vous n'êtes pas encore allé chez le coiffeur et vous avez besoin d'une coupe de cheveux.

•Vous avez rendez-vous chez un coiffeur unisexe, recommandé par une collègue.

•Le salon de coiffure se trouve près de la Place des Ternes.

•Vous avez entendu dire que Stéphane était un excellent coiffeur mais qu'il est très émotif et qu'il s'énerve facilement.

•Since you've been in Paris you haven't gone to the hairdresser yet, and you really need a haircut.

•You have an appointment at a unisex hairdresser recommended by a colleague.

•The hairdresser's salon is near the Place des Ternes.

•You have heard that Stéphane is a very good hairdresser, but that he is very emotional and loses his temper easily.

**ACTION**

LA DAME: Bonjour, monsieur.
VOUS: J'ai rendez-vous à 2h30 (deux heures trente). Monsieur Thomas. C'est pour une coupe et un brushing.
LA DAME: Ah, mais oui! Voilà votre nom. Asseyez-vous. Stéphane sera à vous dans un instant. On vous fait les ongles?
VOUS: Non, merci. Pas aujourd'hui.

LADY: Hello, sir.
YOU: I have an appointment at 2:30 p.m. Mr. Thomas. It's for a haircut and styling.
LADY: Of course! Here's your name. Please have a seat. Stéphane will be with you in a moment. Shall we do your nails?
YOU: No thanks. Not today.

*Vous vous asseyez et, tout d'un coup, vous entendez une explosion de voix au fond du salon.*

*You sit down and suddenly you hear an explosion of voices from the back of the salon.*

STEPHANE: Non, mais vous avez vu ça? Un pourboire de 5F (cinq francs). Mais pour qui me prend-elle? C'est honteux! C'est un scandale! Une vraie folle celle-là. J'en ai par-dessus la tête de travailler ici et puis, de toute façon... heu...
LA DAME: Stéphane, Stéphane, votre client vous attend.
STEPHANE: Bon, bon, j'arrive.

STEPHANE: Did you see that? A 5 franc tip. What does she take me for? It's shameful! It's scandalous! A real lunatic, that one. I'm fed up with working here, and, in any case...uh ...

LADY: Stéphane, Stéphane, your customer's waiting for you.
STEPHANE: OK, I'm on my way.

*D'une voix très douce.*

*In a very gentle voice.*

STEPHANE: Bonjour, monsieur. On va vous faire un shampooing? Vous voulez un rinçage?
VOUS: Non, merci. Juste une coupe et un brushing.
STEPHANE: C'est parfait. Tenez, voilà un "Paris-Match."

STEPHANE: Good morning, sir. Do you want a shampoo? Do you want a rinse?
YOU: No, thanks. Just a haircut and styling.
STEPHANE: That's fine. Here's a "Paris-Match".

## Part Three: The Grammar

EXPRESSIONS WITH **FAIRE**

The verb **faire**\* ('to do, to make') is used in a number of useful expressions. You have already seen the following expressions in earlier chapters:

>**faire un shampooing**—*to shampoo*
>**faire le lit**—*to make the bed*
>**faire des courses**—*to go shopping*
>**ça ne fait rien**—*it doesn't matter*
>**se faire les ongles**—*to do one's nails*
>**il fait beau**—*the weather is nice*
>**il fait froid**—*it's cold*
>**il fait chaud**—*it's warm*

Here are a few new expressions:

>**faire un discours**—*to give a speech*
>**faire ses bagages**—*to pack*
>**faire sa valise**—*to pack a suitcase*
>**faire ses amitiés**—*to give one's best regards*

\*See Chapter 13 for a complete conjugation of **faire** in the present tense.·

## Part Four: Exercises

A. Fill in the blanks.

La dame: Bonjour, monsieur.
Vous: J'ai rendez-vous à 2 heures 30. Monsieur Thomas. C'est pour une (1.)_____ et un brushing.
La dame: Ah, mais oui! Voilà votre nom. (2.)_____. Stéphane (3.)_____ à vous dans un instant. On vous fait les ongles?
Vous: Non, merci. Pas aujourd'hui.
Stéphane: Non, mais vous avez vu ça? Un (4.)_____ de 5 francs. Mais pour (5.)_____ me prend-elle? C'est honteux! C'est un (6.)_____!
Une vraie folle celle-là. J'en ai par-dessus la tête de (7.)_____ ici et puis, de toute façon ... heu ...
La dame: Stéphane, Stéphane, votre client vous attend.
Stéphane: Bon, bon, j'arrive.
Stéphane: Bonjour, monsieur. On (8.)_____ un shampooing? Vous (9.)_____ un rinçage?
Vous: Non, merci. Juste une coupe et un brushing.
Stéphane: C'est parfait. (10.)_____, voilà un "Paris-Match."

B. Give the correct form of "faire":

1.    Je dois _____ ce soir. (pack)

2.    Il _____ en Afrique. (It's warm ...)

3.    Est-ce que le président va _____? (make a speech)

4.    _____. (It doesn't matter.)

5.    _____ à votre femme. (Give my best ...)

6.    Il _____ toujours _____ à Paris. (It's ... cold ...)

7.    Avant de partir, tu dois _____. (make the bed)

C. Complete the sentence with the correct form of "faire":

| QUESTIONS | WORDS |
|---|---|

1. Il va _____ beau.

    fait
    faisons
2. Ils _____ leurs bagages.

    faites
    font
3. Qu'est-ce que vous _____ ?

    faire
    fais
4. Je _____ de mon mieux.

5. Il _____ froid.

6. Nous _____ des courses.

D. Unscramble the jumbled words to form a logical sentence.

1. faire ma je vais valise

_____

2. doit matin faire des courses elle ce

_____

3. shampooing vous on va faire un

_____

4. de la le en face gare restaurant n'est pas

_____

5. il ne de veut pas faire discours

_____

6. pas encore allé chez je ne suis le coiffeur

_____

7. besoin d'une coupe j'ai de cheveux

_____

**D.** *Continued:*

8. collègue bon coiffeur a recommandé ma un

   _____

9. directeur facilement s'énerve mon très

   _____

10. se trouve près de des Ternes le salon de la Place coiffure

    _____

11. quand est-ce que depuis vous êtes à Paris?

    _____

12. de travailler ici j'en ai par-dessus la tête

    _____

13. ongles les ? est-ce vous qu'on fait

    _____

14. sera à nous dans il un instant

    _____

15. de nous nous a dit asseoir on

    _____

**E.** Respond to the following situations. Use complete French sentences with all accents and punctuation.

1. The manicurist asks if she can do your nails. She says:

   _____

2. Tell her not today.

   _____

**E.** *Continued:*

3.  Tell her just a cut and styling.

    _____

4.  She tells you that the hairdresser will be with you in a moment. She says:

    _____

5.  The hairdresser asks if you need a shampoo. He says: (begin with "On va vous faire ... ")

    _____

6.  You give the hairdresser a 10 franc tip. You say: (begin with "Voici")

    _____

7.  Inform your boss that you are tired of working there (use "ici" in this case).

    _____

8.  He ignores you and tells you your customer is waiting for you. He says:

    _____

9.  Tell your boss that you need a haircut.

    _____

10. When you arrive at the hairdresser, the receptionist asks you to have a seat. She says:

    _____

CHAPTER

# 25

# BUYING THINGS

# CHAPTER 25

## Part One: Vocabulary

| **FRANÇAIS** | ENGLISH |
|---|---|
| adaptateur, l' (m.) | adapter |
| allemand (m., adj.) | German |
| an, l' (m.) | year |
| appareils ménagers, les (m., adj.)[1] | home appliances |
| appareils, les (m., pl.) | appliances |
| B.H.V. (Bazar de l'Hôtel de Ville), le | Hotel de Ville's Bazaar |
| brancher[2] | to plug in |
| cent dix (110)[3] | one-ten (electrical current) |
| choix, le | choice |
| coûté (coûter, past part.) | cost (to cost, past part.) |
| deux cents francs (200F) | two hundred francs |
| garantie, la | warranty, guarantee |
| genre, le[4] | kind, type |
| justement | exactly |
| marque, la | brand, mark, trademark |
| modèle, le | model |
| moins...que | less… than |
| pardon | pardon me |
| plus...que | more… than |
| prévu (prévoir, past part.)[5] | expected (to expect, past part.) |
| quand même[6] | just the same |
| quatre cent vingt francs (420F) | four hundred twenty francs |
| quoi[7] | what |
| sans compter | not counting, not including |
| sèche-cheveux, le[8] | hair dryer |
| sur du deux cent vingt (220)[9] | (in)to two-twenty (electrical current) |

## ocabulary Notes

"appareils, les": home appliances (also: 'machinery, appliances, contrivances, devices'). "Un ppareil-photo" is 'a camera.' Note that "une caméra" is actually 'a movie camera' in French.

"brancher": to plug in. The past participle of this verb with "être" ("être branché") has taken on slang meaning in French, i.e., 'to be in' or 'connected' with things.

"cent dix": 110 (one-ten). Electrical current or voltage.

"genre, le": sort, kind, type. EX: "Je n'aime pas ce genre de choses" ('I don't like this kind of hing'); "Elle aime beaucoup ce genre de vêtements" ('She likes this kind of clothing a lot').

"prévu": expected (past participle of the verb "prévoir"). EX: "plus cher que prévu" ('more xpensive than expected'); "Il est parti plus tard que prévu" ('He left later than expected'); "Je révois deux heures de retard" ('I expect a two-hour delay').

"quand même": just the same. You can also say "tout de même" to express the same idea.

"quoi": what. Used sometimes at the end of a sentence as a way of inviting agreement with the peaker. The British do the same sort of thing with the word 'what.' EX: "Deux visites chez le oiffeur, quoi!" ('Two visits to the hairdresser, what!').

"sèche-cheveux, le": hair dryer. The word "le séchoir" is also used.

"sur du 220": into two-twenty. Used with the verb "brancher," "sur du 110/220" means 'to plug nto 110/220 electrical current.'

## ADDITIONAL VOCABULARY

Here are some more appliances:

**la machine à laver**--*washing machine*
**la machine à coudre**--*sewing machine*
**le fer à repasser**--*iron*
**la cuisinière**--*stove/range*
**le lave-vaisselle**--*dishwasher*

# CHAPTER 25

## Part Two: The Story

|  | FRANÇAIS | ENGLISH |

**S T O R Y**

•Votre séance chez le coiffeur vous a coûté beaucoup plus que prévu.
•Plus de 200F (deux cents francs), sans compter les pourboires!
•Vous décidez d'acheter tout de suite un nouveau sèche-cheveux.
•Pour ce genre d'appareils, on vous a recommandé le B.H.V. (Bazar de l'Hôtel de Ville), qui se trouve justement après la Place de l'Hôtel de Ville et à quatre stations de métro seulement de la Concorde.

•Your appointment at the hairdresser cost a lot more than you had expected.
•More than 200 francs, not counting tips!
•You decide to buy a new hair dryer right away.
•For this kind of appliance, the B.H.V. (Bazar de l'Hôtel de Ville) was recommended, which is located right next to the Place de l'Hôtel de Ville, only four metro stops from Concorde.

**A C T I O N**

VOUS: Pardon, madame, pour les sèche-cheveux?
UNE DAME: C'est là-bas, à côté du rayon des appareils ménagers.
VOUS: Ah oui, merci.
--------------------
VOUS: Bonjour, monsieur. Je voudrais voir les sèche-cheveux.
LE VENDEUR: Nous avons un très grand choix. Tenez, je vous recommande ce petit Calor, une bonne marque française.
VOUS: Combien coûte-t-il?
LE VENDEUR: Regardez, on peut tout faire avec ça. Vous pouvez faire des brushings, des...
VOUS: Oui, mais combien coûte-t-il?
LE VENDEUR: Et regardez, il y a un adaptateur. Vous pouvez le brancher sur du 220 (deux cent vingt) et sur du 110 (cent dix).
VOUS: Combien...
LE VENDEUR: Il n'est pas cher du tout, 420F (quatre cent vingt francs). Deux visites chez le coiffeur, quoi!
VOUS: Quand même, c'est un peu cher. Il y a une garantie?
LE VENDEUR: Mais naturellement, une garantie d'un an.
VOUS: Vous n'avez pas un modèle un peu moins cher que ça?
LE VENDEUR: Bien sûr. Si vous voulez, nous avons ce modèle allemand.

YOU: Pardon me, where are your hair dryers?
LADY: They're over there, next to the household appliances department.
YOU: Yes, thanks.
--------------------
YOU: Hello. I'd like to see the hair dryers.
SALESMAN: We have a very large selection. Here, I recommend this little Calor, a good French brand.
YOU: How much does it cost?
SALESMAN: Look, you can do everything with it. You can style your hair, you can ...
YOU: Yes, but how much does it cost?
SALESMAN: And look, there is an adapter. You can plug it in to 220 or 110.
YOU: How much...
SALESMAN: It's not at all expensive, 420 francs. Two trips to the hairdresser!
YOU: Just the same, it's a little expensive. Is there a warranty?
SALEMAN: Of course, it's guaranteed for a year.
YOU: You don't have a less expensive model than that?
SALESMAN: Certainly. If you want, we have this German model.

## art Three: The Grammar

### INDICATING DISTANCE WITH A... DE

To indicate <u>distances</u> or the <u>time</u> it takes to cover a certain distance use the prepositions **à... de**. Study the following examples:

> **J'habite à quatre kilomètres de mon bureau.**
> *I live four kilometers from my office.*

> **Nice est à environ 1.000 kilomètres de Paris.**
> *Nice is about 1,000 kilometers from Paris.*

> **C'est à quatre stations de métro de la Concorde.**
> *It's four metro stops from the Concorde.*

> **Chartres est à une heure de Paris.**
> *Chartres is one hour from Paris.*

### COMPARATIVE CONSTRUCTIONS **PLUS QUE, MOINS QUE, AUSSI QUE**

In Chapter 10, you learned the difference between **plus** ('more') and **moins** ('less').

> **À Paris on arrive <u>plus vite</u> par le métro et c'est <u>moins cher</u>.**
> *In Paris one arrives quicker by metro and it is less expensive.*

In this chapter, you will practice using **plus... que**, **moins... que**, and **aussi... que**, meaning *more... than*, *less... than*, and *as... as*. Here are examples of the three expressions:

> **Cette voiture est <u>plus</u> chère <u>que</u> l'autre.**
> *This car is more expensive than the other.*

> **Il fait <u>moins</u> chaud à Paris <u>qu</u>'à Nice.**
> *It's cooler (less warm) in Paris than in Nice.*

> **Il travaille <u>aussi</u> dur <u>que</u> sa soeur.**
> *He's working as hard as his sister.*

Note that **aussi**, **moins**, or **plus** begins the comparison and precedes a noun, adjective, or adverb. **Que** comes right before the word(s) with which the comparison is made.

# CHAPTER 25

## Part Four: Exercises

A. Fill in the blanks.

Vous: Pardon, madame, pour les (1.)_____ ?
Une dame: C'est là-bas, à côté du rayon des (2.)_____.
Vous: Ah oui, merci.
Vous: Bonjour, monsieur. Je voudrais (3.)_____ les sèche-cheveux.
Le vendeur: Nous avons un très grand choix. Tenez, je vous
(4.)_____ ce petit Calor, une bonne (5.)_____ française.
Vous: Combien coûte-t-il?
Le vendeur: Regardez, on peut (6.)_____avec ça. Vous pouvez faire des brushings, des ...
Vous: Oui, mais combien coûte-t-il?
Le vendeur: Et regardez, il y a un adaptateur. Vous pouvez le
(7.)_____ sur du 220 et sur du 110.
Vous: Combien ...
Le vendeur: Il n'est pas cher du tout, 420 francs. Deux visites chez le
(8.)_____, quoi!
Vous: Quand même, c'est un peu cher. Il y a une (9.)_____?
Le vendeur: Mais naturellement, une garantie d'un an.
Vous: Vous n'avez pas un modèle un peu (10.)_____cher que ça?
Le vendeur: Bien sûr. Si vous voulez, nous avons ce modèle allemand.

B. Make comparisons using the elements provided + "moins...que, "aussi...que", and "plus...que". Note: when an adjective is used in the comparison it must agree in number and gender with the noun to which it refers.

1.  Ce sèche-cheveux / moins cher / l'autre (être)

    _____

2.  Ton pull / plus joli / son pull (être)

    _____

3.  Votre jupe / plus cher / ma jupe. (être)

    _____

B. *Continued:*

4.  Je / moins vite / mon frère (travailler)

    _____

5.  Ta coiffure / aussi belle / la mienne [mine]  (être)

    _____

6.  Il / moins chaud à Paris / à Nice.  (faire)

    _____

7.  Vous / un modèle moins cher / ça?  (avoir)

    _____

8.  Ce modèle-ci / aussi cher / l'autre  (être)

    _____

C. Complete into each sentence with the appropriate adjective or adverb.

| QUESTIONS | WORDS |
|---|---|
| 1.  Je travaille plus _____ que lui. (faster) | vite |
| | dur |
| 2.  C'est moins _____ que ça. (hard) | facile |
| | vieux |
| 3.  Le français est plus _____ que l'anglais. (easy) | jeune |
| | cher |
| 4.  Le monsieur est moins _____ que son frère. (old) | |
| 5.  Votre professeur est très _____ . (young) | |
| 6.  Ce dessert est très _____ (expensive). | |

D. Unscramble the jumbled words to form a logical sentence.

1.   vous d'argent que j'ai moins

2.   mes amis est partie plus tard elle que

3.   Ford coûte plus cher une Jaguar qu'une

4.   à dix kilomètres de l'aéroport se trouve chez moi

5.   plus intelligente que Corinne est beaucoup son frère

6.   prévu robe a cette que coûté plus

7.   pourboire le ! n'oubliez pas

8.   un allez sèche-cheveux nouveau vous acheter

9.   payé plus de deux cent nous avons cinquante francs

10.   sont vos appareils où ménagers?

11.   faut un il adaptateur acheter

12.   ce est modèle cher un peu plus que l'autre

D. *Continued:*

13. garantie a d'un an il y une

_____

14. tout faire modèle on avec ce peut

_____

15. que c'est une française marque est-ce ?

_____

E. Respond to the following situations. Use complete French sentences with all accents and punctuation.

1. You're looking for a new hair dryer. The salesperson tells you they're over there. She says:

_____

2. You still can't find them. She tells you they're next to the household appliances department. She says:

_____

3. You ask how much one costs. Use inversion. You say:

_____

4. It costs five hundred thirty-five francs. She says: (begin with "Ça coûte ..." and write out numbers)

_____

5. Tell her that it's a little too expensive.

_____

E. *Continued:*

6.    Ask her if she has a less expensive model than that.

_____

7.    She tells you that they (begin with "Nous") have an Italian model.

_____

8.    She adds that there is an adapter and that you can plug it into 220 or 110.

_____

9.    Tell the salesperson that this hair dryer is a lot less expensive than the other.

_____

# CHAPTER

# 26

# A RUN-IN WITH THE LAW

## Part One: Vocabulary

| FRANÇAIS | ENGLISH |
|---|---|
| à la hauteur de | at the intersection of |
| abîmées (f., pl., adj.) | damaged |
| accident, l' (m.) | accident |
| agent de police, l' (m.) | police officer |
| ai l'habitude, j' (avoir..., id.) | am used to, I (to be used to) |
| aile, l' (f.) | fender |
| aimez, vous (aimer) | love, you (to love) |
| amende, l' | fine, ticket |
| arrivant (arriver, pres. part.)[1] | coming from, arriving (to come/to arrive, pres. part.) |
| attrapé (attraper, past part.)[2] | received, caught (to receive/to catch, past part.) |
| autoroute, l' (f.) | expressway |
| belle (f., adj.) | beautiful |
| brûle le feu rouge, elle (brûler..., id.)[3] | runs the red light, she (to run...) |
| brûlé (brûler, past part.)[4] | run, burned (usually: to burn, past part.) |
| c'est-à-dire | that is to say, in other words |
| ça suffit | that's enough |
| carte grise, la | registration |
| cent trente kilomètres à l'heure (130km/h) | one hundred and thirty kilometers per hour |
| circulation, la | traffic |
| clair (m., adj.) | clear |
| collision, la | wreck, collision |
| compris (comprendre, past part.) | understood (to understand, past part.) |
| conduisez, vous (conduire)[5] | drive, you (to drive) |
| constat, le | certified report, official report |
| continuent, ils (continuer) | continue, they (to continue) |
| continuez, vous (continuer) | continue, you (to continue) |
| contraventions, les (f., pl.) | traffic tickets |
| dire[6] | to say, to tell |
| disque, le | disc |
| dresser un constat (id.) | to fill out a report |
| droite, la | right |
| du calme! | calm down! |
| en direction | towards |
| et alors? | and then? |
| étiez, vous (être, imperf.) | were, you (to be, imperf.) |
| feu, le[7] | light (usually: fire) |
| furieux (m. adj.) | furious |
| garé (m., adj.) | parked |
| gauche (f., adj.) | left |
| gentil (m., adj.) | nice, kind |
| jardins, les (m., pl.) | gardens |
| laissé (laisser, past part.) | left behind (to leave behind, past part.) |
| lentement | slowly |
| limite, la | limit |

## Part One: Vocabulary

| **FRANÇAIS** | ENGLISH |
|---|---|
| louée (f., adj.) | rental (usually: rented) |
| ne vous en faites pas (s'en faire, imp!, id.) | don't worry (to worry, imperative) |
| ne vous énervez pas (s'énerver, imp!)[8] | don't get excited (to get excited, imperative) |
| oublié (oublier, past, part.) | forgotten (to forget) |
| papiers, les (m., pl.) | papers |
| passeport, le | passport |
| pensais, je (penser, imperf.) | was thinking/used to think, I (to think, imperf.) |
| permis de conduire, le | driver's license |
| pièces d'identité, les (f., pl.) | identification |
| pleure, elle (pleure) | cries, she (to cry) |
| pollution, la | pollution |
| portière, la | door |
| prends, je (prendre) | take, I (to take) |
| problèmes, les (m., pl.) | problems |
| quoi? | what? |
| remontant (remonter, pres. part.)[9] | going up (to go up, pres. part.) |
| rentre, elle (rentrer)[10] | hits, she (to hit) |
| rien | nothing |
| roulez, vous (rouler) | drive, you (to drive) |
| s'approche, il (s'approcher) | approaches, he (to approach) |
| sert, ça (servir) | serves, that (to serve) |
| vieille (f., adj.)[11] | old |
| voici | here is, here are |
| volant, le[12] | steering wheel |
| zone bleue, la | restricted zone |

## Vocabulary Notes

[1] "arrivant": coming from, arriving. Adding the ending "-ant" to the the first person plural present tense stem ("parlons > parlant") gives the present participle.

[2] "attrapé" in "vous avez attrapé deux contraventions": you got two tickets. The verb "attraper" means 'to receive, to catch, to get.' EX: "J'ai attrapé un rhume" ('I caught a cold'); "Il a attrapé l'autobus" ('He caught the bus').

[3] "brûle le feu rouge": runs (literally: 'burns') the red light.

[4] "brûlé": run, burned; even though the past part. "brûlé" normally means 'burned,' here it is part of the compound past "avez brûlé le feu rouge" meaning 'you ran the red light.'

[5] "conduisez, vous" in "vous conduisez une voiture louée": you're driving a rented car. The verb "conduire" cannot be used exactly as it is in English. One cannot "conduire" somewhere. EX: "Je vais à Philadelphie en voiture" ('I'm driving to Philadelphia'); "Nous conduisons nos amis à la gare" ('We're driving our friends to the station'); "Je conduis une voiture japonaise" ('I'm driving a Japanese car').

[6] "dire" in "vous pouvez me le dire": can you tell me that? (sarcastic usage). The use of the direct object "le" is necessary with the verb "dire." EX: "Je vous l'ai dit" ('I told you [it to you]'); "Vous pouvez le dire!" ('You can say that again!').

[7] "feu, le": fire. In reference to traffic, "feu" takes on the meaning of 'light' in the sense of 'traffic light.'

[8] "ne vous énervez pas": don't get excited, keep cool. Although the affirmative command "énervez-vous" is grammatically correct, it is not usually said.

[9] "remontant": going up. Adding the ending "-ant" to the the first person plural present tense stem ("parlons > parlant") gives the present participle.

[10] "rentre, elle": she runs in to. More frequently, the verb "rentrer" means 'to come in' or 'come home.' EX: "Phillipe va rentrer à six heures" ('Phillip is going to come home at six o'clock').

[11] "vieille": old. This is the feminine form of the adjective "vieux." Note that a special form, "vieil," is used before masculine nouns beginning with a vowel or a silent "h." EX: "C'est un vieil homme." The masculine and feminine plural forms are respectively "vieux" and "vieilles."

[12] "volant, le" in "au volant": at the steering wheel of a vehicle.

## Part Two: The Story

**FRANÇAIS**    ENGLISH

**STORY**

• Oui, vous aimez bien la ville de Paris.

• Yes, you really like Paris.

• C'est une belle ville.

• It's a beautiful city.

• Il y a beaucoup de monuments et de jardins, et il y a beaucoup de choses à faire.

• There are a lot of monuments and gardens, and there are a lot of things to do.

• Mais la circulation, quel problème!

• But the traffic, what a problem!

• Il y a trop de monde, trop de voitures, et trop de pollution.

• There are too many people, too many cars, and too much pollution.

• En deux jours, vous avez attrapé deux contraventions.

• Within two days, you've already received two traffic tickets.

• Deux contraventions!

• Two tickets!

• Quelques jours plus tard, les problèmes de circulation continuent!

• Several days later the traffic problems go on!

• Vous êtes dans la rue de Rivoli.

• You're on the rue de Rivoli.

• Vous conduisez une voiture louée, une Renault SUPER 5 (cinq), et vous roulez lentement en direction de la Concorde.

• You're driving a rental car, a Renault SUPER 5, and you're driving slowly towards La Concorde.

• A la hauteur du boulevard Sébastopol, le feu est vert et vous continuez.

• At the intersection of boulevard Sébastopol, the light is green and you go on through.

• Une vieille Peugeot 504 (cinq cent quatre), arrivant sur la droite et remontant le boulevard, brûle le feu rouge et rentre dans votre voiture.

• An old Peugeot 504, coming from the right and going up the boulevard, runs the light and hits your car.

• L'aile gauche et la portière sont très abîmées.

• The left fender and the door are damaged.

• Furieux, vous sortez de votre voiture.

• Furious, you get out of your car.

• Une vieille dame est au volant de la 504 (cinq cent quatre).

• An old lady is driving the Peugeot.

• Un agent de la circulation qui a vu l'accident s'approche.

• A policeman, who saw the accident, approaches.

## Part Two: The Story (cont'd)

**FRANÇAIS**    ENGLISH

**VOUS: Mais monsieur l'agent, monsieur l'agent...**
**L'AGENT DE POLICE: Ça suffit. Vous êtes garé dans une zone bleue et vous n'avez pas de disque. C'est clair, non?**
**VOUS: C'est-à-dire, monsieur l'agent, que j'étais très en retard ce matin et j'ai laissé le disque chez moi, dans l'entrée.**
**L'AGENT: Ah, oui, dans l'entrée et à quoi ça sert dans l'entrée, vous pouvez me le dire?**
**VOUS: Comme j'étais en retard, j'ai oublié et...**
**L'AGENT: Ah! Vous étiez en retard, et alors? En retard ou non, vous avez une amende.**

YOU: But officer, officer ...

POLICE OFFICER: That's enough. You're parked in a restricted zone and you don't have a disc. That's clear, isn't it?
YOU: I was running very late this morning, officer, and I left the disc at home in the front hallway.

OFFICER: Well, in the front hall-way, can you tell me what good it is there?
YOU: Since I was late, I forgot and...
OFFICER: Ah! You were late, so what? Late or not, you have a fine.

*La deuxième contravention.*

*The second ticket.*

**L'AGENT: Vos papiers, s'il vous plaît, permis de conduire, carte grise, pièces d'identité.**
**VOUS: Je suis américain, monsieur l'agent.**
**L'AGENT: Ah, bon, alors, donnez-moi votre passeport!**
**VOUS: Voilà, monsieur l'agent.**
**L'AGENT: Vous savez quelle est la limite de vitesse sur l'autoroute?**
**VOUS: Oui, 130 km/h (cent trente kilomètres à l'heure).**

OFFICER: Your papers, please, dri-ver's license, registration, identifica-tion.
YOU: I'm an American.

OFFICER: All right, give me your passport!
YOU: Here, officer.
OFFICER: Do you know what the speed limit is on the expressway?
YOU: Yes, 130 kilometers per hour.

*Après la collision.*

*After your wreck.*

**VOUS: Regardez, mais regardez cette voiture, une voiture louée!**
**L'AGENT: Du calme, ne vous énervez pas, nous allons dresser un constat.**
**VOUS: Un quoi?**
**L'AGENT: Un constat. Vous êtes américain?**
**VOUS: Oui, comment le savez-vous?**

YOU: Look, just look at this car, a rental car!
OFFICER: Calm down, don't get upset, we're going to fill out a report.
YOU: What?
OFFICER: An accident report. Are you American?
YOU: Yes, how did you know?

A
C
T
I
O
N

## Part Two: The Story (cont'd)

**FRANÇAIS**   ENGLISH

**A C T I O N**

L'AGENT: Oh, j'ai l'habitude. Vos papiers, s'il vous plaît.
VOUS: Voici.
L'AGENT: Et vous, madame, vous n'avez rien? Voulez-vous me donner votre permis de conduire? Pourquoi avez-vous brûlé le feu rouge?
LA VIEILLE DAME: Je ne l'ai pas vu, et puis, je pensais à autre chose.

*La vieille dame pleure.*

VOUS: Ce n'est rien, madame, ne vous en faites pas!
LA VIEILLE DAME: Vous êtes gentil.
VOUS: En tout cas, moi, j'ai compris. A partir de maintenant, je prends le métro!

OFFICER: I'm used to these things. Your papers, please.
YOU: Here.
OFFICER: And you, Madam, you're not hurt? Would you give me your driver's license? Why did you run the red light?
OLD LADY: I didn't see it, and I was thinking about something else.

*The old lady cries.*

YOU: It's nothing, don't worry about it!
OLD LADY: You're kind.

YOU: In any case, I've learned my lesson. From now on I'm taking the metro!

# CHAPTER 26

## Part Three: The Grammar

THE IMPERFECT TENSE

The imperfect is a past tense like the **passé composé**. It is used when referring to a situation or action that goes on for an undetermined period of time in the past (as in progressive or repetitive actions). Such verbs as **être, avoir, vouloir, savoir,** and **pouvoir** are more often used in the imperfect than in the **passé composé**. The imperfect corresponds to the English *was... -ing* or *used to....* Consider the following example:

> **Je <u>pensais</u> à autre chose.**
> I <u>*was thinking*</u> about something else.
> (or) I <u>*used to think*</u> about something else.

IMPERFECT OF REGULAR VERBS

It is simple to form the imperfect tense. All you have to do is take the present tense **nous** form of the verb, remove the ending **-ons**, and add the imperfect endings **-ais, -ais, -ait, -ions, -iez,** and **-aient** as follows:

| PRESENT | PASSE COMPOSE | IMPERFECT |
|---------|---------------|-----------|
| j'ai | j'ai eu | j'avais |
| tu as | tu as eu | tu avais |
| elle a | elle a eu | elle avait |
| nous avons | nous avons eu | nous avions |
| vous avez | vous avez eu | vous aviez |
| ils ont | ils ont eu | ils avaient |

IMPERFECT OF **ETRE**

**Etre** is the only irregular verb in the imperfect tense.

ETRE ('to be')
j'**étais**—*I was*
tu **étais**—*you were*
il, elle **était**—*he/she/it was*
nous **étions**—*we were*
vous **étiez**—*you were*
ils, elles **étaient**—*they were*

## PAST PARTICIPLES OF -IR and -RE VERBS

In Chapter 18, you learned how to form a compound past tense — the **passé composé** — of regular verbs ending in **-er**. For the two other regular conjugations (infinitives ending in **-ir** [e.g. "finir"] and **-re** [e.g. "vendre"]), the past participle endings are **-i** and **-u**.

FINIR     **Ils finissent le rapport > Ils ont <u>fini</u> le rapport.**
          *They finish the report > They finished the report.*

VENDRE    **Elle vend sa maison > Elle a <u>vendu</u> sa maison.**
          *She sells her house > She sold her house.*

## PAST PARTICIPLES OF IRREGULAR VERBS

Many irregular verbs have irregular past participles.

| INFINITIVE | PAST PARTICIPLE | ENGLISH |
|---|---|---|
| avoir | eu | *had* |
| répondre | répondu | *answered* |
| vouloir | voulu | *wanted* |
| savoir | su | *knew, know* |
| voir | vu | *saw, seen* |
| venir | venu | *come* |
| lire | lu | *read* |
| tenir | tenu | *held* |
| descendre | descendu | *come down* |
| pouvoir | pu | *was, been able* |
| prendre | pris | *took, taken* |
| mettre | mis | *put* |
| dire | dit | *said* |
| choisir | choisi | *chose, chosen* |
| suivre | suivi | *followed* |
| conduire | conduit | *drove, driven* |
| faire | fait | *made* |

THE NEGATIVE NE... RIEN

You have already seen the negatives **ne... pas** and **ne... jamais**. In this chapter, you will practice using **ne... rien** ('nothing,' 'not anything') which follows the same word order as the other negative constructions.

> **Vous n'avez rien**—*You have nothing.*
> **Ce n'est rien**—*It's nothing.*

**Rien** can also be used by itself:

> **Vous avez mangé quelque chose?  —Non, rien.**
> *Have you eaten something?  —No, nothing.*

When using a <u>negative</u> with the compound past, remember to surround the helping verb with the negative construction:

> **Vous <u>ne</u> faites <u>rien</u>  > Vous <u>n'</u>avez <u>rien</u> fait.**
> *You do not do anything > You did not do anything.*

## Part Four: Exercises

**A. Fill in the blanks.**

Vous: Mais monsieur l'agent, monsieur l'agent ...

L'agent de police: Ça (1.)_____. Vous êtes garé dans une zone bleue et vous n'avez pas de disque. C'est clair, non?

Vous: (2.)_____, monsieur l'agent, que j'étais très en retard ce matin et j'ai laissé le disque chez moi, dans l'entrée.

L'agent: Ah, oui, dans l'entrée et à quoi ça sert dans l'entrée, vous pouvez me le dire?

Vous: Comme j'étais en retard, j' (3.)_____ et ...

L'agent: Ah! Vous étiez en retard, et alors? En retard ou non, vous avez une amende. (La deuxième contravention)

L'agent: Vos papiers, S.V.P., permis de conduire, carte grise, pièces d'identité.

Vous: Je suis américain, monsieur l'agent.

L'agent: Ah, bon, alors, (4.)_____ votre passeport!

Vous: Voilà, monsieur l'agent.

L'agent: Vous savez quelle est la (5.)_____ sur l'autroute?

Vous: Oui, 130 kilomètres (6.)_____.

*Après la collision*

Vous: Regardez, mais regardez cette voiture, une (7.)_____!

L'agent: Du calme, ne (8.)_____ pas, nous allons dresser un constat.

Vous: Un quoi?

L'agent: Un constat. Vous êtes (9.)_____?

Vous: Oui, comment le savez-vous?

L'agent: Oh, j'ai l'habitude. Vos papiers, s'il vous plaît.

Vous: Voici.

L'agent: Et vous, madame, vous (10.)_____? Voulez-vous me donner votre permis de conduire? Pourquoi avez-vous brûlé le feu rouge?

La vieille dame: Je ne l'ai pas vu, et puis, je pensais à (11.)_____.

Vous: Ce n'est rien, madame, (12.)_____!

La vieille dame: Vous êtes gentil.

Vous: En tout cas, moi, j'ai compris. A partir de maintenant, je prends le métro!

B. Rewrite in the past using the imperfect tense.

1.  L'agent est en colère.

     _____

2.  Nous allons avec eux.

     _____

3.  Vous parlez avec Paul.

     _____

4.  Ils écoutent la concierge.

     _____

5.  Tu n'es pas à l'hôtel?

     _____

6.  J'achète du pain.

     _____

7.  Elle remercie ses amis.

     _____

8.  Pierre voyage avec Annie.

     _____

9.  Ils ont soif.

     _____

10. Il ne dîne pas chez ses parents.

     _____

C. Rewrite in the compound past tense (passé composé)

1.  Je mets mon pyjama.

    _____

2.  Nous voulons voyager en France.

    _____

3.  Mon frère vend sa voiture.

    _____

4.  Mes soeurs finissent leurs devoirs.

    _____

5.  Elle a une lettre.

    _____

6.  Ils peuvent répondre en français.

    _____

7.  Mon voisin voit l'accident.

    _____

8.  Vous prenez votre passeport?

    _____

9.  Nous ne lisons rien ce soir.

    _____

10. L'agent vient avec avec nous.

    _____

D. Unscramble the jumbled words to form a logical sentence.

1.    mariée était elle déjà

_____

2.    au ils restaurant étaient

_____

3.    le disque chez moi j'ai laissé

_____

4.    étiez garé dans une vous zone bleue

_____

5.    de police doit lui donner l'agent une contravention

_____

6.    n'ont rien vu ils

_____

7.    ai mis sur le bureau je les

_____

8.    vieille dame pensait la à autre chose

_____

9.    de la un agent vu l'accident a circulation

_____

10.   monsieur a brûlé vieux le le feu rouge

_____

11.   problème à Paris circulation est toujours un la

_____

12.   deux avez attrapé vous contraventions

_____

D. *Continued:*

13. est au volant de une dame la vieille voiture

   _____

14. voiture elle est votre rentrée dans

   _____

15. roulez lentement en direction de la vous Sorbonne

   _____

E. Respond to the following situations. Use complete French sentences with all accents and punctuation.

1. The police officer asks you if you know what the speed limit is on the expressway. He says: (use "est-ce que")

   _____

2. He tells you he is going to give you a ticket. He says:

   _____

3. He also tells you that you have to pay a fine. He says:

   _____

4. Tell him that you were late.

   _____

5. Tell him that you left your parking disc at home.

   _____

**E.** *Continued:*

6.  He asks what good it's doing at home. He says:

    _____

7.  Tell him that you don't have an identity card.

    _____

8.  He asks for your registration and driver's license. Begin with: "Est-ce que je peux voir ... " He says:

    _____

9.  Tell him that you have an American passport.

    _____

10. Inform the policeman that there are too many cars in Paris.

    _____

11. Tell your building supervisor that you have a rented car.

    _____

12. Tell him that someone ("On") damaged your door and right fender.

    _____

13. He tells you not to get upset. He says:

    _____

14. You see an accident. Tell the driver to calm down.

    _____

E. *Continued*:

15. Ask the police officer if he's going to write out a report. Use "est-ce que."

_____

16. He asks you why you ran the red light. He says (use inversion):

_____

17. Tell him that you didn't see it.

_____

18. He asks you what you were thinking about. Begin with "A quoi ..." He says:

_____

19. You've been in an accident. Ask the other driver if she is all right.

_____

20. A customs agent asks if you're American. You ask him how he knew. He replies that he's used to it. He says:

_____

21. Tell your concierge that you're going to take the metro from now on.

_____

# CHAPTER
# 27

# FINDING AN APARTMENT

# CHAPTER 27

## Part One: Vocabulary

| FRANÇAIS | ENGLISH |
|---|---|
| agence, l' (f.) | agency |
| agent immobilier, l' (m.) | real estate agent |
| annonce, l' (f.)[1] | advertisement |
| armoire, l' (f.) | wardrobe |
| attendais, j' (attendre, imperf.)[2] | was waiting for/expected, I (to wait for, to expect) |
| avais, j' (avoir, imperf.) | had, I (to have, imperf.) |
| ça n'a pas d'importance | it doesn't matter |
| caution, la | deposit |
| charges, les (f., pl.) | fees, charges |
| charmant (m., adj.) | charming |
| chauffage central, le | central heat |
| chauffe-eau, le | water heater |
| cheminée, la[3] | fireplace |
| classé (m., adj.) | historical (used with buildings) |
| commission, la | commission |
| confort, le | comfort, conveniences |
| cuisinière, la[4] | range, stove |
| de caractère | of character |
| définitivement[5] | permanently |
| équipée (f., adj.) | equipped |
| exactement | exactly |
| facile (m., adj.) | easy |
| frigidaire, le | refrigerator |
| gaz, le | gas |
| individuel (m., adj.) | individual |
| loyer, le[6] | rent |
| mois, le | month |
| neuf (9) | nine |
| par ici[7] | this way |
| payer | to pay |
| penderie, la | closet |
| place, la[8] | room, space, seat |
| quarante-deux (42)[9] | four-two (unit of a phone number) |
| quarante-six mètres carrés (46 m2)[10] | forty-six square meters |
| quatrième (m., adj.) | fourth |
| s'installer[11] | to move in, to settle in |
| salle de séjour, la | living room, family room |
| soixante-seize (76) | seven-six (unit of a phone number) |
| superbe (m., adj.) | superb |
| temporaire (m., adj.)[12] | temporary |
| trois cents francs (300F) | three hundred francs |
| trois mille trois cents francs (3.300F) | thirty-three hundred francs |
| verser[13] | to deposit, to pay (also: to pour) |
| vingt (20) | two-"o" (unit of a phone number) |
| vingt-neuf (29) | two-nine (unit of a phone number) |
| visitons (visiter, imp!) | let's visit! (to visit, imperative) |

## Vocabulary Notes

[1] "annonce, l' " (f.): advertisement (also: 'announcement'). The French classified ads are called "les petites annonces."

[2] "attendais, j' " in "je vous attendais": I was waiting for you, I was expecting you. Normally, the verb "attendre" means 'to wait' or 'to wait for.' Another possible meaning is 'to expect something or someone.'

[3] "cheminée, la" (f.): fireplace. Note the resemblance to the English word 'chimney.'

[4] "cuisinière, la": range, stove. Two main models are available: the "cuisinière électrique" and the "cuisinière à gaz."

[5] "définitivement": permanently. The related adjective form is "définitif," meaning 'final' or 'for good.'

[6] "loyer, le": rent. The corresponding infinitive meaning 'to rent' is "louer."

[7] "par ici": over here. The opposite is "par là" ('over there').

[8] "place, la" in "vous avez de la place": you have room. The word "place" means both 'room' and 'seat.' EX: "Je voudrais réserver une place" ('I would like to reserve a seat'); "Ils n'ont pas assez de place" ('They don't have enough room').

[9] "quarante-deux" in "42-76-29-20": In France, a telephone number is made up of eight digits and is commonly divided into four groups of two digits and is pronounced in the same manner. EX: 47-07-77-77 is said as "quarante- sept, zéro-sept, soixante-dix-sept, soixante-dix-sept." In English, the same number would be given with the individual numbers 1-9 and 'zero' as the letter 'o.'

[10] "quarante-six mètres carrés": 46 m2. "Le mètre" is a masculine noun referring to the metric measurement 'meter.' While in Europe you will have to get used to the metric system.

[11] "s'installer": to move in, to settle in. Also note that the non-reflexive "installer" means 'to install, to put in.'

[12] "temporaire": temporary. A synonym in French is "provisoire." The opposite is "permanent."

[13] "verser": to deposit, to pay. "Verser" literally means 'to pour' as in "ils ont versé du vin dans le pichet" ('they poured wine into the pitcher'). However, when talking about money, it means 'to pay' or 'to deposit.'

### ADDITIONAL VOCABULARY

Here's a list of <u>abbreviations</u> commonly used in <u>real estate ads</u>:

**cuis.**--**cuisine** (*kitchen*)
**équip.**--**équipé** (*equipped*)
**p.**--**pièce** (*room*)
**s. d'eau**--**salle d'eau** (*toilet*)
**tt. cft.**--**tout confort** (*all conveniences*)
**balc.**--**balcon** (*balcony*)
**s/pl.**--**sur place** [**visite sur place**] (*on-site visit*)
**refait nf.**--**refait à neuf** (*restored to new condition*)
**chbr.**--**chambre** (*bedroom*)
**imm.**--**immeuble** (*building*)
**imm. classé**--(*historical building*)
**dch.**--**douche** (*shower*)
**de caractère**--**classe** (*distinctive*)
**chf. cent.**--**chauffage central** (*central heat*)
**ch. comprises**--(*fees included*)
**s/cour**--**vue sur cour** (*courtyard view*)
**asc.**--**ascenseur** (*elevator*)
**séj. + chambre**--**salle de séjour + chambre** (*living room + bedroom*)
**ce jr.**--**ce jour** [**visiter ce jour**] (*visit today*)
**studio**--(*efficiency apartment*)

## Part Two: The Story

| FRANÇAIS | ENGLISH |
|---|---|
| •Enfin, vous trouvez un appartement. | •Finally, you find an apartment. |
| •Ce n'est pas facile à Paris. | •This isn't easy in Paris. |
| •Il y a 9 (neuf) semaines que vous êtes dans un appartement temporaire et vous avez vraiment envie de vous installer définitivement. | •You've have been in a temporary apartment for 9 weeks, and you really want to settle in a new place. |
| •Vous avez vu cette annonce dans "Le Figaro": "Marais: rue de Sévigné, superbe 2 p. (deux) de caractère, 46 m2 (quarante-six mètres carrés), tt. cft. (tout confort), chf. cent. individ. (chauffage central individuel), cheminée, 3.300F (trois mille trois cents francs) + ch. (charges), tél 42-76-29-20 (quarante-deux, soixante-seize, vingt-neuf, vingt)." | •You saw this ad in "Le Figaro": "Marais: rue de Sévigné, superb 2 room apartment, 46 square meters, conveniences, central heat, fireplace, 3300 Francs + fees, call 42-76-29-20." |
| •Vous avez rendez-vous avec l'agent immobilier devant la porte de l'immeuble. | •You have an appointment with the real estate agent in front of the building's door. |
| •L'appartement se trouve au 4ème (quatrième) étage, 1ère (première) porte à droite. | •The apartment is on the 4th floor, 1st door on the right. |
| •Vous arrivez un peu en retard. | •You arrive a bit late. |

The vertical text "S T O R Y" appears in the left margin.

## art Two: The Story (cont'd)

### FRANÇAIS  ENGLISH

**A
C
T
I
O
N**

**L'AGENT:** Ah, vous voilà! Bonjour, je vous attendais.
**VOUS:** Excusez-moi, je suis un peu en retard. J'avais un autre rendez-vous.
**L'AGENT:** Ça n'a pas d'importance. Visitons l'appartement. Voilà l'entrée.
**VOUS:** Il n'y a pas de penderie?
**L'AGENT:** Non, mais vous pouvez installer une armoire.
**VOUS:** Ah, bon!
**L'AGENT:** Et la cuisine est par ici.
**VOUS:** Elle n'est pas équipée?
**L'AGENT:** Non, mais il y a un chauffe-eau à gaz, et vous avez de la place pour mettre une cuisinière et un frigidaire.
**VOUS:** Ah, voilà la chambre et la salle de séjour. Ce n'est pas grand mais c'est charmant.
**L'AGENT:** Oui, c'est un immeuble classé et il y a le téléphone.
**VOUS:** Quel est le loyer exactement?
**L'AGENT:** 3.300F (trois mille trois cents francs) par mois, plus les charges, 300F (trois cents francs)!
**VOUS:** Et combien faut-il verser?
**L'AGENT:** Vous devez payer deux mois de caution, un mois de commission à l'agence, plus un mois de loyer.

AGENT: Ah, there you are! Hello, I was waiting for you.
YOU: Excuse me, I'm a little late. I had another appointment.

AGENT: It doesn't matter. Let's visit the apartment. Here's the entrance.
YOU: There's no closet?
AGENT: No, but you can put in a wardrobe.
YOU: Ah, good!
AGENT: And the kitchen is over here.
YOU: It's not equipped?
AGENT: No, but there's a gas hot water heater, and you have room to put in a range and refrigerator.

YOU: Ah, there's the bedroom and the living room. It's not big, but it's charming.
AGENT: Yes, it's an historical building and there's a telephone.
YOU: What is the rent exactly?

AGENT: 3,300 francs per month, plus fees, 300 francs!

YOU: And how much do I have to pay?
AGENT: You have to pay two months' deposit, one month's commission to the agency, plus one month's rent.

## Part Three: The Grammar

THE IMPERATIVE OF **NOUS**: *LET'S…!*

In Chapters 5 and 14, you studied the **vous** or polite forms of the imperative for both reflexive and non-reflexive verbs. In this chapter you will practice the imperative form of **nous**, as in **Visitons l'appartement!** ('Let's visit the apartment!').

To indicate *let us*, the verb is put in the first person plural of the present tense (do not forget to drop the subject):

> **Allons au restaurant!**—*Let's go to the restaurant!*
> **Déjeunons maintenant!**—*Let's have lunch now!*

THE VERB **SE TROMPER DE**

When you are mistaken about something, it is helpful to use a form of the verb **se tromper de** ('to make a mistake,' 'be mistaken,' etc.). Consider the following examples:

> **Excusez-moi, je me suis trompé**—*Excuse me, I made a mistake.*
> **Il s'est trompé de numéro**—*He called the wrong number.*
> **Nous nous trompons de porte**—*We knock on the wrong door.*

It is impossible to translate **se tromper** literally. When using this expression, do not forget to include the reflexive pronouns **me, te, se, nous, vous,** and **se** when you use **se tromper**. Finally, when a <u>noun follows the verb</u>, you will use **de** by itself. No article is required.

## t Four: Exercises

Fill in the blanks.

ıgent: Ah, vous voilà! Bonjour, je vous (1.)_____.

us: Excusez-moi, je suis un peu en retard. J'avais un autre
)_____.

ıgent: Ça n'a pas (3.)_____. Visitons l'appartement. Voilà
)_____.

us: Il n'y a pas de penderie?

ıgent: Non, mais vous pouvez (5.)_____ une armoire.

us: Ah, bon!

ıgent: Et la cuisine est par ici.

us: Elle n'est pas (6.)_____ ?

ıgent: Non, mais il y a un (7.)_____ à gaz, et vous avez de la place pour
:ttre une (8.)_____ et un frigidaire.

us: Ah, voilà la chambre et la salle de séjour. Ce n'est pas grand mais c'est
armant.

ıgent: Oui, c'est un immeuble classé et il y a le téléphone.

us: Quel est le (9.)_____ exactement?

ıgent: 3.300 francs par mois, plus les (10.)_____, 300 francs!

us: Et combien faut-il verser?

ıgent: Vous devez payer deux mois de (11.)_____, un mois de commis-
n à l'agence, plus un (12.)_____ de loyer.

Rewrite using the appropriate imperative form. Note: Don't forget to
end every command with an exclamation point.

Nous allons faire des courses.

_____

Nous allons visiter l'appartement.

_____

Vous allez à la banque.

_____

# CHAPTER 27

**B.** *Continued:*

4.      Nous lui téléphonons.

_____

5.      Vous regardez la télé.

_____

6.      Nous réservons deux places.

_____

7.      Tu attends la concierge.

_____

8.      Tu achètes un dictionnaire.

_____

9.      Vous installez une armoire.

_____

10.     Tu appelles un agent de police.

_____

**C.** Draw a line from each imperative to the sentence that it goes with:

| WORDS | SENTENCES |
|-------|-----------|

1.      Allons          un voyage!

2.      Visitez         le Louvre!

3.      Travaillez      plus fort!

4.      Va              au cinéma, toi-même!

5.      Sortez          de votre appartement!

6.      Mange           ton pain!

7.      Faisons         au café!

. Unscramble the jumbled words to form a logical sentence.

trompé d'adresse il s'est

_____

vraiment envie j'ai de m'installer

_____

avez pour vous un de la place frigidaire

_____

payer deux caution vous mois de devez

_____

dans un appartement temporaire quatre semaines que vous il y a êtes

_____

un de trouver à appartement il n'est pas facile Paris

_____

au se trouve quatrième mon appartement étage

_____

immobilier est devant l'agent la porte

_____

avez vu une annonce vous dans le journal

_____

0.    veux m'installer définitivement je

_____

1.    que je peux installer une est-ce armoire?

_____

2.    payer un à il faut l'agence mois de commission

_____

D. *Continued:*

13.  quel loyer exactement est le ?

_____

14.  autre notre agent avait un rendez-vous

_____

15.  n'est pas la équipée cuisine

_____

E. Respond to the following situations. Use complete French sentences with all accents and punctuation.

1.  You call someone. It's the wrong number. You say:

_____

2.  You're looking for an apartment. Ask your agent what the rent is.

_____

3.  Ask him how much you have to deposit.

_____

4.  He tells you that you must pay two months' deposit. He says:

_____

5.  He suggests that the two of you visit the apartment. He says:

_____

*Continued:*

Ask him where the closet is.

_____

Ask him if there is a (use "le" in this instance) telephone.

_____

He tells you it's an historical building.  He says:

_____

He tells you there's room for a wardrobe.  He says.

_____

). You're late for an appointment.  The person who's been waiting for you tells you it doesn't matter.  She says:

_____

CHAPTER

28

# MOVING
# IN

# CHAPTER 28

## Part One: Vocabulary

| **FRANÇAIS** | ENGLISH |
|---|---|
| acheté (acheter, past part.) | bought (to buy, past part.) |
| bois aggloméré, le | wood veneer |
| bon de livraison, le[1] | delivery voucher |
| bon marché | inexpensive |
| ça ira[2] | it will be okay |
| camarade, le | friend |
| couleur, la | color |
| de haut | high |
| de large[3] | wide |
| de profondeur | deep |
| descends, je (descendre) | am coming down/descend/go down, I (to come down to descend, to go down) |
| donnez, vous (donner) | give, you (to give) |
| environ | around, approximately |
| installer[4] | to put in, to install |
| journaux, les (m., pl.) | newspapers |
| livrer | to deliver |
| livreur, le | delivery man |
| mesure, elle (mesurer) | measures, it (to measure) |
| montent, ils (monter) | bring up, they (to bring up) |
| monter | to bring up |
| peindre[5] | to paint |
| peine, la | trouble, pain |
| placards, les (m., pl.) | closets |
| pouvoir | to be able, can |
| préférée (f., adj.) | favorite |
| promis (promettre, past part.)[6] | promised (to promise, past part.) |
| rose, le[7] | pink |
| rouge, le | red |
| signer | to sign |
| soixante-dix centimètres (70cm) | seventy centimeters |
| sur[8] | by |
| trente francs (30F) | thirty francs |
| un mètre quatre-vingt (1,80m) | one point eight meters |
| un mètre vingt (1,20m) | one point two meters |
| venons, nous (venir) | come, we (to come) |

## ocabulary Notes

[1] "bon de livraison, le": delivery voucher. In certain instances, the word "bon" can be used as a noun. Context will determine whether it refers to something 'good' or to a 'form.'

[2] "ça ira": it will be okay. "Ira" is the future tense of the verb "aller."

[3] "de large": wide (a false cognate). Use "grand" if you want to convey the idea of something being 'big' or 'large.'

[4] "installer": to put in, to install. Please note that the reflexive "s'installer" means 'to move in' or 'to settle in' (both are used in this lesson).

[5] "peindre": to paint. A person who does this professionally is "un peintre."

[6] "promis": promised. Remember the verbs that are related in terms of their forms are "mettre, compromettre, soumettre, admettre, permettre."

[7] "rose": pink. Used as a noun ("une rose"), it refers to the flower; "rosé" is a wine.

[8] "sur": by. Here "sur" is in used the sense of giving dimensions of a physical object or a space (12 feet by 10 feet). "Par" is synonymous to "sur."

## Part Two: The Story

**FRANÇAIS**

•En France, il n'y a pas beaucoup de placards dans les appartements et chez vous, et il n'y en pas du tout.
•Heureusement, vous avez assez de place pour installer une armoire dans votre entrée.
•Vous en avez acheté une à la Samaritaine, car "on trouve tout à la Samaritaine."
•L'armoire mesure 1,80m (un mètre quatre-vingt) de haut sur 1,20m (un mètre vingt) de large sur 70cm (soixante-dix centimètres) de profondeur.
•C'est une armoire bon marché en bois aggloméré.
•Vous allez la peindre.
•En rouge? En rose? Quelle est votre couleur préférée?
•Le magasin a promis de la livrer aujourd'hui, mais vous ne savez pas à quelle heure.
•Enfin, on sonne à la porte.

**ENGLISH**

•In France, there aren't a lot of closets in apartments and in your apartment, there aren't any at all.
•Fortunately, you have enough room to put a wardrobe in your entry hall.
•You bought one at the Samaritaine department store, because "you can find everything at the Samaritaine."
•The wardrobe measures 1.80 meters high, by 1.20 meters wide, by 70 centimeters deep.

•It's an inexpensive, wood veneer wardrobe.
•You're going to paint it.
•Red? Pink? What's your favorite color?
•The store promised to deliver it today, but you don't know when.

•Finally, they ring the doorbell.

## art Two: The Story (cont'd)

**A C T I O N**

LE LIVREUR: Bonjour, monsieur. C'est la Samaritaine. Nous venons livrer l'armoire.
VOUS: Ah, oui! Entrez.
LE LIVREUR: L'ascenseur est trop petit. Mon camarade attend en bas.
VOUS: Vous allez pouvoir la monter?
LE LIVREUR: Oh, oui. A nous deux, ça ira. Eh, Paul! C'est bien ici. Je descends.

*Ils montent l'armoire au 3ème (troisième) étage.*

VOUS: Je voudrais la mettre ici, dans ce coin, sur les journaux.
LE LIVREUR: Sur ces journaux?
VOUS: Oui, je vais la peindre. Je ne sais pas encore de quelle couleur.
LE LIVREUR: Ah, je vois! Vous voulez signer le bon de livraison?
VOUS: D'accord, et voici pour la peine.

*Vous donnez 30 (trente) francs environ.*

DELIVERY MAN: Good morning, sir. It's the Samaritan. We've come to deliver the wardrobe.
YOU: Ah, yes! Come in.
DELIVERY MAN: The elevator is too small. My buddy's waiting down below.

YOU: Are you going to be able to bring it up?
DELIVERY MAN: Oh, yes. It'll be fine with the two of us. Hey, Paul! It's here. I'm coming down.

*They bring the wardrobe up to the 4th floor (literally: 3rd.).*

YOU: I'd like to put it here, in this corner, on the newspapers.
DELIVERY MAN: On these newspapers?
YOU: Yes, I'm going to paint it. I don't know what color yet.

DELIVERY MAN: Ah, I see! Do you want to sign the delivery form?
YOU: O.K., and here's for your trouble.

*You give him approximately 30 francs.*

## Part Three: The Grammar

VERBS AND INFINITIVES

Many conjugated verbs in French can be followed directly by infinitives.

> **Nous <u>venons livrer</u> l'armoire**—*We've come to deliver the wardrobe.*
> **Je <u>vais</u> la <u>peindre</u>**—*I'm going to paint it.*

Other verbs require the prepositions **à** or **de** before the infinitive.

> **Ils ont oublié de téléphoner**—*They forgot to call.*
> **J'ai commencé à travailler**—*I began to work.*

Here is a list of common verbs that take on infinitives:

| NO PREPOSITION REQUIRED | | REQUIRES DE | REQUIRES À |
|---|---|---|---|
| aller | devoir | venir de | commencer à |
| vouloir | falloir* | essayer de | |
| pouvoir | penser | refuser de | |
| savoir | espérer | avoir peur de | |
| venir | | avoir envie de | |
| détester | | avoir besoin de | |
| aimer | | oublier de | |
| préférer | | être obligé de | |

*Usually **il faut** + infinitive: e.g. **Il faut y aller**—*It is necessary to go there*: **Il faut acheter**—*It is necessary to buy.*

t Four: Exercises

. Fill in the blanks.

livreur: Bonjour, monsieur. C'est la Samaritaine. Nous
.)_____ livrer l'armoire.
ous: Ah, oui! Entrez.
livreur: L'ascenseur est trop petit. Mon camarade attend (2.)_____.
ous: Vous allez pouvoir la (3.)_____?
livreur: Oh, oui. A nous deux, ça (4.)_____  Eh, Paul! C'est bien ici.
descends.
ous: Je voudrais la mettre ici, dans (5.)_____, sur les (6.)_____.
livreur: Sur ces journaux?
ous: Oui, je vais la (7.)_____. Je ne sais pas encore de
.)_____ couleur.
livreur: Ah, je vois! Vous voulez (9.)_____ le (10.)_____?
ous: D'accord, et voici pour la peine.

. Express in French:

I forgot to do it. (use "le" for "it")

_____

We're beginning to understand.

_____

She needs to work.

_____

He's thinking about leaving.

_____

They're afraid to see this film.

_____

I like to drink coffee.

_____

B.  Express in French:

7.    They prefer to paint the wardrobe.

       _____

8.    She hates to travel.

       _____

9.    We're trying to understand you.

       _____

10.   Can you do it without me?  (use "vous")

       _____

C.  Write the preposition into the sentence it goes with.  Use a dash (-) if no preposition is required.

| QUESTIONS | PREPOSITIONS |
|---|---|
| 1.    J'ai oublié \_\_\_ téléphoner. | à |
| 2.    Nous commençons \_\_\_ travailler. | de |
| 3.    Elle va \_\_\_ l'ambassade. | |
| 4.    Ils ont besoin \_\_\_ reseignements. | |
| 5.    Il faut \_\_\_ prendre le métro. | |
| 6.    Vous savez \_\_\_ jouer au bridge? | |
| 7.    Ils sortent \_\_\_ leur maison. | |
| 8.    Qu'est-ce que vous voulez \_\_\_ faire? | |
| 9.    Ma femme vient \_\_\_ mettre la table. | |

D. Unscramble the jumbled words to form a logical sentence.

1.  ne sait pas Sylvie conduire

---

2.  maintenant sommes obligés nous de partir maintenant

---

3.  le bon signer vous allez de livraison

---

4.  mettre l'armoire je voudrais ici

---

5.  Paul a son appartement envie de peindre

---

6.  en a pas du tout il n'y

---

7.  ? votre préférée quelle couleur est

---

8.  meubles magasin a le les promis de livrer

---

9.  va heure on arriver quelle je ne sais pas à

---

10. ont sonné à ils la porte

---

11. qu'ils ont signé livraison est-ce le bon de ?

---

12. camarade attend mon en bas

---

D. *Continued:*

13. marché une armoire c'est bon

_____

14. vous allez ? pouvoir est-ce que la monter

_____

15. trouve tout à la on Samaritaine

_____

E. Respond to the following situations. Use complete French sentences with all accents and punctuation.

1. Tell the delivery man that the elevator is too small.

_____

2. Tell him to wait down below.

_____

3. He tells you that he's come to deliver a wardrobe. He says:

_____

4. Tell him to come in.

_____

5. You ask him if he's going to be able to bring it up. You say:

_____

6. Tell him that you would like to put it in the living room.

_____

**E.** *Continued:*

7. He asks if you're going to paint it. He says:

   _____

8. Tell him you don't know what color yet.

   _____

9. Tell the concierge that the delivery man has just arrived.

   _____

10. Tell your boss that you're afraid that you will arrive late.

    _____

CHAPTER

29

CALLING A
LOCKSMITH

## Part One: Vocabulary

| FRANÇAIS | ENGLISH |
|---|---|
| abonné, l' (m.) | subscriber |
| appel, l' (m.) | call |
| cela fera | that'll be, that'll make |
| chaussures, les (f., pl.) | shoes |
| clé, la[1] | key |
| composé (composer, past part.)[2] | dialed (to dial, past part.) |
| coup de vent, le | gust of wind |
| déplacement, le | travel time, service charge |
| du coin[3] | on the corner, neighborhood |
| écoute, j' (écouter) | listen, I (to listen) |
| entrer | to enter |
| essayez, vous (essayer) | try, you (to try) |
| fermée (f., adj.) | closed |
| hôpital, l' (m.) | hospital |
| long (m., adj.) | far |
| main-d'oeuvre, la | labor |
| mauvais (m., adj.) | wrong, bad |
| ne quittez pas! | please hold! |
| nus (m., pl., adj.)[4] | nude, naked, bare |
| occupé (m., adj.)[5] | busy |
| ouvrir | to open |
| palier, le | landing |
| peux, je (pouvoir) | am able/can, I (to be able, can) |
| pieds, les (m., pl.) | feet |
| possible (m., adj.) | possible |
| quarante-cinq (45) | forty-five |
| quatre cents francs (400F) | four hundred francs |
| réparations, les (f., pl.) | repairs |
| répondeur automatique, le | answering machine |
| rien à faire[6] | nothing doing! |
| s'occupe de, on (s'occuper de) | takes care of, one/take care of, we (to take care of) |
| serrurier, le[7] | locksmith |
| silence, le | silence |
| tabac, le[8] | tobacco shop |
| voisin, le | neighbor |

## ocabulary Notes

[1] "clé, la": key. This may also be spelled "clef," but is pronounced the same (without the 'f').
[2] "composé": dialed. "Composer" can also refer to the work a musician does. EX: "Ce composi-teur compose de la musique classique" ('This composer composes classical music').
[3] "du coin": on the corner, neighborhood. For example, "le tabac du coin" in the text can mean not only 'the tobacco shop on the corner,' but also the 'neighborhood tobacco shop.'
[4] "nus": nude, naked, bare. When referring to a part of the body and not the whole person, it should be understood as 'bare.'
[5] "occupé": busy. This term can refer to a person ("elle est très occupée": 'she is very busy') or to a phone ("la ligne est occupée": 'the line is busy').
[6] "rien à faire": nothing doing. In desperation, when running out of options, you might say: "Il n'y a rien à faire."
[7] "serrurier" (m.): locksmith. A lock is a "serrure" (f.).
[8] "tabac, le": tobacco shop. This is in reference to "le bureau de tabac" and not to 'tobacco.'

ADDITIONAL VOCABULARY

More Household Words and Expressions:

**L'évier est bouché**--*The sink is clogged.*
**Le lavabo est bouché**--*The washbasin is clogged.*
**Les toilettes sont bouchées**--*The toilets are clogged.*
**La chasse d'eau déborde**--*The watertank is overflowing.*
**La baignoire est bouchée**--*The bathtub is clogged.*
**Le robinet d'eau chaude fuit**--*The hot water tap is leaking.*
**Il y a une fuite d'eau sous l'évier**--*There is a leak under the sink.*
**Il y a une fuite de gaz**--*There is a gas leak.*
**Les plombs ont sauté**--*We blew a fuse.*
**disjoncteur (le)**--*circuit breaker*
**C'est du 220V**--*The voltage is 220.*
**La prise de courant est ici**--*The plug is here.*
**plombier (le)**--*plumber*
**électricien (l') (m.)**--*electrician*

# CHAPTER 29

## Part Two: The Story

| **FRANÇAIS** | **ENGLISH** |
|---|---|
| •Quelques jours plus tard, vous êtes sur le palier en train de parler à votre voisin. | •Several days later, you're on the landing talking to a neighbor. |
| •Un coup de vent et hop, la porte est fermée! | •A gust of wind and slam, the door is closed! |
| •Vous n'avez pas votre clé. | •You don't have your key. |
| •Vous essayez d'ouvrir avec la clé du voisin. | •You try to open with your neighbor's key. |
| •Rien à faire! | •Nothing doing! |
| •Le gardien est malade, il est à l'hôpital et vous êtes pieds nus, sans chaussures. | •The building supervisor is sick in the hospital, and you're standing barefooted in the hallway. |
| •Il n'y a pas de serrurier dans votre quartier. | •There's no locksmith in your neighborhood. |
| •Vous décidez de téléphoner à S.O.S. et vous descendez au tabac du coin, pieds nus, sans chaussures et, naturellement, il pleut. | •You decide to call S.O.S. and go down to the tobacco shop on the corner, barefooted, without any shoes, and, of course, it's raining. |
| •Vous téléphonez une première fois, c'est occupé. | •You call once. The line is busy. |
| •Vous téléphonez une deuxième fois et un répondeur automatique vous annonce: | •You call a second time, and an answering machine says: |
| •"Il n'y a pas d'abonné à ce numéro." | •"There is no one at this number." |
| •Comment est-ce possible? | •How can this be? |
| •Vous avez composé le mauvais numéro. | •You dialed the wrong number. |
| •Vous téléphonez une troisième fois, et... | •You call a third time and... |

## Part Two: The Story (cont'd)

**LA PREMIERE EMPLOYEE:**
S.O.S. Réparations. Ne quittez pas. On s'occupe de votre appel.
**LA SECONDE EMPLOYEE:**
Allô, oui. Je vous écoute.
**VOUS:** J'ai laissé ma clé chez moi. Je ne peux pas entrer et j'ai besoin d'un serrurier.
**LA SECONDE EMPLOYEE:**
Votre adresse, S.V.P.?
**VOUS:** C'est le 42 (quarante-deux), rue de Sévigné, dans le quatrième. Mon appartement est au 4ème (quatrième) étage, première porte à droite.
**LA SECONDE EMPLOYEE:**
Votre nom?
**VOUS:** Thomas, monsieur Thomas.
**LA SECONDE EMPLOYEE:** Ne quittez pas!

*Il y a un long silence.*

**LA SECONDE EMPLOYEE:**
Bon, on vous envoie une voiture dans 45 (quarante-cinq) minutes environ. Cela fera 400F (quatre cents francs) de déplacement et de main-d'oeuvre.

FIRST EMPLOYEE: S.O.S. Repairs. Hold on. We're taking care of your call.
SECOND EMPLOYEE: Hello, yes. I'm listening.
YOU: I left the key in my apartment. I can't get in, and I need a locksmith.
SECOND EMPLOYEE: Your address, please?
YOU: It's 42, rue de Sévigné, in the fourth "arrondissement." My apartment is on the fourth floor, first door on the right.

SECOND EMPLOYEE: Your name?
YOU: Thomas, Mr. Thomas.

SECOND EMPLOYEE: Hold on!

*There is a long silence.*

SECOND EMPLOYEE: Good, we'll send you a car in about 45 minutes. That'll be 400 francs for the service call and the labor.

# CHAPTER 29

## Part Three: The Grammar

### QUE

In English, the conjunction that joins two clauses together ('that') is often omitted in sentences.

>*I'm sure you're right*—**Je suis sûr(e) que vous avez raison.**
>*I think she's wrong*—**Je crois qu'elle a tort.**

However, in French **que** must be retained.

>**Nous pensons qu'il est en train de travailler.**
>*We think he's working.*

>**Dites-lui que vous avez déjà parlé avec elle.**
>*Tell him you already spoke with her.*

**Que** may also function as a relative pronoun, meaning that there is an implied or stated noun antecedent, not a verbal structure as in the above examples. Consider the following sentences; the second illustrates how the relative pronoun **que** functions.

>**La clé ouvre la grande porte.**
>*The key opens the big door.*

>**La clé que vous avez ouvre la grande porte**
>*The key you have opens the big door.*

### THE FUTURE TENSE

In Chapter 5, you learned that the near future can be expressed with a form of **aller** plus an infinitive.

>**Est-ce que tu vas partir?**—*Are you going to leave?*

In French there is also a <u>future tense</u> with its own forms. The future is formed by adding the endings **-ai, -as, -a, -ons, -ez, -ont** to the infinitive:

| MONTER | FINIR | ATTENDRE |
|---|---|---|
| je **monterai** | je **finirai** | j'**attendrai** |
| tu **monteras** | tu **finiras** | tu **attendras** |
| il, elle **montera** | il, elle **finira** | il, elle **attendra** |
| nous **monterons** | nous **finirons** | nous **attendrons** |
| vous **monterez** | vous **finirez** | vous **attendrez** |
| ils, elles **monteront** | ils, elles **finiront** | ils, elles **attendront** |

With **-re** verbs such as **vendre** and **attendre**, the **-e** is dropped before the ending is added.

Some irregular verbs like **avoir, aller,** and **être** have special future stems.

| AVOIR | ALLER | ETRE |
|-------|-------|------|
| j'**aurai** | j'**irai** | je **serai** |
| tu **auras** | tu **iras** | tu **seras** |
| il, elle **aura** | il, elle **ira** | il, elle **sera** |
| nous **aurons** | nous **irons** | nous **serons** |
| vous **aurez** | vous **irez** | vous **serez** |
| ils, elles **auront** | ils, elles **iront** | ils, elles **seront** |

# CHAPTER 29

## Part Four: Exercises

### A. Fill in the blanks.

La première employée: S.O.S. Réparations. Ne (1.)_____ pas. On s'oc-
cupe de votre (2.)_____.
La seconde employée: Allô, oui. Je vous écoute.
Vous: J'ai laissé (3.)_____ chez moi. Je ne peux pas entrer et j'ai besoin
d'un (4.)_____.
La seconde employée: Votre adresse, S.V.P.?
Vous: C'est le 42, rue de Sévigné, dans le (5.)_____. Mon appartement est
au 4ème étage, première porte (6.)_____.
La seconde employée: Votre nom?
Vous: THOMAS, monsieur THOMAS.
La seconde employée: Ne quittez pas!
La seconde employée: Bon, on (7.)_____ une voiture dans 45 minutes envi-
ron.
(8.)_____ 400 francs de déplacement et de main-d'oeuvre.

### B. Combine the two sentences using the relative pronoun "que":

1.  Nous pensons. Elle n'a pas raison.

    _____

2.  Je crois. Il est déjà parti.

    _____

3.  Elle espère. Tu arriveras à l'heure.

    _____

4.  Vous êtes sûr? Ils sont là.

    _____

**B.** *Continued:*

5.      Je sais.  Le métro est plus rapide.

_____

6.      Tu es certain.  La porte est fermée.

_____

7.      Nous savons.  Il n'y a pas d'abonné à ce numéro.

_____

8.      La réceptionniste pense.  Le bus est déjà parti.

_____

9.      L'agent de police croit.  Je suis en contravention.

_____

10.     Vous espérez.  Le livreur montera le piano tout seul.

_____

C. Rewrite these sentences using the future tense:

1.    Ma mère attend mon père.

   _____

2.    Le marchand vend des légumes.

   _____

3.    Je téléphone au serrurier.

   _____

4.    Tu manges du pain.

   _____

5.    Nous finissons nos devoirs.

   _____

6.    Elle choisisit un autre pull.

   _____

7.    Il descend de l'avion.

   _____

8.    L'agent de voyage nous trouve deux places.

   _____

9.    Les enfants nous donnent leurs bonbons.

   _____

10.   Ma femme part ce soir.

   _____

D. Unscramble the jumbled words to form a logical sentence.

1.   qu'il n'a pas raison vous pensez

   _____

2.   de déplacement 350 ça fait francs

   _____

3.   nous nous de occupons votre appel

   _____

4.   travailler votre voisin est parti

   _____

5.   une voiture dans trente allons vous nous envoyer minutes

   _____

6.   vous clé n'avez pas votre

   _____

7.   fermé coup de un vent a la porte

   _____

8.   à votre appel automatique répond un répondeur

   _____

9.   numéro j'ai composé le mauvais

   _____

10.   quartier n'y de il a pas mon serrurier dans

   _____

11.   téléphoné j'ai une troisième fois

   _____

12.   le immeuble l'hôpital gardien de votre est à

   _____

D. *Continued:*

13. la essayé vous avez d'ouvrir porte

_____

14. il faire n'y a rien à

_____

15. d'abonné à ce numéro il n'y a pas

_____

E. Respond to the following situations. Use complete French sentences with all accents and punctuation.

1. You call S.O.S. Réparations to report a leak in your kitchen sink. They tell you to hold on. They say:

_____

2. You explain the problem, and they tell you that they're taking care of your call. They say:

_____

3. The dispatcher tells you they're (use "On" as subject) sending you a car in about 30 minutes. She says:

_____

4. The dispatcher says it will cost 350 francs for the service call and labor. She says:

_____

5. Tell her it's too expensive.

_____

**E.** *Continued:*

6. Tell the dispatcher that your apartment is on the third floor, second door on the left. (write out numbers)

   _____

7. He asks for your name. She says:

   _____

8. Tell the locksmith that you left your key (use "ma clé") in the car, and you can't get in.

   _____

9. He tells you not to worry.

   _____

10. You call someone, and an answering machine informs you that no one is at that number. The machine says:

    _____

CHAPTER

# 30

# A HOUSEHOLD EMERGENCY

# CHAPTER 30

## Part One: Vocabulary

| FRANÇAIS | ENGLISH |
|---|---|
| appelez (appeler, imp!) | call (to call, imperative) |
| appelons (appeler, imp!)[1] | let's call (to call, imperative) |
| asphyxiée (f., adj.) | asphyxiated |
| avertir | to notify, to warn |
| calmes (m., pl., adj.) | calm |
| cas d'urgence, le | emergency |
| descendez (descendre, imp!) | go down (to go down, imperative) |
| devise, la[2] | motto |
| devraient, ils (devoir, cond.) | would have to/should, they (to have to/should, cond.) |
| devrait, on (devoir, cond.) | would have to, one/we (to have to, cond.) |
| devriez, vous (devoir, cond.) | would have to/should, you (to have to, should) |
| dix-huit (18)[3] | one-eight (FIRE DEPT. in France, similar to U.S. "911") |
| en effet | indeed |
| épaisse (f., adj.)[4] | thick |
| escalier, l' (m.) | stairs |
| évacuer | to evacuate |
| évanouie (f., adj.)[5] | fainted |
| faire face à (id.) | to confront |
| fumée, la[6] | smoke |
| montrer | to show |
| mots, les (m., pl.) | words |
| nervosité, la | nervousness |
| pompiers, les (m., pl.)[7] | firemen |
| prenez (prendre, imp!) | take (to take, imperative) |
| prêt à tout | ready for anything |
| restez (rester, imp!) | stay, remain (to stay/to remain, imperative) |
| restons (rester, imp!)[8] | let's stay, let's remain (to stay/to remain, imperative) |
| risquez, vous (risquer)[9] | may/risk, you (to risk) |
| se préparer | to get ready, to prepare oneself |
| seule (f., adj.) | alone |
| signes, les (m., pl.) | signs |
| sortir | to leave |
| soyez (être, imp!)[10] | be (to be, imperative) |
| supposez que (supposer, imp!) | suppose that…! (to suppose, imperative) |
| tout le monde | everyone, everybody |
| toute (f. adj.) | all |
| voyageur, le | traveler |
| voyiez, vous (voir, pres. subj.) | might see (to see, pres. subj.) |

## Vocabulary Notes

[1] "appelons": let's call. An example of the imperative form of "nous" which can be translated as 'let us + verb.'

[2] "devise, la": motto. You may also encounter this word in a financial context because it can refer to 'currency': "En France le dollar est une devise étrangère" ('In France the dollar is a foreign currency').

[3] "dix-huit": one-eight. Similar to the U.S. '911' emergency number, the French "18" is used to call only the fire department.

[4] "épaisse": thick. The masculine form is "épais."

[5] "évanouie": fainted. "Evanouie" is also a past participle that comes from the verb "s'évanouir" ('to faint'). EX: "Je vais m'évanouir" ('I'm going to faint'); "Il s'est évanoui" ('He fainted').

[6] "fumée, la": smoke. The related verb form is "fumer" ('to smoke').

[7] "pompiers, les": the firemen. A French speaker would say: 'Let's call the firemen' ("Appelons les pompiers!"), rather than 'Let's call the fire department!'

[8] "restons": let's stay, let's remain. An example of the imperative form of "nous" which can be translated as 'let us + verb.'

[9] "risquez, vous": you may, you risk. Note that the verb "risquer" is followed by the preposition "de" when another verb is used with it: "Il risque d'avoir des ennuis avec la douane" ('He may have trouble with customs').

[10] "soyez": be. Although often used as a command, "soyez" is also the subjunctive form of the verb "être": "il faut que vous soyez à l'heure" ('you have to be on time').

ADDITIONAL VOCABULARY

More Words Related to <u>Emergencies</u>:

**Au secours!**--*Help!*
**Prenez la sortie de secours!**--*Take the Emergency Exit!*
**Fermez les portes!**--*Close the doors!*
**Coupez le gaz!**--*Turn/cut off the gas!*
**Coupez l'électricité!**--*Turn/cut off the electricity!*
**Dégagez le couloir!**--*Clear the corridor!*
**Eteignez vos cigarettes!**--*Put out your cigarettes!*
**Ne courez pas!**--*Don't run!*
**Pas de bousculade!**--*Don't rush!*
**Ne poussez pas!**--*Don't push!*
**Prenez les escaliers!**--*Take the stairs!*
**Où est la sortie de secours?**--*Where's the emergency exit?*

# CHAPTER 30

## Part Two: The Story

| FRANÇAIS | ENGLISH |
|---|---|

**S T O R Y**

•Soyez prêt à tout.
•Ces mots devraient être la devise du voyageur.
•En effet, vous devriez vous préparer à faire face aux cas d'urgence que vous risquez d'avoir à l'étranger.
•Supposez que vous et votre voisin voyiez une épaisse fumée sortir d'un appartement de votre immeuble.
•Vous frappez à la porte mais madame Durand, qui habite là toute seule, ne répond pas.
•Il est clair que votre voisin commence à montrer des signes de nervosité.

•Be ready for anything.
•These words should be the motto for the traveler.
•Indeed, you should be ready to confront emergencies that you may have abroad.

•Suppose that you and your neighbor see thick smoke coming out of an apartment in your building.

•You knock on the door, but Mrs. Durand, who lives there alone, doesn't answer.
•It's clear that your neighbor is starting to show signs of nervousness.

**A C T I O N**

LE VOISIN: Regardez! Il y a de la fumée. Ça vient de chez madame Durand.
VOUS: Surtout, restons calmes. Appelons les pompiers.
LE VOISIN: Vite alors! Madame Durand est peut-être chez elle. Evanouie! Asphyxiée!
VOUS: Appelez les pompiers. C'est le 18 (dix-huit).
LE VOISIN: On devrait avertir les voisins.
VOUS: Vous avez raison. Je vais faire évacuer l'immeuble.
LE VOISIN: Ne prenez pas l'ascenseur. Descendez par l'escalier.
VOUS: Ne vous inquiétez pas. Je vais faire sortir tout le monde.
LE VOISIN: D'accord, et surtout restez calme.

NEIGHBOR: Look! There's smoke. It's coming from Mrs. Durand's apartment.
YOU: Above all, let's stay calm. Let's call the fire department.
NEIGHBOR: Hurry up! Maybe Mrs. Durand is at home. Fainted! Asphyxiated!
YOU: Call the fire department. The phone number is 18.
NEIGHBOR: We should notify the neighbors.
YOU: You're right. I'm going to evacuate the building.
NEIGHBOR: Don't take the elevator. Go down the stairs.
YOU: Don't worry. I'm going to get everyone out.
NEIGHBOR: All right, and above all stay calm.

## art Three: The Grammar

THE CONDITIONAL TENSE

In Chapter 29, you learned how to form the future tense. The <u>conditional tense</u> ('would...') is based on the future's stem. The only difference is in the endings. Consider the future and conditional tenses for **devoir** ('to have to, should'):

| FUTURE | CONDITIONAL |
|--------|-------------|
| je **devrai** | je **devrais** |
| tu **devras** | tu **devrais** |
| il, elle **devra** | il, elle **devrait** |
| nous **devrons** | nous **devrions** |
| vous **devrez** | vous **devriez** |
| ils, elles **devront** | ils, elles **devraient** |

Remember that the conditional uses the future stem. You will notice that conditional endings are the same for the imperfect tense.

USING THE CONDITIONAL TENSE

You have already seen how the conditional can be used in polite requests.

> **Je <u>voudrais</u> acheter un billet**—*I would like to buy a ticket.*
> **<u>Pourriez</u>-vous m'aider?**—*Could you help me?*

When used with the verb **devoir** the conditional has the meaning of *ought to* or *should*.

> **Vous <u>devriez</u> vous préparer**—*You ought to prepare yourself.*
> **Tu <u>devrais</u> comprendre**—*You ought to/should understand.*
> **Elle <u>devrait</u> appeler les pompiers**—*She ought to call the fire department.*

THE SUBJUNCTIVE

In the Story section for this chapter, there is a new verb form that you may not have recognized, the subjunctive:

> **Supposez que vous et votre voisin voyiez une épaisse fumée sortir d'un appartement de votre immeuble.**

> *Suppose that you and your neighbor see thick smoke coming out of an apartment in your building.*

The subjunctive is not actually a tense but a mood that can be expressed in both the present and past. The subjunctive is most often used to evoke uncertainty or emotion. It often appears in a dependent clause after the conjunction **que**.

PRESENT SUBJUNCTIVE    **Il faut que je finisse mes devoirs.**
*I have to finish my homework.*

PAST SUBJUNCTIVE    **Supposons qu'elle ait appelé les pompiers.**
*Let's suppose she called the firemen.*

FORMATION AND USE OF THE SUBJUNCTIVE

The present tense of the subjunctive is generally formed from the stem of the third person plural of the present indicative, to which are added the specific endings **-e, -es, -e, -ions, -iez**, and **-ent**.

| -ER VERBS | -IR VERBS | -RE VERBS |
|---|---|---|
| que je **mange** | que je **finisse** | que je **vende** |
| que tu **manges** | que tu **finisses** | que tu **vendes** |
| qu'il/elle **mange** | qu'il/elle **finisse** | qu'il/elle **vende** |
| que nous **mangions** | que nous **finissions** | que nous **vendions** |
| que vous **mangiez** | que vous **finissiez** | que vous **vendiez** |
| qu'ils/elles **mangent** | qu'ils/elles **finissent** | qu'ils/elles **vendent** |

A few irregular verbs, like **boire**, **prendre**, and **voir** have two stems in the subjunctive, the **nous** form for first- and second-person plural and the **ils/elles** form for the rest:

| BOIRE | PRENDRE | VOIR |
|---|---|---|
| que je **boive** | que je **prenne** | que je **voie** |
| que tu **boives** | que tu **prennes** | que tu **voies** |
| qu'il/elle **boive** | qu'il/elle **prenne** | qu'il/elle **voie** |
| que nous **buvions** | que nous **prenions** | que nous **voyions** |
| que vous **buviez** | que vous **preniez** | que vous **voyiez** |
| qu'ils/elles **boivent** | qu'ils/elles **prennent** | qu'ils/elles **voient** |

Irregulars verbs, with the exception of **avoir** and **être**, all use the same present subjunctive endings. The forms for **être** and **avoir** are as follows:

| AVOIR | ETRE |
|---|---|
| que j'**aie** | que je **sois** |
| que tu **aies** | que tu **sois** |
| qu'il **ait** | qu'elle **soit** |
| que nous **ayons** | que nous **soyons** |
| que vous **ayez** | que vous **soyez** |
| qu'elles **aient** | qu'ils **soient** |

Here are some verbs or phrases that require the subjunctive: <u>conjecture</u> or <u>doubt</u> ("supposer que," "douter que"), <u>necessity</u> ("il faut que," "il est nécessaire que"), <u>volition/requests</u> ("vouloir que," "désirer que"), <u>fear</u> ("avoir peur que," "craindre que"), and certain <u>conjunctions</u> ("à moins que," "pour que," "bien que," etc.).

Mastery of the subjunctive requires a great deal of practice and study. As you progress to more advanced studies of French, you will learn the special uses of the subjunctive and the nuances that the subjunctive conveys.

# CHAPTER 30

## Part Four: Exercises

### A. Fill in the blanks.

Le voisin: Regardez! Il y a de (1.)_____. Ça vient de chez Madame Durand.

Vous: Surtout, (2.)_____ calmes. Appelons les (3.)_____.

Le voisin: Vite alors! Madame Durand est (4.)_____ chez elle. Evanouie! Asphyxhiée!

Vous: Appelez les pompiers. C'est le 18.

Le voisin: On devrait (5.)_____ les voisins.

Vous: Vous avez raison. Je vais (6.)_____ l'immeuble.

Le voisin: Ne prenez pas l'ascenseur. Descendez par (7.)_____.

Vous: Ne vous (8.)_____ pas. Je vais faire (9.)_____ tout le monde.

Le voisin: D'accord, et (10.)_____ restez calme.

### B. Rewrite as conditional sentences:

1. Il devra partir.

   _____

2. Nous devrons le faire.

   _____

3. Elle attendra son mari.

   _____

4. J'allumerai la lampe.

   _____

5. Vous resterez calme.

   _____

**B.** *Continued:*

6.   Tu finiras ce travail.

_____

7.   Ils parleront de leur voyage.

_____

8.   Tu devras parler plus fort.

_____

9.   Ils commenceront à s'inquiéter.

_____

10.  Vous devrez avertir les pompiers.

_____

**C.** Provide the correct subjunctive form:

1.   Il faut que tu _____. (partir)

2.   Nous supposons que vous _____ quelqu'un. (attendre)

3.   Je veux qu'elle _____ sa maison. (vendre)

4.   Il faut que nous _____ le prof. (écouter)

5.   Vous doutez qu'ils _____ à l'heure. (être)

# CHAPTER 30

D. Unscramble the jumbled words to form a logical sentence.

1. prêt à tout soyez !

_____

2. devrait avertir les on voisins

_____

3. allons descendre par nous l'escalier

_____

4. la fumée chez mon il y a de voisin

_____

5. pompiers vont faire évacuer les l'immeuble

_____

6. de ma voisine frappé j'ai à la porte

_____

7. des signes de nervosité votre voisin montre

_____

8. pour les cas faut d'urgence se préparer pour les cas il

_____

9. tout je vais le monde faire sortir

_____

10. ne l'ascenseur prenez pas !

_____

11. rester calme il faut

_____

12. voisin a appelé les mon pompiers

_____

**D.** *Continued:*

13.    seule madame y Dupont habite toute

_____

14.    que vous de la fumée voyiez supposons

_____

15.    la d'un sort autre fumée appartement

_____

**E.** Respond to the following situations. Use complete French sentences with all accents and punctuation.

1.    Your neighbor spots smoke coming from your building. Tell him to stay calm.

_____

2.    You both decide to call the fire department. You say:

_____

3.    Tell your neighbor that he should notify (warn) the neighbors. Use a form of "devoir" to express "should."

_____

4.    Tell him that you are going to evacuate the building.

_____

5.    Tell your neighbors not to take the elevator.

_____

E. *Continued:*

7.     Tell them to go down the stairs.

     _____

8.     Tell your neighbor not to worry.

     _____

9.     Tell the firemen that your neighor fainted.

     _____

10.    Tell your concierge that you're going to take out the trash ("les ordures").

     _____

11.    She tells you not to take the stairs.  She says:

     _____

# APPENDIX

# A

# EXERCISE ANSWERS

## CHAPTER 1

### EXERCISE A:

| | |
|---|---|
| 1. êtes | 7. Excusez |
| 2. je | 8. où |
| 3. suis | 9. droite |
| 4. comprends | 10. est |
| 5. bien | 11. Du |
| 6. merci | 12. Il |

### EXERCISE B:

| | |
|---|---|
| 1. suis | 5. es |
| 2. est | 6. sont |
| 3. êtes | 7. est |
| 4. sommes | |

### EXERCISE C:

| | |
|---|---|
| 1. Il | 5. Il |
| 2. Elle | 6. Ils |
| 3. Ils | 7. Elle |
| 4. Il | |

### EXERCISE D

| | |
|---|---|
| 1. le | 5. l' |
| 2. l' | 6. la |
| 3. le | 7. la |
| 4. le | 8. le |

### EXERCISE E

| | |
|---|---|
| 1. il | 5. elles |
| 2. il | 6. elle |
| 3. ils | 7. elle |
| 4. il | 8. ils |

### EXERCISE F:

1. je suis la gardienne
2. on vous attendait
3. je comprends madame Bertrand
4. le café est là-bas
5. où est la station de taxis?
6. vous arrivez à Paris
7. vous prenez un taxi
8. vous faites la connaissance de la gardienne
9. vous devez prendre un taxi
10. vous allez à une réunion
11. comment allez-vous ce matin?
12. il travaille pour une compagnie américaine
13. vous êtes monsieur Thomas?
14. la station de taxis est à droite
15. il est là-bas

### EXERCISE G:

1. Vous êtes monsieur Thomas? *or* Est-ce que vous êtes monsieur Thomas? *or* Etes-vous monsieur Thomas?
2. Bonjour, monsieur. *or* Bonjour monsieur.
3. Pardon? *or* Comment? *or* Je ne comprends pas.
4. Je travaille pour une compagnie à Paris.
5. Mademoiselle
6. bien sûr. *or* Bien sûr. *or* bien sûr? *or* Bien sûr!
7. n'est-ce pas?
8. Madame
9. Je suis la gardienne. *or* Je suis madame Bertrand. *or* Je suis madame Bertrand, la gardienne. *or* Je suis la gardienne, madame Bertrand.

10. Je comprends.
11. Où est la station de taxis?
12. La banque est là-bas. *or* Elle est là-bas.
13. Le cinéma est à côté du café. *or* Il est à côté du café.
14. Où est le restaurant?
15. Comment allez-vous? *or* Ça va? *or* Comment ça va? *or* Vous allez bien? *or* Est-ce que vous allez bien?
16. Merci beaucoup. *or* Merci. *or* Merci bien.
17. Excusez-moi! *or* Pardon!
18. Ça va. *or* Ça va bien.
19. Où est l'hôtel?
20. Vous voyez?

## Chapter 2

EXERCISE A:
1. Vous
2. monsieur
3. chauffeur
4. nouveau
5. Comment
6. français
7. non
8. tunisien
9. parle
10. Ça

EXERCISE B:
1. ne ... pas
2. n' ... pas
3. ne ... pas

4. n' ... pas
5. ne ... pas
6. ne ... pas

EXERCISE C:
1. le chauffeur est tunisien
2. elle ne travaille pas à l'ambassade
3. vous êtes le nouveau chauffeur de la société SOLANES?
4. je suis né aux Etats-Unis
5. vous êtes à Paris depuis deux jours
6. vous avez déjà plusieurs rendez-vous
7. un chauffeur vient vous chercher
8. il arrive un peu en retard
9. il ne parle pas anglais
10. vous lui demandez son nom
11. comment vous appelez-vous?
12. vous êtes français?
13. je ne comprends pas
14. ça ne fait rien
15. il ne parle pas français

EXERCISE D:
1. Je ne comprends pas.
2. Comment vous appelez-vous? or Comment vous vous appelez?
3. Je suis américain. or Je suis américaine.
4. Vous parlez anglais? or Parlez-vous anglais?
5. Je ne parle pas anglais.
6. Ça ne fait rien.
7. Je suis né aux Etats-Unis. or Je suis née aux Etats-Unis.
8. C'est ça.
9. Je m'appelle George Washington.
10. Je ne suis pas français.

**EXERCISE E:**
1. français
2. italienne
3. americain
4. anglaise
5. française
6. americaine
7. italien

## CHAPTER 3

**EXERCISE A:**
1. déranger
2. américaine
3. sais
4. de la
5. vraiment
6. sommes
7. gauche
8. encore
9. en face
10. beaucoup

**EXERCISE B:**
1. à l'
2. du
3. de la
4. à la
5. au
6. du

**EXERCISE C:**
1. parlons
2. parle
3. écoutez
4. tournent
5. déranges
6. travaillez
7. travaille
8. travaillons

**EXERCISE D:**
1. je vous en prie
2. vous tournez à gauche avenue Foch
3. l'ambassade est juste à côté
4. vous savez où est la tour Eiffel?
5. l'hôtel est en face du parc
6. vous allez passer par l'ambassade
7. vous demandez votre chemin
8. il demande des renseignements utiles
9. où se trouve l'ambassade?
10. excusez-moi de vous déranger
11. l'ambassade est en face du parc
12. c'est juste à côté de la Concorde
13. l'avenue Gabriel est à droite
14. vous avez l'ambassade à 500 mètres
15. vous ne savez pas où se trouve le Louvre

**EXERCISE E:**
1. Je ne parle pas espagnol. *or* Je ne parle pas l'espagnol.
2. Où est l'ambassade américaine?
3. Elle est en face du parc.
4. Tournez à droite. *or* Tournez à droite!
5. Je travaille à Chicago.
6. Excusez-moi de vous déranger.
7. Ecoutez! *or* Ecoutez. *or* Ecoute! *or* Ecoute.

8. Je vous en prie. *or* De rien. *or* Pas de quoi. *or* Il n'y a pas de quoi.
9. Elle est à côté de la Concorde.
10. Tournez à gauche! *or* Tournez à gauche. *or* Tourne à gauche! *or* Tourne à gauche.

# CHAPTER 4

**EXERCISE A:**
1. La
2. petite
3. le
4. rue
5. avez
6. chambre
7. trente-quatre

**EXERCISE B:**
1. français
2. noire
3. blanche
4. américain
5. française
6. petite

**EXERCISE C:**
1. deux
2. quatre
3. sept
4. neuf
5. quinze
6. dix-huit
7. vingt

**EXERCISE D:**
1. voici
2. il y a
3. Voici
4. il y a
5. il y a
6. Voici

**EXERCISE E:**
1. avez
2. ai
3. ont
4. avons
5. as
6. a

**EXERCISE F:**
1. soixante-huit
2. cent un
3. trente-trois
4. soixante-seize
5. quatre-vingt-trois
6. quatre-vingt-douze
7. quarante-neuf

**EXERCISE G:**
1. verte, américaine
2. grand, petit,blanc, francais
3. grand, petit, français
4. blanches
5. verte, américaine
6. grand, petit, français
7. grand, petit, français

**EXERCISE H:**
1. un
2. des
3. une
4. des

5. un
6. un
7. une
8. un
9. une
10. une
11. une

**EXERCISE I:**
1. c'est à vous les valises?
2. il y a une valise noire et un sac rouge
3. à quelle adresse allez-vous?
4. vous prendrez le petit déjeuner?
5. vous décidez de déménager de votre appartement
6. l'appartement est trop petit
7. le chauffeur vous aide avec les valises
8. vous payez le chauffeur de taxi
9. votre chambre n'est pas prête
10. il y a un ascenseur
11. vous avez une réservation pour moi?

**EXERCISE J:**
1. Voilà la valise.
2. C'est à vous? *or* C'est à vous ceci?
3. Il y a quatre valises.
4. Où est la rouge?

5. A quelle adresse allez-vous? *or* A quelle adresse vous allez?
6. Enfin, voilà mon taxi! *or* Enfin, voilà mon taxi. *or* Enfin, le voilà. *or* Enfin le voilà!
7. Vous avez une réservation pour moi? *or* Avez-vous une réservation pour moi?
8. Vous avez une chambre avec salle de bains? *or* Avez-vous une chambre avec salle de bains?
9. Je suis au cinquante-quatre. *or* Je suis au numéro cinquante-quatre. *or* Je suis à la chambre cinquante-quatre. *or* Je suis dans la chambre cinquante-quatre.
10. J'ai cinquante francs.
11. Mon adresse est trente-neuf, rue Bachelard. *or* Mon adresse est au trente-neuf de la rue Bachelard. *or* Mon adresse est au trente-neuf, rue Bachelard.
12. Vous prendrez le petit déjeuner, Monsieur? *or* Vous prendrez le petit déjeuner, Madame? *or* Vous prendrez le petit déjeuner, Mademoiselle?
13. Il est sept heures trente. *or* Il est sept heures et demie.

# CHAPTER 5

## EXERCISE A:
1. l'appareil
2. téléphoner
3. Etats-Unis
4. Virginie
5. Vous avez
6. 703
7. personne
8. soeur
9. quand
10. récepteur
11. allez

## EXERCISE B:
1. vas
2. vais
3. vont
4. allons
5. allez
6. va

## EXERCISE C:
1. quarante-trois, quarante cinq, trente-neuf, quarante
2. quarante-sept, quarante-sept, cinqaunte-trois, zéro-zéro
3. quarante-deux, vingt-cinq, dix, quatre-vingt-trois
4. quarante-quatre, soixante-neuf, vingt et un, dix
5. cinquante-neuf, onze, soixante-quinze, zéro-zéro
6. quarante-deux, quatre-vingt-seize, douze, zéro-deux
7. quarante-six, quarante-neuf, vingt-neuf vingt-neuf

## EXERCISE D:
1. Ecoutez
2. tournez
3. Allez
4. Rappelez
5. Parlez
6. Travaillez
7. quittez

## EXERCISE E:
1. mon
2. ma
3. ma
4. mes
5. mon
6. ma
7. mon
8. ma

## EXERCISE F:
1. je voudrais téléphoner à l'étranger
2. quel est l'indicatif de la ville?
3. on va vous rappeler
4. c'est ma soeur à l'appareil
5. vous allez me rappeler?
6. c'est un samedi après-midi
7. vous voulez téléphoner à votre soeur
8. vous espérez la trouver chez elle
9. vous appelez la standardiste
10. il est huit heures du matin
11. votre soeur habite aux Etats-Unis
12. j'espère trouver ma soeur chez elle
13. je vous rappelle dans cinq minutes
14. votre soeur n'est pas chez elle
15. vos parents habitent en Virginie

## EXERCISE G:
1. Je voudrais téléphoner à l'étranger.
2. Je vais téléphoner aux Etats-Unis. *or* Je vais appeler les Etats-Unis.
3. Je voudrais le six cent cinquante-quatre, trente-neuf, seize.
4. L'indicatif de la ville est le neuf cent un.

5. Arlington est en Virginie.
6. Raccrochez! *or* Raccrochez. *or* Raccrochez, s'il vous plaît.
7. Ne quittez pas! *or* Ne quittez pas.
8. Ma soeur habite en Californie.
9. Elle va me téléphoner plus tard. *or* Elle va m'appeler plus tard.
10. Allez à la banque! *or* Allez à la banque. *or* Passez à la banque.
11. Tournez à droite devant l'hôtel! *or* Tournez à droite devant l'hôtel.

## CHAPTER 6

EXERCISE A:
1. lit
2. fait
3. marche
4. envoie
5. femme
6. tout de suite
7. salle de bain
8. absentes
9. minutes
10. A propos

EXERCISE B:
1. Cette
2. Ce
3. Cette
4. Cet
5. ce
6. Ces

EXERCISE C:
1. votre
2. ma
3. mes

4. vos
5. mon
6. votre
7. ma

EXERCISE D:
1. ma lampe ne marche pas
2. le lit n'est pas fait
3. la femme de chambre va changer l'ampoule
4. ils ont deux absentes aujourd'hui
5. nous n'avons pas de serviettes
6. la journée est très fatigante
7. vous retournez à votre chambre
8. nous téléphonons à la réception
9. je vous envoie la femme de chambre
10. elle vient faire votre chambre
11. je vais mettre ces serviettes dans la salle de bain
12. on arrive tout de suite
13. il est déjà six heures et demie
14. j'en ai pour deux minutes
15. ma chambre n'est pas encore faite

EXERCISE E:
1. Ma lampe ne marche pas. *or* La lampe ne marche pas.
2. Le lit n'est pas fait. *or* Mon lit n'est pas fait.
3. Il est huit heures.
4. Asseyez-vous. *or* Asseyez-vous!
5. A propos *or* à propos
6. Je vais changer l'ampoule.
7. Excusez-nous. *or* Excusez-moi. *or* Pardonnez-nous. *or* Pardonnez-moi.
8. Où est votre voiture? *or* Où se trouve votre voiture

9. Cet hôtel est tranquille.
10. Je vais faire votre chambre. *or* Je vais nettoyer votre chambre.

## CHAPTER 7

EXERCISE A:
1. heure
2. train
3. Voyons
4. partir
5. quelle
6. huit
7. voie
8. Là-bas
9. peu
10. à droite

EXERCISE B:
1. vingt heures
2. vingt-quatre heures
3. quatorze heures vingt
4. douze heures
5. dix-huit heures quinze
6. vingt-deux heures quarante-cinq

EXERCISE C:
1. dix heures du matin
2. quatre heures de l'après-midi
3. sept heures dix du soir
4. huit heures vingt-cinq du soir
5. six heures vingt du matin

EXERCISE D:
1. le train part dans trois minutes
2. de quelle voie part le train pour Versailles?
3. le train vient de partir
4. nous partons dans cinq minutes

5. la voie sept est à droite
6. nous n'avons rien de spécial à faire
7. vous décidez de visiter Versailles
8. ils vont à la Gare Montparnasse
9. le train suivant part à quinze heures trente
10. ce train part dans huit minutes
11. vous partez pour ne pas manquer votre train
12. à quelle heure part le train pour Chartres?
13. je vois la voie numéro cinq
14. vous allez vous adresser à un employé de la SNCF
15. la voie numéro quatre est un peu plus loin

EXERCISE E:
1. A quelle heure part le train pour Versailles? *or* A quelle heure le train pour Versailles part-il?
2. Le train part à 16h15. *or* Le train part à seize heures quinze. *or* Le train part à 4 heures et quart de l'après-midi. *or* Le train part à quatre heures et quart de l'après-midi.
3. Votre train vient de partir. *or* Le train vient de partir.
4. Quelle voie? *or* Sur quelle voie?
5. Là-bas, à gauche.
6. Il est 22 h. *or* Il est vingt-deux heures. *or* Il est dix heures du soir. *or* Il est 10 heures du soir.
7. Je vais partir de la gare Montparnasse. *or* Je vais partir de la gare Montparnasse.
8. Le train part dans trente minutes.

9. Je voudrais un billet pour Paris. *or*
Un billet pour Paris, s'il vous plaît.
10. Nous voudrions une chambre tranquille avec salle de bain.

# CHAPTER 8

EXERCISE A:
1. l'avion
2. vol
3. arrivera
4. En retard
5. pressé
6. Ce
7. presque
8. brouillard
9. prendre
10. en bas

EXERCISE B:
1. Quelle
2. Quel
3. Quels
4. Quelles
5. Quelle
6. Quel

EXERCISE C:
1. pouvons
2. peut
3. pouvez
4. peuvent
5. Peux
6. peux

EXERCISE D:
1. Parlez-vous anglais?
2. Est-il au restaurant?

3. Parle-t-elle français?
4. Pouvons-nous partir?
5. Es-tu américaine?
6. Ont-ils une voiture?

EXERCISE E:
1. ce vol est presque toujours à l'heure
2. vous pouvez prendre quelque chose en bas
3. c'est une bonne idée
4. le vol pour Toulouse est parti en retard
5. à quelle heure arrive le vol de Chicago?
6. c'est la première visite de votre tante en Europe
7. votre tante arrive des Etats-Unis
8. le téléviseur annonce les départs et les arrivées
9. ce vol est toujours en retard
10. le vol sept cent cinquante arrivera vers vingt-deux heures
11. il y a du brouillard à Londres
12. on peut manger à la cafétéria
13. ce monsieur n'est pas pressé
14. le téléviseur ne fonctionne pas
15. vous cherchez votre tante à l'aéroport Charles de Gaulle

EXERCISE F:
1. Pouvez-vous aller au restaurant avec moi?
2. Parlez-vous anglais?
3. Le vol est à l'heure?
4. Quel vol?
5. Je suis pressé. *or* Je suis pressée.
6. Je ne peux pas comprendre.
7. Le vol n'est pas à l'heure. *or* Mon vol n'est pas à l'heure.

8. Je vais être en retard.
9. Quel restaurant aimez-vous?
10. Il y a toujours du brouillard à Londres.

# CHAPTER 9

EXERCISE A:
1. américaine
2. près
3. enfin
4. libre
5. de service
6. Mais
7. va
8. journée
9. être
10. l'agent
11. ville
12. cher

EXERCISE B:
1. Est-ce qu'elle parle anglais?
2. Est-ce que vous allez partir?
3. Est-ce qu'il arrive à 4 heures?
4. Est-ce que vous êtes française?
5. Est-ce que vous avez une chambre?
6. Où est-ce qu'on trouve un taxi?

EXERCISE C:
1. plus tranquille
2. moins cher
3. plus vite
4. plus petit
5. plus noire
6. moins tranquille

EXERCISE D:
1. on arrive plus vite par le métro
2. je me dépêche
3. il attend un client qui va à Orly
4. mais je suis pressé!
5. ce chauffeur de taxi n'est pas de service
6. c'est un lundi matin pluvieux
7. vous n'avez pas de voiture
8. vous courez à la tête de station
9. il y a beaucoup de monde qui court dans tous les sens
10. est-ce que vous allez trouver un taxi?
11. nous sommes en pleine heure de pointe
12. comment trouve-t-on un taxi dans cette ville?
13. ce chauffeur de taxi rentre
14. la bouche de métro est derrière ce restaurant
15. il se dépêche parce qu'il est pressé

EXERCISE E:
1. Est-ce que vous êtes de service?
2. Je ne suis pas libre.
3. J'attends un client qui va à Charles de Gaulle.
4. Je vais rentrer. or Je rentre.
5. Est-ce que le métro est moins cher?
6. Quelle journée!
7. Je ne travaille pas le samedi.
8. Les chambres sont plus petites en France.
9. Parle-t-on anglais? or Parle-t-on l'anglais? or Parle-t-on anglais ici? or Parle-t-on l'anglais ici?
10. Quels jours est-ce qu'on travaille en France?

## CHAPTER 10

EXERCISE A:
1. fois
2. prenez
3. trouvez
4. l'après-midi
5. hôtel
6. une amie
7. Regardez
8. direction
9. changer
10. Il y a
11. acheter
12. au

EXERCISE B:
1. dois
2. veut
3. dois
4. voulons
5. Veut
6. devez

EXERCISE C:
1. troisième
2. quatrième
3. première
4. neuvième
5. cinquième
6. quinzième

EXERCISE D:
1. le métro n'est pas loin de votre hôtel
2. vous allez prendre la ligne numéro quatre
3. j'ai rendez-vous avec une amie Aux Deux Magots
4. on ne parle pas beaucoup dans le métro
5. je voudrais un carnet de tickets
6. c'est la première fois que vous prenez le métro
7. vous regardez la carte du métro
8. vous voyez le train qui arrive
9. où est-ce que vous avez rendez-vous ce soir?
10. je voudrais un carnet de tickets
11. vous achetez vos billets au guichet
12. votre hôtel est à trois stations de métro d'ici
13. Aux Deux Magots est un café bien connu
14. elle remarque qu'on ne parle pas beaucoup dans le métro
15. vous devez changer de métro à Châtelet

EXERCISE E:
1. C'est la première fois que je prends le métro.
2. Quelle ligne est-ce que je dois prendre?
3. Je voudrais un carnet de seconde.
4. J'ai rendez-vous cet après-midi avec un ami. *or* J'ai rendez-vous cet après-midi avec une amie.
5. Es-tu de bonne humeur?
6. Je me lève à 7 heures. *or* Je me lève à 7 heures du matin. *or* Je me lève à sept heures du matin.
7. Je me dépêche.
8. Où voulez-vous aller?
9. Je dois travailler ce soir.
10. Vous devez aller au cinquième étage. *or* Vous devez aller au cinquième.

# CHAPTER 11

EXERCISE A:
1. Qu'est-ce que
2. nature
3. thé
4. bois
5. manger
6. dois
7. régime
8. soif
9. voudrais
10. bière
11. pression

EXERCISE B:
1. Je ne mange pas de sandwich.
2. Elle ne prend pas de café.
3. Il n'y a pas de bière.
4. Nous n'avons pas de valises.
5. Ils ne boivent pas de vin.
6. Elle n'a pas de voiture.
7. Ils n'ont pas d'amis.

EXERCISE C:
1. ai
2. soif
3. a envie
4. avons faim
5. as chaud
6. a froid
7. Avez ... faim

EXERCISE D:
1. qu'est-ce que vous prenez?
2. il prend un verre de bière
3. nous allons dîner chez ma soeur
4. j'ai très soif
5. mes parents ne boivent pas d'alcool
6. j'ai envie de parler français
7. vous commandez pour votre amie
8. je vais appeler le garçon
9. elle voit tout de suite son ami
10. ils arrivent un peu avant six heures et demie
11. je suis fatigué après mon excursion
12. vous voulez manger quelque chose?
13. je voudrais une pression et des cacahuètes
14. qu'est-ce que nous allons prendre?
15. je suis au régime depuis lundi

EXERCISE E:
1. Qu'est-ce que vous prenez? or Qu'est-ce que vous allez prendre?
2. Je voudrais une pression. or Je voudrais une bière. or Je voudrais une demi-pression. or Je voudrais un demi.
3. Je voudrais un verre de vin blanc. or Je voudrais un vin blanc. or Je voudrais un blanc.
4. Elle prend un crème. or Elle prend un café crème.
5. Je vais prendre un sandwich.
6. Je ne bois pas de café. or Je ne prends pas de café.
7. Je dois dîner chez un ami. or Je dois aller dîner chez un ami.
8. Est-ce que vous voulez manger quelque chose? or Voulez-vous manger quelque chose? or Vous voulez manger quelque chose?
9. J'ai très soif.
10. J'ai envie de prendre un Perrier. or J'ai envie de boire un Perrier. or J'ai envie d'un Perrier.

## CHAPTER 12

### EXERCISE A:
1. nettoyer
2. vêtements
3. ces
4. cravates
5. avoir
6. D'accord
7. après
8. parfait
9. nom

### EXERCISE B:
1. Je suis à Paris depuis trois semaines.
2. Je prends le métro depuis sept mois.
3. Il travaille pour cette banque depuis un an.
4. Ils sont à l'hôtel depuis deux jours.
5. Elle nettoie ses vêtements depuis un quart d'heure.

### EXERCISE C:
1. Qu'est-ce que vous prenez?
2. Qu'est-ce que tu veux?
3. Qu'est-ce que tu as?
4. Qu'est-ce qu'il parle?
5. Qu'est-ce que vous devez réserver?
6. Qu'est-ce qu'elle boit?
7. Qu'est-ce que vous voulez?
8. Qu'est-ce que je vais acheter?
9. Qu'est-ce que nous allons nettoyer?
10. Qu'est-ce qu'ils prennent?

### EXERCISE D:
1. qu'est-ce que vous avez?
2. je passerai après cinq heures
3. Je voudrais faire nettoyer ce pantalon.
4. vous pouvez les avoir demain
5. vous décidez d'aller dans un pressing
6. nous sommes à Lyon depuis une semaine
7. vos vêtements ont besoin d'être nettoyés
8. le pressing se trouve dans une petite rue
9. cette rue est derrière l'hôtel
10. je vais faire nettoyer cette chemise
11. vous pouvez avoir ces vêtements après-demain
12. ce restaurant est vraiment trop cher
13. ils sont chez leurs parents depuis quelques jours
14. j'ai besoin de passer chez le teinturier
15. vous pouvez passer après quatre heures

### EXERCISE E:
1. Qu'est-ce que vous prenez pour le petit déjeuner? *or* Qu'est-ce que vous allez prendre pour le petit déjeuner? *or* Qu'est-ce que vous voulez pour le petit déjeuner? *or* Qu'est-ce que vous voulez prendre pour le petit déjeuner?
2. Qu'est-ce que vous buvez? *or* Qu'est-ce que vous prenez? *or* Qu'est-ce que vous allez boire? *or* Qu'est-ce que vous allez prendre?
3. Depuis combien de temps est-ce que vous travaillez dans ce café? *or* Depuis combien de temps travaillez-vous dans ce café? *or* Depuis combien de temps vous travaillez dans ce

4. Depuis combien de temps êtes-vous à Paris? *or* Depuis combien de temps est-ce que vous êtes à Paris? *or* Depuis combien de temps vous êtes à Paris?

5. Qu'est-ce que tu as? *or* Qu'as-tu? *or* Qu'est-ce qui ne va pas? *or* Ça ne va pas?

6. Je voudrais faire nettoyer mes chemises.

7. Je voudrais faire nettoyer ce pantalon.

8. Je parle français depuis plusieurs mois.

9. Je travaille pour cette entreprise depuis six ans.

10. Je passerai après-demain. *or* Je vais passer après-demain.

# CHAPTER 13

EXERCISE A:
1. désirez
2. pain
3. baguette
4. campagne
5. avec
6. croissants
7. cinquante
8. la monnaie
9. pouvez
10. laisse

EXERCISE B:
1. faire
2. faisons
3. fait
4. faites
5. fais
6. font

EXERCISE C:
1. vingt francs cinquante
2. huit francs trente
3. seize francs quatre-vingts
4. dix-neuf francs dix
5. dix-sept francs quarante

EXERCISE D:
1. le client n'a pas assez d'argent
2. faites comme vous voulez!
3. ils laissent les croissants
4. le boulanger a de la monnaie
5. allez à la BNP à côté!
6. il n'est plus à l'hôtel
7. votre collègue est en congé en Grande Bretagne
8. je vais préparer mes repas moi-même
9. nous devons faire nos courses
10. nous allons commencer par la boulangerie
11. mais que voulez-vous?
12. vous avez de la monnaie de cinq cents francs?
13. le client laisse les brioches et les croissants
14. ça fait seize francs soixante
15. qu'est-ce que vous désirez?

EXERCISE E:

1. Je voudrais une baguette et trois croissants. *or* Je voudrais une baguette et trois croissants, s'il vous plaît.
2. Je voudrais aussi une brioche. *or* Je voudrais une brioche aussi.
3. Ça fait dix francs soixante. *or* Cela fait dix francs soixante.
4. Est-ce que vous avez la monnaie de deux cents francs?
5. Je n'ai pas de monnaie. *or* Non, je n'ai pas de monnaie.
6. Il y a une banque à côté.
7. Je laisse la baguette, les croissants, et la brioche.
8. Et avec ça?*or* Et avec cela?
9. Fais comme tu veux? *or* Fais comme tu veux.
10. Je n'ai pas assez d'argent.

## CHAPTER 14

EXERCISE A:

1. Dépêchez-vous
2. minutes
3. tranches
4. frais
5. carottes
6. laitue
7. de l'ail
8. déteste
9. touchez
10. raisin

EXERCISE B:

1. Levez-vous à 8 heures!
2. Réveillez-vous de bonne heure!
3. Dépêchez-vous!
4. Lavez-vous souvent!
5. Couchez-vous!
6. Habillez-vous!
7. Dépêchons-nous!
8. Occupons-nous de nos affaires!
9. Occupez-vous de votre chien!
10. Habillons-nous!

EXERCISE C:

1. vient
2. vient
3. viens
4. venez
5. venons
6. viennent

EXERCISE D:

1. ça ne fait de mal à personne
2. ne touchez pas à la marchandise!
3. elle voudrait une livre de tomates
4. vous êtes sorti très tard du bureau
5. nous allons chez le primeur pour acheter des fruits
6. j'ai acheté du pâté
7. à qui le tour?
8. ces légumes sont très frais
9. j'ai de l'ail qui vient d'arriver

**EXERCISE E:**

1. Je voudrais cent cinquante grammes de pâté.
2. Je voudrais aussi cinq tranches de jambon. *or* Je voudrais cinq tranches de jambon aussi.
3. Ça fera combien? *or* Combien est-ce que ça fera? *or* Combien cela fera-t-il?
4. On va fermer dans dix minutes. *or* Nous allons fermer dans dix minutes.
5. Dépêchez-vous! *or* Dépêche-toi!
6. Je voudrais des tomates et un kilo de pommes. *or* Je voudrais des tomates et un kilo de pommes, s'il vous plaît.
7. Je déteste l'ail.
8. Moi aussi, je ne mange jamais d'ail.
9. Ne touchez pas à la marchandise! *or* Ne touchez pas à la marchandise.
10. C'est à vous? *or* Est-ce que c'est à vous? *or* Est-ce que c'est vous tour?
11. Est-ce que vous avez du persil et des carottes? *or* Avez-vous du persil et des carottes? *or* Vous avez du persil et des carottes?

# CHAPTER 15

**EXERCISE A:**

1. sale
2. temps
3. dire
4. rôti
5. pèse
6. poulets
7. Pourrais-je
8. caisse

**EXERCISE B:**

1. voudrais
2. Pourrais
3. pourrais
4. voudrais
5. pourrais

**EXERCISE C:**

1. notre
2. notre
3. notre
4. nos
5. notre
6. nos
7. notre
8. notre

**EXERCISE D:**

1. nos poulets fermiers sont en réclame
2. notre boucher a toujours raison
3. vous pouvez passer à la caisse
4. il voudrait un os pour son chien
5. elle voudrait un rôti de boeuf pour six personnes
6. il fait vraiment mauvais

7. il fait froid en hiver
8. c'est votre dernière course de la journée
9. j'ai des invités ce soir
10. en hiver les journées sont si courtes
11. il fait un temps de chien
12. voilà un très beau rôti
13. vous devez aller à la boucherie
14. ce poulet pèse un kilo deux cents
15. j'ai acheté un os pour mon chien

## EXERCISE E:

1. Notre veau est en réclame aujourd'hui. *or* Le veau est en réclame aujourd'hui.
2. Est-ce que je pourrais avoir un poulet fermier?
3. Je n'ai plus de poulet. *or* Je n'ai plus de poulet fermier.
4. Il fait un temps de chien. *or* Il fait un temps à ne pas mettre un chien dehors. *or* Quel sale temps. *or* Quel sale temps!
5. Tu as raison.
6. Ça ira? *or* Ça vous ira? *or* Ça vous convient? *or* Ça vous conviendra?
7. Quel est votre numéro de téléphone?
8. Passez à la caisse. *or* Payez à la caisse.
9. Je voudrais faire des courses.
10. Je voudrais parler à monsieur Perrier. *or* Je voudrais lui parler.

## CHAPTER 16

### EXERCISE A:
1. cherche
2. taille
3. pour moi
4. bleu
5. joli
6. coûte-t-il
7. au rayon
8. pulls
9. solde
10. remercie

### EXERCISE B:
1. faire nettoyer
2. quelque chose
3. changer
4. pommes
5. faire
6. prendre
7. taille

### EXERCISE C:
1. celle
2. celui
3. ceux
4. celui
5. ceux
6. celui
7. celles
8. celle

### EXERCISE D:
1. ma femme cherche un pullover
2. quelle taille vous faut-il?
3. allez au rayon à côté où il y a des pulls en solde!

4. ce costume n'est pas pour moi

5. je vais faire un tour dans les grands magasins

6. vous voulez faire un cadeau à un ami

7. vous lui donnez un pull

8. j'ai pensé à un veston

9. vous marchez jusqu'à le rue de Rivoli

10. je ne suis pas sûre de ce que je vais lui donner

11. ce n'est pas pour moi

12. combien coûte-t-il?

13. je voudrais un bleu clair comme celui-ci

14. quel ton est-ce qu'il vous faut?

15. faisons un cadeau à Cécile!

## EXERCISE E:

1. Je voudrais acheter un cadeau pour un ami.

2. Qu'est-ce que vous cherchez? *or* Que cherchez-vous?

3. Je cherche une cravate.

4. Je préfère celle-là.

5. Elles sont un peu trop chères. *or* C'est un peu trop cher.

6. Il y a des cravates en solde au rayon à côté. *or* Ils ont des cravates en solde au le rayon à côté. *or* Des cravates sont en solde au rayon à côté. *or* Les cravates sont en solde au rayon à côté.

7. Quelle taille vous faut-il? *or* Quelle taille est-ce qu'il vous faut? *or* Quelle taille voulez-vous? *or* Quelle taille vous voulez? *or* Quelle taille?

8. Je voudrais celles-ci.

9. Je vous remercie, Monsieur. *or* Je vous remercie.

10. Il me faut une voiture.

# CHAPTER 17

## EXERCISE A:
1. peut
2. incroyable
3. premier
4. toujours
5. manifestations
6. en général
7. avance
8. tôt

## EXERCISE B:
1. veut dire
2. voulez dire
3. veux dire
4. veux dire
5. veut dire
6. veulent dire

## EXERCISE C:
1. son
2. sa
3. son
4. ses
5. son
6. ses
7. son
8. sa
9. ses
10. son

## EXERCISE D:
1. il y a des manifs le premier mai
2. on ne peut pas avancer
3. que se passe-t-il?
4. je suis très contente d'aller à la Coupole

5. nous avons beaucoup entendu parler de ce restaurant
6. elle est contente d'y aller
7. il y a un embouteillage près de la gare
8. ils sont bloqués au coin du boulevard Montparnasse
9. mon mari est en colère
10. la fête du travail est le premier mai
11. ce n'est pas trop tôt
12. nous allons dîner dans un petit restaurant
13. les voilà bloqués devant l'Arc de Triomphe
14. on va se retrouver devant le cinéma
15. cet embouteillage est vraiment incroyable!

## EXERCISE E:

1. Que se passe-t-il? *or* Qu'est-ce qui se passe?
2. Quel embouteillage! *or* Quel embouteillage.
3. On n'avance pas. *or* On ne bouge pas.
4. Est-ce qu'il y a beaucoup de manifs à Paris? *or* Y a-t-il beaucoup de manifs à Paris? *or* Il y a beaucoup de manifs à Paris?
5. On va en pique-nique aux Etats-Unis. *or* Aux Etats-Unis on va en pique-nique. *or* On va pique-niquer aux Etats-Unis. *or* Aux Etats-Unis on va pique-niquer.
6. Que veut dire ce mot? *or* Qu'est-ce que ce mot veut dire? *or* Qu'est-ce que ça veut dire? *or* Qu'est-ce que veut dire ce mot?

7. Qu'est-ce que tu veux dire? *or* Que veux-tu dire?
8. Je prends mes vacances en juillet.
9. J'ai rendez-vous le 23 mars. *or* J'ai un rendez-vous le 23 mars. *or* J'ai rendez-vous le vingt-trois mars. *or* J'ai un rendez-vous le vingt-trois mars.
10. Est-ce que vous prenez vos vacances en septembre? *or* Prenez-vous vos vacances en septembre? *or* Vous prenez vos vacances en septembre?

# CHAPTER 18

## EXERCISE A:

1. mercredi
2. janvier
3. Veuillez
4. apéritif
5. moi
6. choisi
7. demie
8. notre dîner
9. j'y ai déjeuné
10. deux ans
11. formidable
12. jour

## EXERCISE B:

1. suis en colère / fatigué
2. sommes divorcés
3. est malade
4. êtes célibataire
5. est veuve / enceinte
6. Es / pressée

## EXERCISE C:

1. le cinq août mil(le) six cent soixante-douze *or* le cinq août seize cent soixante-douze
2. le neuf octobre mil(le) neuf cent quatre-vingt-quatre *or* le neuf octobre dix-neuf cent quatre-vingt-quatre
3. le deux février mil(le) huit cent douze:le deux février dix-huit cent douze
4. le six juin mil(le) neuf cent quarante-quatre *or* le six juin dix-neuf cent quarante-quatre
5. le quatorze avril mil(le) sept cent soixante-cinq *or* le quatorze avril dix-sept cent soixante-cinq

## EXERCISE D:

1. Nous avons cherché un taxi.
2. Qu'est-ce que vous avez commandé?
3. Ils ont travaillé ce weekend.
4. J'ai écouté de la musique classique.
5. Tu as mangé des escargots.
6. Elle a téléphoné à sa soeur.
7. Tu as regardé le menu. .
8. Elle a choisi le vin.
9. Ils ont parlé anglais.
10. Vous avez acheté des provisions.

## EXERCISE E:

1. nous avons pesé les pommes
2. ils n'ont pas apporté de gâteaux chez nous
3. mes parents ont envoyé des livres à Lyon
4. je n'y ai jamais mangé
5. nous y avons travaillé avec nos amis
6. c'est vous qui allez commander
7. j'ai envie de bavarder avec mes cousins

8. le maître d'hôtel vous a gardé votre table
9. c'est un des grands spectacles de la vie parisienne
10. ils nous envoient le garçon
11. j'y ai déjeuné une fois
12. je voudrais commander une assiette de crudités
13. le sommelier s'occupe des vins
14. j'ai une réservation pour le mardi 12 juin à vingt heures
15. nous allons commencer par un apéritif

## EXERCISE F:

1. Vous n'êtes pas à l'heure.
2. Mon anniversaire est le vingt-six mars dix-neuf cent soixante-huit. *or* Mon anniversaire est le vingt-six mars mil neuf cent soixante-huit.
3. Quelle est la date aujourd'hui? *or* Quelle est la date d'aujourd'hui?
4. Quelle est la date de votre anniversaire? *or* Quelle est la date de ton anniversaire?
5. Quelle est la date de votre anniversaire de mariage? *or* Quelle est la date de ton anniversaire de mariage?
6. Mes parents sont divorcés.
7. Je suis un peu malade. *or* Je me sens un peu mal. *or* Je me sens un peu malade.
8. Ma femme n'est jamais à l'heure.
9. Saignant.
10. Je voudrais commencer par un apéritif.
11. J'ai commandé du vin hier. *or* Hier, j'ai commandé du vin.

12. Je voudrais une demi-bouteille de Gevrey-Chambertin. *or* Je voudrais une demi-bouteille de Gevrey-Chambertin, s'il vous plaît. *or* Donnez-moi une demi-bouteille de Gevrey-Chambertin. *or* Donnez-moi une demi-bouteille de Gevrey-Chambertin, s'il vous plaît.
13. J'y ai déjeuné une fois.
14. C'est un restaurant formidable mais tellement cher. *or* C'est un restaurant formidable, mais tellement cher. C'est un restaurant formidable mais si cher. *or* C'est un restaurant formidable, mais si cher.
15. Je n'y ai jamais mangé parce que c'est trop cher.
16. Je voudrais du vin blanc avec mon poisson.
17. Quand est-ce que tu as parlé avec ta famille? *or* Quand as-tu parlé avec ta famille?
18. J'ai commandé un tournedos, des pommes de terre, et une salade.
19. Voulez-vous déjeuner avec moi? *or* Est-ce que vous voulez déjeuner avec moi? *or* Voudriez-vous déjeuner avec moi? *or* Vous voudriez déjeuner avec moi?
20. Vous avez choisi les vins? *or* Avez-vous choisi les vins? *or* Est-ce que vous avez choisi les vins?

# CHAPTER 19

## EXERCISE A:
1. me sens
2. mal au foie
3. crois
4. vous donner
5. biscottes
6. comprimés
7. mis
8. les voilà

## EXERCISE B:
1. a cinquante-deux ans
2. a besoin
3. avons faim
4. ai envie
5. ai soif
6. avez sommeil
7. as mal à la tête

## EXERCISE C:
1. vendons
2. attendent
3. attends
4. vend
5. attendons
6. Attendez
7. vends

## EXERCISE D:
1. ma femme a mal à l'estomac
2. ils ne les ont pas cherchés aujourd'hui
3. ce pauvre Français a mal au foie
4. nous l'avons écouté
5. je ne me sens pas du tout bien

6. vous venez de faire un excellent repas
7. vous décidez d'aller chez le docteur
8. tout ça est vraiment trop
9. je suis passé chez le boucher
10. nous sommes passés chez le boulanger
11. il mange un peu trop depuis une semaine
12. la pharmacienne me donne ces comprimés
13. vous les avez mis dans votre poche
14. je crois que j'ai trop mangé hier soir
15. j'ai peut-être mal à la gorge

**EXERCISE E:**
1. Je ne me sens pas bien.
2. Qu'est-ce que vous avez, monsieur? or Qu'avez-vous, monsieur?
3. J'ai mal à la tête et à l'estomac.
4. Je vous recommande de prendre du thé et des biscottes.
5. Je viens de vous les donner.
6. Les voilà!
7. J'ai sommeil.
8. Est-ce que vous avez peur des serpents? or Avez-vous peur des serpents? or Est-ce que tu as peur des serpents? or As-tu peur des serpents?
9. Tu as tort. or Vous avez tort.
10. J'ai 33 ans. or J'ai trente-trois ans.

# CHAPTER 20

**EXERCISE A:**
1. docteur
2. température
3. dites
4. vos

5. j'ai dîné
6. à la gorge
7. médecin
8. numéro

**EXERCISE B:**
1. Pierre a mal au foie.
2. Cécile a mal à l'estomac.
3. J'ai mal aux dents.
4. Tu as mal aux yeux.
5. Vous avez mal au pied.
6. Ils ont mal à la gorge.
7. Nous avons mal au dos.
8. Elles ont mal à la jambe.
9. Philippe a mal aux oreilles.
10. Anne-Marie a mal au ventre.

**EXERCISE C:**
1. souvent
2. peu
3. beaucomp
4. probablement
5. déjà
6. vite
7. beaucoup

**EXERCISE D:**
1. j'y ai travaillé il y a cinq ans
2. mon frère a mal aux dents
3. j'ai remercié mes amis il y a deux jours
4. il raccroche le récepteur
5. vous n'avez pris que du thé
6. vous vous sentez de plus en plus mal
7. je suis vraiment malade
8. c'est un numéro à appeler en cas d'urgence

9. où sont les comprimés que le pharmacien m'a donnés?
10. j'ai de la fièvre
11. donnez-moi votre numéro de téléphone!
12. ne vous inquiétez pas!
13. j'ai dîné au restaurant il y a deux jours
14. on vous envoie un médecin tout de suite
15. vous avez de la température?

## EXERCISE F:

1. J'ai beaucoup de fièvre.
2. Vous avez de la température? *or* Avez-vous de la température? *or* Est-ce que vous avez de la température?
3. Je vous envoie un médecin tout de suite. *or* Je vous envoie tout de suite un médecin. *or* On vous envoie un médecin tout de suite. *or* On vous envoie tout de suite un médecin.
4. Ne vous inquiétez pas! *or* Ne vous inquiétez pas.
5. J'ai téléphoné à la pharmacie il y a trois jours. *or* Il y a trois jours j'ai téléphoné à la pharmacie.
6. J'ai trop mangé au restaurant.
7. J'ai parlé avec l'infirmière il y a deux heures. *or* Il y a deux heures j'ai parlé avec l'infirmière.
8. Vous avez probablement une grippe. *or* Vous avez probablement la grippe.
9. J'ai mal aux dents.
10. Donnez-moi votre nom, adresse et numéro de téléphone.

## CHAPTER 21

## EXERCISE A:

1. Vous désirez
2. cartes postales
3. Choisissez
4. n'en
5. passé
6. chaque
7. boîte
8. timbres
9. près
10. Juste en face

## EXERCISE B:

1. les
2. le
3. la
4. y
5. en
6. en
7. y

## EXERCISE C:

1. J'en ai mangé.
2. Il y a déjeuné.
3. Ils les ont choisies.
4. On en a commandé.
5. Tu l'as regardée.
6. J'y vais.
7. Elle en apporte.
8. Tu l'aimes?
9. Je le déteste.
10. Nous en commandons.

## EXERCISE D:

1. j'ai demandé de l'eau minérale
2. j'en ai commandé une douzaine

3. il y a une boîte aux lettres près d'ici
4. je voudrais des cartes postales
5. nous n'en avons plus
6. je n'ai rien envoyé à ma famille
7. je vais acheter des cartes postales
8. vous pouvez en acheter au bureau de tabac
9. je cherche des photos des monuments de Paris
10. nous sommes à Paris depuis hier
11. nous avons passé une commande il y a trois jours
12. la commande n'est pas encore arrivée
13. la boîte aux lettres est juste en face de l'hôtel
14. choisissez les cartes postales que vous préférez
15. nous avons choisi les cartes postales les moins chères

**EXERCISE E:**
1. J'en ai déjà.
2. Je n'ai plus de cartes postales. *or* Je n'en ai plus.
3. J'ai passé une commande mais elle n'est pas encore arrivée.
4. Il y a une boîte aux lettres près d'ici? *or* Y a-t-il une boîte aux lettres près d'ici? *or* Est-ce qu'il y a une boîte aux lettres près d'ici?
5. Il y en a une juste en face. *or* Il y en a une juste de l'autre côté de la rue.
6. Je n'y vais pas maintenant.

7. Est-ce que vous avez des cartes de l'Arc de Triomphe et de Notre-Dame? *or* Avez-vous des cartes de l'Arc de Triomphe et de Notre-Dame? *or* Vous avez des cartes de l'Arc de Triomphe et de Notre-Dame?
8. J'en ai cinq.
9. J'y ai dîné.
10. J'en ai assez.

## CHAPTER 22

**EXERCISE A:**
1. dérange
2. étais
3. cinéma
4. suis allé
5. dommage
6. séance
7. allait
8. joue
9. jeudi
10. musique
11. passerai

**EXERCISE B:**
1. Elle s'est sentie mal.
2. Nous avons travaillé.
3. Elles ne sont pas arrivées.
4. Sylvie est allée à Paris.
5. Nous nous sommes levés. *or* Nous nous sommes levées.
6. J'ai cherché un taxi.
7. Ils se sont dépêchés.
8. Paul et Virginie sont partis.
9. Nous avons trouvé un bon hôtel.
10. Elles se sont trouvé au Louvre.

EXERCISE C:

1. Elle s'en occupe.
2. Qui s'en occupe?
3. Tu t'en occupes?
4. Nous nous en occupons.
5. Ils s'en occupent.
6. Je m'en occupe.
7. Elle ne s'en occupe pas.
8. Sylvie et Mireille s'en occupent. *or* Elles s'en occupent.
9. Je ne m'en occupe pas.
10. Paul va s'en occuper.

EXERCISE D:

1. elle ne va pas se réveiller
2. ils se sont levés à sept heures du matin
3. nous sommes en train de répondre au téléphone
4. elle est en train de remercier le pharmacien
5. nous pouvons nous retrouver au café
6. nous allons nous en occuper
7. nous voulons travailler à Genève
8. si on allait à un film un jour
9. je prendrai les billets devant l'entrée principale
10. elle s'est occupée de la réservation
11. je vais prendre un pot avec des amis
12. il faut dire que le film n'est pas extraordinaire
13. elle n'est jamais allée à l'Opéra
14. il voudrait nous inviter à l'accompagner
15. je vous y accompagne demain

EXERCISE E:

1. Je ne te dérange pas, j'espère. *or* Excuse-moi de te déranger. *or* J'espère que je ne te dérange pas.
2. J'étais en train de regarder la télé.
3. Vous voulez aller au cinéma ce soir? *or* Est-ce que vous voulez aller au cinéma ce soir? *or* Voulez-vous aller au cinéma ce soir?
4. On joue un film de Louis Malle.
5. Je suis allée au cinéma la semaine dernière.
6. Nous sommes arrivés au cinéma pour la séance de vingt heures trente. *or* Nous sommes arrivées au cinéma pour la séance de vingt heures trente.
7. C'est dommage! *or* Quel dommage!
8. A bientôt! *or* A tout à l'heure. *or* A tout à l'heure! *or* A plus tard! *or* A plus tard.
9. A demain! *or* A demain.
10. Qui va s'occuper des billets? *or* Qui s'occupe des billets?
11. Je vais m'en occuper. *or* Je m'en occupe.
12. Qu'est-ce qu'on joue la semaine prochaine? *or* Que joue-t-on la semaine prochaine?
13. Si on allait dîner. *or* Si nous allions dîner.
14. Je vais à New York le mois prochain.

15. Je suis allée en Suisse le mois dernier. *or* Je suis allé en Suisse le mois dernier.
16. Elle s'est occupée de la réservation. *or* Elle s'en est occupée.
17. Qui est l'écrivain de l'histoire?
18. De qui est la musique?

# CHAPTER 23

EXERCISE A:
1. minuterie
2. ascenseur
3. entrez
4. ces fleurs
5. magnifiques
6. en train de
7. appartement
8. apéritif

EXERCISE B:
1. Oui, il le remercie.
2. Non, elle ne l'écoute pas.
3. Oui, il y va. *or* Oui, Michel y va.
4. Non, je n'en prends pas.
5. Oui, je lui parle.
6. Oui, ils leur téléphonent.
7. Non, il ne va pas les retrouver.
8. Oui, j'en ai acheté.
9. Oui, j'y suis arrivé.
10. Non, je n'en apporte pas.

EXERCISE C:
1. y
2. en
3. lui
4. leur
5. les
6. le
7. la

EXERCISE D:
1. je leur apporte un bouquet
2. ma femme est en train de mettre la table
3. il n'y a pas d'ascenseur
4. les Français font beaucoup de tra la la quand ils reçoivent
5. je voudrais vous présenter mon fils Alain
6. les Français n'invitent pas très souvent chez eux
7. nous sommes invités à dîner chez des collègues
8. il faut leur apporter un beau bouquet de fleurs
9. est-ce que tu commences à penser en français?
10. il travaille dans la section commerciale du consulat
11. notre appartement n'est pas si grand que ça
12. je vais donner ces fleurs à ma fille
13. on va prendre un apéritif
14. il m'a présenté à sa femme et à ses enfants
15. la minuterie est près de l'ascenseur

EXERCISE E:
1. Tenez! *or* Tiens! *or* Tenez. *or* Tiens.
2. Quel grand salon!
3. Ma femme met la table. *or* Ma femme est en train de mettre la table. *or* Elle met la table. *or* Elle est en train de mettre la table.
4. Je voudrais vous présenter ma femme, Carole.

5. Nous voudrions prendre un apéritif.
6. Où est la minuterie? *or* Où est l'inter-rupteur?
7. J'habite au quatrième étage. *or* Nous habitons au quatrième étage. *or* J'habite au quatrième. *or* Nous habitons au quatrième.
8. Je vais leur apporter des fleurs. *or* Je leur apporte des fleurs.
9. Elle lui a donné une nouvelle montre.
10. A quel étage habitez-vous? *or* A quel étage est-ce que vous habitez? *or* A quel étage vous habitez?

# CHAPTER 24

EXERCISE A:
1. coupe
2. Asseyez-vous
3. sera
4. pourboire
5. qui
6. scandale
7. travailler
8. va vous faire
9. voulez
10. Tenez

EXERCISE B:
1. faire mes bagages
2. fait chaud
3. faire un discours
4. Ça ne fait rien
5. Faites mes amitiés
6. fait / froid
7. faire le lit

EXERCISE C:
1. faire
2. font
3. faites
4. fais
5. fait
6. faisons

EXERCISE D:
1. je vais faire ma valise
2. elle doit faire des courses ce matin
3. on va vous faire un shampooing
4. le restaurant n'est pas en face de la gare
5. il ne veut pas faire de discours
6. je ne suis pas encore allé chez le coiffeur
7. j'ai besoin d'une coupe de cheveux
8. ma collègue a recommandé un bon coiffeur
9. mon directeur s'énerve très facile-ment
10. le salon de coiffure se trouve près de la Place des Ternes
11. depuis quand est-ce que vous êtes à Paris?
12. j'en ai par-dessus la tête de tra-vailler ici
13. est-ce qu'on vous fait les ongles?
14. il sera à nous dans un instant
15. on nous a dit de nous asseoir

EXERCISE E:
1. On vous fait les ongles?
2. Pas aujourd'hui. *or* Pas aujourd'hui, merci.
3. Juste une coupe et un brushing.

4. Le coiffeur sera à vous dans un instant. *or* On sera à vous dans un instant. *or* Le coiffeur est à vous dans un instant. *or* On est à vous dans un instant.
5. On va vous faire un shampooing?
6. Voici un pourboire de 10 francs. *or* Voici 10 francs. *or* Voici 10 francs de pourboire.
7. J'en ai par-dessus la tête de travailler ici. *or* J'en ai ras le bol de travailler ici.
8. Votre client vous attend.
9. J'ai besoin d'une coupe. *or* J'ai besoin d'une coupe de cheveux.
10. Asseyez-vous. *or* Asseyez-vous, monsieur. *or* Asseyez-vous, madame. *or* Asseyez-vous, mademoiselle.

## CHAPTER 25

EXERCISE A:
1. sèche-cheveux
2. appareils ménagers
3. voir
4. recommande
5. marque
6. tout faire
7. brancher
8. coiffeur
9. garantie
10. moins

EXERCISE B:
1. Ce sèche-cheveux est moins cher que l'autre.
2. Ton pull est plus joli que son pull.
3. Votre jupe est plus chère que ma jupe.
4. Je travaille moins vite que mon frère.
5. Ta coiffure est aussi belle que la mienne.
6. Il fait moins chaud à Paris qu'à Nice.
7. Vous avez un modèle moins cher que ça?
8. Ce modèle-ci est aussi cher que l'autre.

EXERCISE C:
1. vite
2. dur
3. facile
4. vieux
5. jeune
6. cher

EXERCISE D:
1. j'ai moins d'argent que vous
2. elle est partie plus tard que mes amis
3. une Jaguar coûte plus cher qu'une Ford
4. l'aéroport se trouve à dix kilomètres de chez moi
5. Corinne est beaucoup plus intelligente que son frère
6. cette robe a coûté plus que prévu
7. n'oubliez pas le pourboire!
8. vous allez acheter un nouveau sèche-cheveux
9. nous avons payé plus de deux cent cinquante francs
10. où sont vos appareils ménagers?
11. il faut acheter un adaptateur
12. ce modèle est un peu plus cher que l'autre

13. il y a une garantie d'un an
14. on peut tout faire avec ce modèle
15. est-ce que c'est une marque française?

### EXERCISE E:

1. Ils sont là-bas.
2. Ils sont à côté du rayon des appareils ménagers.
3. Combien coûte-t-il?
4. Ça coûte cinq cent trente-cinq francs.
5. C'est un peu trop cher.
6. Vous avez un modèle moins cher que ça? *or* Est-ce que vous avez un modèle moins cher que ça? *or* Avez-vous un modèle moins cher que ça?
7. Nous avons un modèle italien.
8. Il y a un adaptateur et vous pouvez le brancher sur du 220 ou sur du 110.
9. Ce sèche-cheveux est beaucoup moins cher que l'autre. *or* Ce sèche-cheveux coûte moins cher que l'autre.

## **CHAPTER 26**

### EXERCISE A:

1. suffit
2. C'est-à-dire
3. ai oublié
4. donnez-moi
5. limite de vitesse
6. à l'heure
7. voiture louée
8. vous énervez

9. américain
10. n'avez rien
11. autre chose
12. ne vous en faites pas

### EXERCISE B:

1. L'agent était en colère.
2. Nous allions avec eux.
3. Vous parliez avec Paul.
4. Ils écoutaient la concierge.
5. Tu n'étais pas à l'hôtel?
6. J'achetais du pain.
7. Elle remerciait ses amis.
8. Pierre voyageait avec Annie.
9. Ils avaient soif.
10. Il ne dînait pas chez ses parents.

### EXERCISE C:

1. J'ai mis un pyjama.
2. Nous avons voulu voyager en France.
3. Mon frère a vendu sa voiture.
4. Mes soeurs ont fini leurs devoirs.
5. Elle a eu une lettre.
6. Ils ont pu répondre en français.
7. Mon voisin a vu l'accident.
8. Vous avez pris votre passeport?
9. Nous n'avons rien lu ce soir.
10. L'agent est venu avec nous.

### EXERCISE D:

1. elle était déjà mariée
2. ils étaient au restaurant
3. j'ai laissé le disque chez moi
4. vous étiez garé dans une zone bleue
5. l'agent de police doit lui donner une contravention
6. ils n'ont rien vu

7. je les ai mis sur le bureau
8. la vieille dame pensait à autre chose
9. un agent a vu l'accident de la circulation
10. le vieux monsieur a brûlé le feu rouge
11. la circulation est toujours un problème à Paris
12. vous avez attrapé deux contraventions
13. une vieille dame est au volant de la voiture
14. elle est rentrée dans votre voiture
15. vous roulez lentement en direction de la Sorbonne

## EXERCISE E:

1. Est-ce que vous savez quelle est la limite de vitesse sur l'autoroute? *or* Vous savez quelle est la limite de vitesse sur l'autoroute?
2. Je vais vous donner une contravention.
3. Vous devez payer une amende.
4. J'étais en retard.
5. J'ai laissé le disque chez moi. *or* J'ai laissé mon disque chez moi.
6. A quoi ça sert chez vous? *or* A quoi est-ce que ça sert chez vous? *or* A quoi sert-t-il chez vous? *or* A quoi est-ce qu'il sert chez vous?
7. Je n'ai pas de carte d'identité.
8. Est-ce que je peux voir votre carte grise et votre permis de conduire?
9. J'ai un passeport américain.
10. Il y a trop de voitures à Paris.
11. J'ai une voiture louée. *or* J'ai une voiture de location.

12. On a abîmé la portière et l'aile droite. *or* On a abîmé ma portière et mon aile droite.
13. Ne vous en faites pas. *or* Ne nous énervez pas.
14. Du calme. *or* Calmez-vous.
15. Est-ce que vous allez dresser un constat? *or* Est-ce que vous allez faire un constat?
16. Pourquoi avez-vous brûlé le feu rouge?
17. Je ne l'ai pas vu.
18. A quoi pensiez-vous? *or* A quoi est-ce que vous pensiez?
19. Vous n'avez rien?
20. J'ai l'habitude. *or* J'en ai l'habitude.
21. A partir de maintenant, je vais prendre le métro. *or* Je vais prendre le métro à partir de maintenant. *or* Je prends le métro à partir de maintenant. *or* A partir de maintenant, je prends le métro.

## CHAPTER 27

### EXERCISE A:
1. attendais
2. rendez-vous
3. d'importance
4. l'entrée
5. installer
6. équipée
7. chauffe-eau
8. cuisinière
9. loyer
10. charges
11. caution
12. mois

**EXERCISE B:**
1. Faisons des courses! *or* Allons faire des courses!
2. Visitons l'appartement! *or* Allons visiter l'appartement!
3. Allez à la banque!
4. Téléphonons-lui!
5. Regardez la télé!
6. Réservons deux places!
7. Attends la concierge!
8. Achète un dictionnaire!
9. Installez une armoire!
10. Appelle un agent de police!

**EXERCISE C:**
1. Faisons
2. Visitez
3. Travaillez
4. Va
5. Sortez
6. Mange
7. Allons

**EXERCISE D:**
1. il s'est trompé d'adresse
2. j'ai vraiment envie de m'installer
3. vous avez de la place pour un frigidaire
4. vous devez payer deux mois de caution
5. il y a quatre semaines que vous êtes dans un appartement temporaire
6. il n'est pas facile de trouver un appartement à Paris
7. mon appartement se trouve au quatrième étage
8. l'agent immobilier est devant la porte

9. vous avez vu une annonce dans le journal
10. je veux m'installer définitivement
11. est-ce que je peux installer une armoire?
12. il faut payer un mois de commission à l'agence
13. quel est le loyer exactement?
14. notre agent avait un autre rendez-vous
15. la cuisine n'est pas équipée

**EXERCISE E:**
1. Je me suis trompé de numéro. *or* Je me suis trompée de numéro.
2. Quel est le loyer?
3. Combien faut-il verser? *or* Combien est-ce qu'il faut verser? *or* Quelle est la caution?
4. Vous devez payer deux mois de caution. *or* Il faut verser deux mois de caution.
5. Visitons l'appartement! *or* Visitons l'appartement! *or* Allons visiter l'appartement! *or* Allons visiter l'appartement!
6. Où est la penderie?
7. Il y a le téléphone? *or* Est-ce qu'il y a le téléphone? *or* Y a-t-il le téléphone? *or* Est-ce que vous avez le téléphone?
8. C'est un immeuble classé.
9. Il y a de la place pour une armoire.
10. Ça n'a pas d'importance. *or* Ça ne fait rien. *or* Ce n'est pas grave.

# CHAPTER 28

## EXERCISE A:
1. venons
2. en bas
3. monter
4. ira
5. ce coin
6. journaux
7. peindre
8. quelle
9. signer
10. bon de livraison

## EXERCISE B:
1. J'ai oublié de le faire.
2. Nous commençons à comprendre.
3. Elle a besoin de travailler.
4. Il pense partir.
5. Ils ont peur de voir ce film.
6. J'aime boire du café.
7. Ils préfèrent peindre l'armoire.
8. Elle déteste voyager.
9. Nous essayons de vous comprendre. *or* Nous essayons de te comprendre.
10. Vous pouvez le faire sans moi? *or* Est-ce que vous pouvez le faire sans moi? *or* Pouvez-vous le faire sans moi?

## EXERCISE C:
1. de
2. à
3. à
4. de
5. -
6. -
7. de
8. -
9. de

## EXERCISE D:
1. Sylvie ne sait pas conduire
2. nous sommes obligés de partir maintenant
3. vous allez signer le bon de livraison
4. je voudrais mettre l'armoire ici
5. Paul a envie de peindre son appartement
6. il n'y en a pas du tout
7. quelle est votre couleur préférée?
8. le magasin a promis de livrer les meubles
9. je ne sais pas à quelle heure on va arriver
10. ils ont sonné à la porte
11. est-ce qu'ils ont signé le bon de livraison?
12. mon camarade attend en bas
13. c'est une armoire bon marché
14. est-ce que vous allez pouvoir la monter?
15. on trouve tout à la Samaritaine

## EXERCISE E:
1. L'ascenseur est trop petit.
2. Attendez en bas. *or* Attendez en bas!
3. Je suis venu livrer une armoire. *or* Je viens livrer une armoire.
4. Entrez. *or* Veuillez entrer.
5. Vous allez pouvoir la monter? *or* Est-ce que vous allez pouvoir la monter? *or* Allez-vous pouvoir la monter?
6. Je voudrais la mettre dans la salle de séjour. *or* J'aimerais la mettre dans la salle de séjour.
7. Vous allez la peindre? *or* Allez-vous la peindre? *or* Est-ce que vous allez la peindre?

8. Je ne sais pas encore de quelle couleur. *or* Je ne sais pas encore avec quelle couleur je vais la peindre.
9. Le livreur vient d'arriver. *or* Le livreur vient juste d'arriver.
10. J'ai peur d'arriver en retard.

# CHAPTER 29

EXERCISE A:
1. quittez
2. appel
3. ma clé
4. serrurier
5. quatrième
6. à droite
7. vous envoie
8. Cela fera

EXERCISE B:
1. Nous pensons qu'elle n'a pas raison.
2. Je crois qu'il est déjà parti.
3. Elle espère que tu arriveras à l'heure.
4. Vous êtes sûr qu'ils sont là?
5. Je sais que le métro est plus rapide.
6. Tu es certain que la porte est fermée.
7. Nous savons qu'il n'y a pas d'abonné à ce numéro.
8. La réceptionniste pense que le bus est déjà parti.
9. L'agent de police croit que je suis en contravention.
10. Vous espérez que le livreur montera le piano tout seul.

EXERCISE C:
1. Ma mère attendra mon père.
2. Le marchand vendra des légumes.
3. Je téléphonerai au serrurier.
4. Tu mangeras du pain.
5. Nous finirons nos devoirs.
6. Elle choisira un autre pull.
7. Il descendra de l'avion.
8. L'agent de voyage nous trouvera deux places.
9. Les enfants nous donneront leurs bonbons.
10. Ma femme partira ce soir.

EXERCISE D:
1. vous pensez qu'il n'a pas raison
2. ça fait 350 francs de déplacement
3. nous nous occupons de votre appel
4. votre voisin est parti travailler
5. nous allons vous envoyer une voiture dans trente minutes
6. vous n'avez pas votre clé
7. un coup de vent a fermé la porte
8. un répondeur automatique répond à votre appel
9. j'ai composé le mauvais numéro
10. il n'y a pas de serrurier dans mon quartier
11. j'ai téléphoné une troisième fois
12. le gardien de votre immeuble est à l'hôpital
13. vous avez essayé d'ouvrir la porte
14. il n'y a rien à faire
15. il n'y a pas d'abonné à ce numéro

EXERCISE E:
1. Ne quittez pas. *or* Ne quittez pas!
2. On s'occupe de votre appel. *or* Nous nous occupons de votre appel.
3. On vous envoie une voiture dans 30 minutes environ.

4. Cela fera 350 francs de déplacement et de main-d'oeuvre. *or* Ça coûtera 350 francs de déplacement et de main-d'oeuvre.
5. C'est trop cher.
6. Mon appartement est au troisième étage, deuxième porte à gauche. *or* Mon appartement est au troisième, deuxième porte à gauche.
7. Votre nom. *or* Votre nom, s'il vous plaît. *or* Votre nom? *or* Votre nom, s'il vous plaît? *or* Quel est votre nom? *or* Comment vous appelez-vous?
8. J'ai laissé ma clé dans la voiture, et je ne peux pas y rentrer. *or* J'ai laissé ma clé dans ma voiture, et je ne peux pas y rentrer.
9. Ne vous en faites pas. *or* Ne vous inquiétez pas.
10. Il n'y a pas d'abonné à ce numéro.

## CHAPTER 30

EXERCISE A:
1. la fumée
2. restons
3. pompiers
4. peut-être
5. avertir
6. faire évacuer
7. l'escalier
8. inquiétez
9. sortir
10. surtout

EXERCISE B:
1. Il devrait partir.
3. Elle attendrait son mari.
4. J'allumerais la lampe.
5. Vous resteriez calme.
6. Tu finirais ce travail.
7. Ils parleraient de leur voyage.
8. Tu devrais parler plus fort.
9. Ils commenceraient à s'inquiéter.
10. Vous devriez avertir les pompiers.

EXERCISE C:
1. partes
2. attendiez
3. vende
4. écoutions
5. soient

EXERCISE D:
1. soyez prêt à tout!
2. on devrait avertir les voisins
3. nous allons descendre par l'escalier
4. il y a de la fumée chez mon voisin
5. les pompiers vont faire évacuer l'immeuble
6. j'ai frappé à la porte de ma voisine
7. votre voisin montre des signes de nervosité
8. il faut se préparer pour les cas d'urgence
9. je vais faire sortir tout le monde
10. ne prenez pas l'ascenseur!
11. il faut rester calme
12. mon voisin a appelé les pompiers
13. madame Dupont y habite toute seule
14. supposons que vous voyiez de la fumée
15. la fumée sort d'un autre appartement

**EXERCISE E:**

1. Restez calme! *or* Restez calme. *or* Calmez-vous! *or* Calmez-vous.
2. Appelons les pompiers! *or* Appelons les pompiers. *or* Nous allons appeler les pompiers.
3. Vous devriez avertir les voisins.
4. Je vais faire évacuer l'immeuble. *or* Je fais évacuer l'immeuble.
5. Ne prenez pas l'ascenseur.
6. Descendez par l'escalier. *or* Descendez l'escalier.
7. Ne vous inquiétez pas. *or* Ne vous en faites pas. *or* Restez calme.
8. Mon voisin s'est évanoui. *or* Ma voisine s'est évanouie.
9. Je vais sortir les ordures. or Je sors les ordures.
10. Ne prenez pas l'escalier.

APPENDIX

# B

# GRAMMAR INDEX

APPENDIX

# C

# MEASUREMENT TABLES

## CLOTHES AND SHOES: A CONVERSION GUIDE OF U.S. AND FRENCH SIZES

### INFANTS

| U.S. | 3 | 4 | 5 | 6 | 7 |
|---|---|---|---|---|---|
| France | 98 | 104 | 110 | 116 | 122 |

### WOMEN

SHOES

| U.S. | 5 | 6 | 7 | 8 | 9 |
|---|---|---|---|---|---|
| France | 36 | 36 | 37 | 38 | 39-40 |

DRESS SIZES

| U.S. | 8 | 10 | 12 | 14 | 16 |
|---|---|---|---|---|---|
| France | 36 | 38 | 40 | 42 | 44 |

BLOUSES/SWEATERS

| U.S. | 30 | 32 | 34 | 36 | 38 |
|---|---|---|---|---|---|
| France | 38 | 40 | 42 | 44 | 46 |

### MEN

SHOES

| U.S. | 9 | 91/2 | 10 | 101/2 | 11 |
|---|---|---|---|---|---|
| France | 41 | 42 | 43 | 44 | 45 |

SUIT SIZES

| U.S. | 34 | 36 | 38 | 40 | 42 |
|---|---|---|---|---|---|
| France | 44 | 46 | 48 | 50 | 52 |

SHIRTS/SWEATERS

| U.S. | 36 | 37 | 38 | 39 | 40 |
|---|---|---|---|---|---|
| France | 14 | 141/2 | 15 | 151/2 | 16 |

## ADDITIONAL INFORMATION: THE MONETARY SYSTEM

**les pièces**—*coins*
**centimes**—*100th units of a franc*
**une pièce de 10 francs**—*a 10 franc coin*
**les billets**—*bills (paper currency)*
**un billet de 100 francs**—*a hundred franc bill*

## THE METRIC SYSTEM: SAMPLE CONVERSIONS

| METRIC (in French) | ENGLIS |
|---|---|
| **2,5 centimètres** | *1 inch* |
| **30 centimètres** | *1 foot* |
| **0,9 mètres** | *1 yard* |
| **1,6 kilomètres** | *1 mile* |
| **28 grammes** | *1 ounce* |
| **5 millilitres** | *1 teaspoon* |
| **15 millilitres** | *1 tablespoon* |
| **0,24 litre** | *1 cup* |
| **0,47 litre** | *1 pint* |
| **0,95 litre** | *1 quart* |
| **3,8 litre** | *1 gallon* |

## TEMPERATURE CONVERSION: FAHRENHEIT TO CELSIUS

| Fahrenheit | | | | | | | | | | | |
|---|---|---|---|---|---|---|---|---|---|---|---|
| 0 | 10 | 20 | 30 | 40 | 50 | 60 | 70 | 80 | 90 | 100 | 110 |
| -18 | -12 | -7 | -1 | 4 | 10 | 16 | 21 | 27 | 32 | 38 | 43 |
| Celsius | | | | | | | | | | | |

Some important temperatures in Celsius:

0—freezing point
23-25—comfort zone/room temperature
37—normal body temperature
40—high body temperature/call a doctor

## A FRENCH GUIDE TO WINES (IN FRENCH!)

• "avec les huîtres, coquillages, poissons: les vins blancs, secs ou mousseux, le champagne brut"

• "avec les poissons fins (sole, saumon, turbot): les vins blancs, secs ou liquoreux"

• "avecs les viandes blanches et les volailles: un vin rosé, un vin rouge léger, pas trop corsé (not too strong)"

• "avec les viandes rouges, le gibier, et le fromage: un vin rouge puissant, de 'grande sève'"

## CLOTHES AND SHOES: A CONVERSION GUIDE OF U.S. AND FRENCH SIZES

### INFANTS

| U.S. | 3 | 4 | 5 | 6 | 7 |
|---|---|---|---|---|---|
| France | 98 | 104 | 110 | 116 | 122 |

### WOMEN

SHOES

| U.S. | 5 | 6 | 7 | 8 | 9 |
|---|---|---|---|---|---|
| France | 36 | 36 | 37 | 38 | 39-40 |

DRESS SIZES

| U.S. | 8 | 10 | 12 | 14 | 16 |
|---|---|---|---|---|---|
| France | 36 | 38 | 40 | 42 | 44 |

BLOUSES/SWEATERS

| U.S. | 30 | 32 | 34 | 36 | 38 |
|---|---|---|---|---|---|
| France | 38 | 40 | 42 | 44 | 46 |

### MEN

SHOES

| U.S. | 9 | 91/2 | 10 | 101/2 | 11 |
|---|---|---|---|---|---|
| France | 41 | 42 | 43 | 44 | 45 |

SUIT SIZES

| U.S. | 34 | 36 | 38 | 40 | 42 |
|---|---|---|---|---|---|
| France | 44 | 46 | 48 | 50 | 52 |

SHIRTS/SWEATERS

| U.S. | 36 | 37 | 38 | 39 | 40 |
|---|---|---|---|---|---|
| France | 14 | 141/2 | 15 | 151/2 | 16 |

## ADDITIONAL INFORMATION: THE MONETARY SYSTEM

**les pièces**—*coins*
**centimes**—*100th units of a franc*
**une pièce de 10 francs**—*a 10 franc coin*
**les billets**—*bills (paper currency)*
**un billet de 100 francs**—*a hundred franc bill*

## THE METRIC SYSTEM: SAMPLE CONVERSIONS

| METRIC (in French) | ENGLIS |
|---|---|
| **2,5 centimètres** | *1 inch* |
| **30 centimètres** | *1 foot* |
| **0,9 mètres** | *1 yard* |
| **1,6 kilomètres** | *1 mile* |
| **28 grammes** | *1 ounce* |
| **5 millilitres** | *1 teaspoon* |
| **15 millilitres** | *1 tablespoon* |
| **0,24 litre** | *1 cup* |
| **0,47 litre** | *1 pint* |
| **0,95 litre** | *1 quart* |
| **3,8 litre** | *1 gallon* |

## TEMPERATURE CONVERSION: FAHRENHEIT TO CELSIUS

Fahrenheit
10 20 30 40 50 60 70 80 90 100 110
-18 -12 -7 -1 4 10 16 21 27 32 38 43
Celsius

Some important temperatures in Celsius:

—freezing point
3-25—comfort zone/room temperature
—normal body temperature
—high body temperature/call a doctor

A FRENCH GUIDE TO WINES (IN FRENCH!)

"avec les huîtres, coquillages, poissons: les vins blancs, secs ou mousseux, le champagne brut"

"avec les poissons fins (sole, saumon, turbot): les vins blancs, secs ou liquoreux"

"avecs les viandes blanches et les volailles: un vin rosé, un vin rouge léger, pas trop corsé (not too strong)"

"avec les viandes rouges, le gibier, et le fromage: un vin rouge puissant, de 'grande sève'"

(CUT HERE)